LA CUESTIÓN DEL GÉNERO LITERARIO

BIBLIOTECA ROMÁNICA HISPÁNICA

Dirigida por DÁMASO ALONSO

II. ESTUDIOS Y ENSAYOS, 295

JULIO MATAS

LA CUESTIÓN DEL GÉNERO LITERARIO

CASOS DE LAS LETRAS HISPÁNICAS

BIBLIOTECA ROMÁNICA HISPÁNICA

EDITORIAL GREDOS

MADRID

EDITORIAL GREDOS, S. A.

Sánchez Pacheco, 81, Madrid. España.

Depósito Legal: M. 26016 - 1979.

ISBN 84-249-0813-9. Rústica.
ISBN 84-249-0814-7. Tela.

Impreso en España. Printed in Spain.

Gráficas Cóndor, S. A., Sánchez Pacheco, 81, Madrid, 1979. — 4834.

A Raimundo Lida,
por su magisterio,
por su amistad.

INTRODUCCIÓN

Ante «la cuestión del género literario», el crítico (y también el escritor que se la plantee) —al contrario de lo que, por lo común, sucede con el teórico o sistematizador de la literatura— experimentará, hoy, sobre todo, perplejidades. La primera (en el sentido, asimismo, de radical) se le presentará como el dilema entre la afirmación convertida en axioma, de estirpe aristotélica, de la existencia de tres tipos o géneros fundamentales de la literatura, épico, lírico, dramático —que Goethe llegó, por su parte, a considerar «formas naturales de la poesía» [1]—, y la negación, favorecida por los románticos, de la posibilidad de distinguir género alguno en las artes, refrendada, para complicar aún más las cosas, por la venerable autoridad de Benedetto Croce [2].

---

[1] «Naturformen der Dichtung» (en una de las notas al *West-östlicher Divan).* Claro que se puede asociar esta noción con la de «lo natural» en el arte, mantenida por las poéticas neoclásicas, e invocar también a Boileau o los a menudo citados versos de André Chénier: «La nature dicta vingt genres opposés / D'un fil léger entre eux chez les Grecs divisés...». Pero lo que apunta Goethe sobre la manera de «actuar» estas «formas», «juntas o separadamente» *(zusammen oder abgesondert)* muestra una percepción muy aguda de las relaciones genéricas, que se puede considerar, en efecto, algo así como el fundamento de la actual teoría de los géneros (me remito al texto de esa nota, en *Sämtliche Werke,* Jubiläums-Ausgabe, vol. V, pp. 223-225).

[2] Para el estudio del concepto de género, véase Paul Van Tieghem,

No es mi propósito, sin embargo, introducir aquí una nueva discusión de la teoría de los géneros, ni mucho menos presentar elucidaciones de pretendida validez universal. Si me refiero a las enormes dificultades con que se enfrentará el crítico «practicante» (por oposición al «teórico») en su utilización del concepto de género —y hay que empezar por aceptar una terminología vacilante: se hablará también de tipo o clase, y aun de especie, si se piensa en las divisiones dentro de cada una de las nociones más amplias—, lo hago, precisamente, porque en los estudios reunidos en este libro el problema genérico, o el género como problema, se evidenció, una y otra vez, como aspecto importante, si no el más importante, en el trabajo de exégesis de las obras consideradas.

Por un lado, observé, en dos de los autores estudiados, una intención de «pureza» genérica —rasgo, como es sabido, raro en la literatura moderna y más todavía en la hispánica— que constituía la esencia misma del arte de cada uno: aludo al poeta cubano Mariano Brull y al narrador argentino Adolfo Bioy Casares. Por otro, notaba «impurezas» de carácter diverso —desde la coincidencia ocasional hasta la deliberada combinación de géneros—, sin cuyo esclarecimiento o formulación no habría sido posible entender cabalmente ciertas disposiciones y peculiaridades de autores y obras. Así,

---

«La question des genres littéraires», *Helicon*, I (1938), pp. 95-101; René Wellek y Austin Warren, *Theory of Literature*, New York: Harcourt, Brace and World (tercera edición), 1962, pp. 226-237; Wolfgang Kayser, *Interpretación y análisis de la obra literaria* (tr. de María D. Mouton y V. García Yebra), Madrid: Gredos (cuarta ed. revisada), 1961, pp. 435-518; Mario Fubini, «Genesi e storia dei generi letterari», en *Critica e poesia*, Bari: Laterza, 1966, pp. 127-228; Claudio Guillén, *Literature as System*, Princeton, New Jersey: Princeton University Press, 1971, en especial los ensayos «On the Uses of Literary Genre» y «Literature as System», pp. 107-134 y 375-419, respectivamente.

con Gustavo Adolfo Bécquer, Ramón del Valle-Inclán y Federico García Lorca en cuanto dramaturgos, Gabriel Miró, Julio Cortázar, Jorge Luis Borges y Guillermo Cabrera Infante.

El análisis de cada obra o grupo de obras sobre las cuales —ya en la actividad de la cátedra, o «extracurricularmente»— se ha venido ejerciendo mi labor crítica puso siempre de manifiesto, pues, «la cuestión del género literario» [3]. Llegué así a contemplar el conjunto de los temas tratados como una serie de «casos» desde la perspectiva de dicha «cuestión». El proceso mismo de mi trabajo me había llevado, como se ve, a comprender la importancia que la investigación del género tiene en el estudio particular de ciertas obras, porque su «situación» genérica ofrece claves, no sólo para distinguir aquellos caracteres formales que las definen, sino, además, para una justa percepción de su sentido, y aun de su valor.

Concluía yo, de ese modo, como resultado de mi propia práctica, lo que lúcidamente había afirmado Paul Van Tieghem en un artículo que revivía, por decirlo así, hace casi cuarenta años, el estudio de géneros literarios. Escribía allí Van Tieghem:

> Sans doute, l'écrivain sait —à peu près— ce qu'il veut dire, mais comment il le dira, c'est ce qui dépend du genre adopté.

Y un poco más adelante:

> Pour analyser avec quelque exactitude et pour apprécier équitablement une oeuvre d'art, il faut donc la considérer dans ses rapports avec le genre auquel elle appartient et qui en a pour une grande partie déterminé, non seulement la forme, mais le fond même [4].

---

[3] La cuestión de la determinación genérica es también central en mi libro *Contra el honor. Las novelas normativas de Ramón Pérez de Ayala,* Madrid: Seminarios y Ediciones, 1974.

[4] *Loc. cit.*, p. 100.

Nada más lejos de mí, por otra parte, en cuanto al método de mi trabajo, que establecer a priori, para administrarlas después, determinadas categorías —aquello que, con razón, excluía Croce de la verdadera apreciación estética—; antes bien, partiendo de observaciones pertinentes a los textos mismos que se examinan, paso a la consideración del género —o, más exactamente, a la indicación de semejanzas y diferencias respecto de otros textos o de ciertos patrones genéricos—, con un criterio del todo flexible, para mejor fijar, en cada ocasión, la naturaleza y valores individuales de las obras. El procedimiento que he seguido concuerda, en fin, con la concepción expuesta por Mario Fubini y reafirmada más recientemente por Claudio Guillén del «género como instrumento», «il cui valore —escribe Fubini— si commisura all'utilità che esso ci arreca nel nostro lavoro di critica» [5]. Pero insisto en que tampoco, en ningún caso, dicha orientación ha sido deliberado —otra vez, apriorístico— punto de arranque de estos estudios; si menciono el método propuesto por aquellos dos eminentes teóricos, lo hago sólo como un modesto reconocimiento, por lo que atañe a mi experiencia —y dejando a un lado el relativo mérito de mi trabajo—, de la justeza de sus postulados.

Se imponen ahora algunos comentarios y aclaraciones sobre los diferentes estudios del presente volumen. Creo que

---

[5] *Op. cit.*, p. 137. En otro momento, precisa Fubini: «...non per questo si disconosce il valore unico di quell'*individuum ineffabile* che è l'opera singola, chè anzi a quello sempre si mira mentre si va cercando la definizione del genere che più gli convenga, e quello appunto la nostra classificazione vuole mettere nel dovuto risalto» (p. 129). Escribe, por su parte, C. Guillén: «If a writer or a critic has decided that a group of works does exist, on the basis of certain significant resemblances, what matters then is the effectiveness of such a resolution, and the ways in which it helps him to understand and emulate those works» *(op. cit.*, p. 131).

nada puedo añadir a lo ya dicho arriba en cuanto a la «poesía pura» y el ejemplo extremo dentro de ella de Mariano Brull; sólo cabe remitirme a lo que pormenorizadamente expongo en el trabajo correspondiente. Debo, sí, hacer una clarificación sobre la que llamo «pureza narrativa» de Bioy Casares. No he dado al término «pureza», en este caso —lo cual podría suponerse porque analizo una novela del autor—, el sentido de adhesión a lo que se considera norma novelística según ciertos caracteres «ideales» del género (tal como lo concibe, por ejemplo, el Lukács de la *Teoría de la novela),* sino, al contrario, un sentido que se relaciona con la reducción de la obra de Bioy a muy estrechos límites formales: la suya es un tipo de construcción novelesca ceñida, del modo más riguroso, al principio o razón original del arte de narrar, como desarrollo «lógico» de un asunto que a la luz de la experiencia efectiva se reconoce como improbable.

El permanente interés de Bécquer por el teatro —como atestiguan los numerosos proyectos dramáticos que dejó al morir— no ha sido, que yo sepa, suficientemente atendido por la crítica. Pongo de relieve, en el trabajo a él dedicado, la presencia de lo dramático en su obra (con especial consideración de las *Rimas).* Además de ocuparme allí de lo con bastante seguridad atribuible a Bécquer, el poeta lírico, en el teatro que escribió en colaboración, destaco el talento dramático inherente a cierto Bécquer irónico y humorista; cada vez adquiere en mí más fuerza la imagen de un Bécquer también notable dramaturgo, algo que su temprana muerte le impediría llegar a ser.

Del «lirismo» de Miró se ha escrito bastante, pero casi siempre con la injusta intención de restar importancia a su condición de narrador. La idea concebida por Miró de una forma que le permitiera fundir sus dotes poéticas y narrativas, no ha sido, por lo común, tenida en cuenta para juzgar su obra. He querido analizar esa fusión, examinando cómo opera en el primer texto novelesco extenso donde Miró pone en práctica su concepción: *Las cerezas del cementerio.* Miró llevó al extremo las posibilidades de la lírica dentro del módulo narrativo. La conjunción que busca (no, según se ha querido ver, sólo en lo superficial, en lo «poético» de su lenguaje o de sus escenarios y ambientes) es como un último giro en el empleo de la lírica en cuanto recurso integral de la narración en prosa, cuyo origen está ligado al del arte mismo de la moderna novela. Me permito recordar, a este propósito, cuánto contribuyó ya Cervantes a dar a la poesía carácter de elemento emocional constitutivo, intensificador de la acción narrada (carácter del que, por lo general, carecía en la tradición de la novela pastoril)[6].

En cuanto a Valle-Inclán y García Lorca, me fijo en su teatro, o en sendas piezas de su teatro, para, desde ellas, explorar el territorio del llamado «drama poético»; aplico en ese estudio un criterio eminentemente teatral (incorporando para ello, de alguna manera, mi experiencia de antiguo director de teatro), examinando las dos obras como artefactos escénicos —como «poesía de teatro», según la feliz expresión de Jean Cocteau— y no simplemente como creaciones literarias. Sólo así se podrán comprender, a mi juicio, sus excelencias y flaquezas: el modelo al cual se han idealmente su-

6 «Creo que la poesía es el punto de referencia —escribe al respecto Ramón Pérez de Ayala— y, como si dijéramos, el ámbito en profundidad de la prosa narrativa... Cervantes y Goethe dotaron de estas válvulas a sus novelas» *(Obras Completas,* vol. II, Madrid: Aguilar, 1963, pp. 78-79). El recurso utilizado en esta forma me parece, por lo demás, provenir del teatro (donde lo usó también Cervantes) y *Fuenteovejuna* o *El caballero de Olmedo* son típicos ejemplos de su eficacia como condensador de la emoción en el drama. Recuérdese también, en este sentido, con relación a Goethe y el empleo del recurso en la novela, para no citar sino un conocido ejemplo, la «fábrica» teatral con que se presenta la canción de Mignon en *Wilhelm Meister.*

bordinado es el de la representación, el espectáculo, donde el público se ha de tener en cuenta como componente esencial.

La creencia de que la obra literaria acaba siempre por reflejar el carácter moral del escritor, por más estetizante que éste sea o pretenda ser, parece confirmarse en los casos que contemplo de Borges y Cortázar. Aclaro que no me refiero al Cortázar que en los últimos años ha adoptado una muy definida postura moral, patente en su obra creadora de dicho período: lo que señalo, en primer lugar, es cómo se manifiesta el «hombre moral» en relatos de Cortázar donde predomina lo «irreal» y que se suelen clasificar bajo la especie del «cuento fantástico». Por otra parte, Borges, que, según la opinión corriente, habita un ámbito puramente literario y permanece de espaldas a la actualidad histórica, revela en alguna ocasión, como la que considero de «Deutsches Requiem» (y sus alrededores), «otro» Borges preocupado por cuestiones de orden moral, conmovido frente a muy reales y apremiantes problemas de nuestra época.

Con respecto a Cabrera Infante y sus *Tres tristes tigres* la terminología genérica cobra el aspecto de una turbadora multiplicidad: confesión —y no olvido la dificultad de clasificación implícita en el modelo de San Agustín—, pseudoautobiografía, semiautobiografía [7] o autobiografía novelesca, *Künstler-roman*, novela autobiográfica... ¿Podemos aislar aún otra variedad que participe de un modo diferente de lo autobiográfico y de lo novelesco (y a la vez de algo más)? [8]

---

7 De «pseudoautobiografía» califica C. Guillén a la novela picaresca, en su caracterización de este «género» («Toward a Definition of the Picaresque», *op. cit.*, p. 81).

8 «The forms of prose fiction are mixed, like racial strains in human beings, not separable like the sexes», dice el autor de una muy útil poética contemporánea, Northrop Frye *(Anatomy of Criticism*, Princeton, New Jersey: Princeton University Press, 1957, p. 305). El

La investigación de esta posibilidad, de la que veo un notable antecedente en Sterne —sospecho que a ella aludía también elípticamente, en su desesperación, Stendhal, ese precursor de tantas posteriores «novedades», en su *Vie de Henry Brulard*[9]— es el núcleo alrededor del cual se ha organizado el trabajo sobre *TTT*.

«Parece —dicen Wellek y Warren acerca de la 'Moderna teoría de los géneros'— que los tipos se pueden construir sobre la base de lo inclusivo o 'riqueza' tanto como sobre la de 'pureza' (género por acrecimiento tanto como por reducción)»[10]. No se podrían hallar mejores palabras para resumir lo que, en cuanto a la cuestión del género literario, sostiene, a su manera, este libro.

Pittsburgh, 1977.

---

género de la prosa ficción, que Frye añade a los tradicionalmente aceptados, es, así, para él, rico en formas resultantes de la diversa combinación de las que considera fundamentales: «novela», «romance», «confesión», «sátira menipea», «anatomía» (véase «Rhetorical Criticism: Theory of Genres», pp. 243-337 de su citada obra).

[9] ...«Oui, mais cette effroyable quantité de *Je* et de *Moi!* Il y a de quoi donner de l'humeur au lecteur le plus bénévole...» (p. 8). ...«Cependant, ô mon lecteur, tout le mal n'est que dans ces sept lettres: B, R, U, L, A, R, D, qui forment mon nom, et qui intéressent mon amour propre. Supposez que j'eusse écrit *Bernard,* ce livre ne serait plus, comme le *Vicaire de Wakefield* (son émule en innocence), qu'un roman écrit à la première personne» (p. 264). En *Vie de Henry Brulard,* ed. de Henri Martineau, Paris: Garnier, 1961.

[10] «It sees that the genres can be built up on the basis of inclusiveness or 'richness' as well as that of 'purity' (genre by accretion as well as by reduction)» *(op. cit.,* p. 235).

VALLE-INCLÁN, GARCÍA LORCA Y EL LENGUAJE DEL TEATRO «POÉTICO»

I

La reacción antirracionalista, o antipositivista, de finales del siglo pasado, significó para el teatro, ante todo, volver por los fueros de la imaginación, o, más precisamente, un nuevo rescate del drama, del espectáculo dramático, por y para la poesía [1]. Aun el «cajón» de la escena naturalista

---

[1] Me parece oportuno recordar aquí la acertada distinción que hace Eric Bentley de dos tendencias o tradiciones opuestas en la historia del teatro moderno (creo que se podría extender la idea a toda la historia del teatro occidental). Cito un pasaje que resume su visión: «Yet although neither naturalism nor any of its conceivable opposites could possibly exist alone, we do find throughout the history of modern drama a naturalist wing and an anti-naturalist wing - His Majesty's Government, so to say, and His Majesty's Opposition. And, since the eighteenth century, when naturalism first invaded the stage, anti-naturalism has existed in conscious protest against it, in conscious anxiety to preserve or recover the poetry and the grandeur that seemed lost. As fast as some playwrights tried to clothe their muse in modern dress, others fought to clothe her in a fancy dress that might recall Sophocles, Shakespeare, or Racine» (véase *The Modern Theatre. A Study of Dramatists and the Drama,* London: Robert Hale Limited, 1948, pp. 18-19). Claro que no estará uno siempre de acuerdo con su concepto de «naturalismo» o, más bien, con su inclusión dentro de él de ciertas obras o autores, y que su noción del triunfo del «naturalismo» en nuestro siglo —tal vez válida cuando la exponía— resulta inaceptable hoy, al cabo de treinta años.

quedó desde entonces señalado por las «espirituales» sugerencias del simbolismo, e Ibsen será el ejemplo por excelencia. Nada más difícil, sin embargo, que comprender de modo sistemático la índole y las formas que reviste el llamado teatro «poético» en nuestro tiempo. En primer término, porque muchas importantes obras contemporáneas revelan tras su aparente realismo, una vez hecho el análisis de su composición, de su «lenguaje» en diversos niveles, una visión que bien podría definirse como «poética». Un eminente crítico y teórico del drama, Francis Fergusson, ofrece una acertada explicación; en el comentario al discurso de Hamlet a los actores, con que se abre su ya clásico *The Idea of a Theater* [2], afirma Fergusson:

> Si él (Hamlet) podía pedir a los actores que reflejaran la naturaleza, era porque el teatro isabelino constituía ya de por sí un espejo que se había formado en el centro de la cultura de su tiempo, y en el centro de la vida y conciencia de la comunidad. Sabemos hoy que ese espejo se forma raramente. Dudamos de que nuestro tiempo tenga edad, cuerpo, forma o presión; nos inclinamos, más bien, a pensar en él como en una selva informe. La naturaleza humana nos parece una entidad irremediablemente elusiva y complicada, y nuestros dramaturgos (como cazadores armados de cámara con *flash* en las profundidades del Congo Belga) serán afortunados si pueden captarla, a espaciados intervalos, en una de sus momentáneas posturas, de un simple fogonazo y desde un exclusivo ángulo de visión. Así, la *idea* misma de un teatro, como Hamlet lo concebía, se pierde; y el arte del drama, no teniendo lugar propio en la vida contemporánea, se confunde con la poesía lírica o con pura música, de un lado, o con el editorial o la gacetilla, del otro [3].

---

[2] *The Idea of a Theater. A Study of Ten Plays. The Art of Drama in Changing Perspective.* Princeton, New Jersey: Princeton University Press, 1948.

[3] «If he could ask the players to hold the mirror up to nature, it was because the Elizabethan theater was itself a mirror which had

La tajante dicotomía presentada al final de la cita, ya lo sabemos, lo sabe Fergusson, es una exageración, una caricatura, pero, como toda caricatura, expresa una verdad esencial. Efectivamente, nuestra época, hoy más aún que cuando el libro de Fergusson fue escrito, se caracteriza por la ausencia de un centro organizador, foco de la cultura o de la conciencia comunitaria. De ahí la diversidad de maneras, que responden a otras tantas explícitas o sobreentendidas estéticas, del drama contemporáneo; estéticas, dicho sea de paso, que suelen excluirse unas a las otras y, a veces, por motivos de ideología extra-artística (pienso en el realismo documental o «revolucionario», y en Brecht, sí, pero también en la «teología» de Claudel o de Eliot). Fergusson aclara, por otra parte, a continuación, su pensamiento acerca del teatro de nuestro siglo, reconociendo sus excelencias a la vez que planteando con más precisión su fundamental problema:

> No quiero implicar que carecemos de soberbios dramaturgos; por el contrario, el teatro moderno puede exhibir muchas imágenes de la vida humana que son a la vez hermosas y reveladoras: triunfos de la cautelosa cacería en la selva. La diversidad sin centro de nuestro teatro puede interpretarse como riqueza. Y no queremos dejar escapar nada de ella: ni Lorca ni Eliot, ni

---

been formed at the center of the culture of its time, and at the center of the life and awareness of the community. We know now that such a mirror is rarely formed. We doubt that our time has an age, a body, a form, or a pressure; we are more apt to think of it as a wilderness which is without form. Human nature seems to us a hopelessly elusive and uncandid entity, and our playwrights (like hunters with camera and flash-bulbs in the depths of the Belgian Congo) are lucky if they can fix it, at rare intervals, in one of its momentary postures and in a single bright, exclusive angle of vision. Thus the very *idea* of a theater, as Hamlet assumed it, gets lost; and the art of drama, having no place of its own in contemporary life, is confused with lyric poetry or pure music on one side, or with editorializing and gossip on the other» (*op. cit.*, pp. 1-2).

> Chejov ni Cocteau. Pero si pensamos en tales maestros en conjunto, no podemos decir qué concluimos [4].

En el presente estudio me propongo investigar —algo, según vemos, espinoso ya desde su principio— esa especie que se suele llamar teatro «poético», «pura» poesía dramática, en las letras hispánicas, sobre la base de dos de sus mayores dramaturgos: Ramón del Valle-Inclán y Federico García Lorca. Y, aún más precisamente, me ocuparé de la cuestión del «lenguaje» de este teatro, atendiendo de modo especial a la vieja opción entre verso y prosa; examinaré, en particular, una de las obras en verso de Valle-Inclán, *La marquesa Rosalinda,* y *Bodas de sangre,* donde García Lorca yuxtapone, en forma decididamente «problemática», prosa y verso. Adelanto que la cuestión del lenguaje del drama como disyuntiva entre verso y prosa es la fundamental para uno de los más importantes poetas contemporáneos, T. S. Eliot, quien toma el partido del verso contra el empleo más común de la prosa en el teatro «poético» de nuestro tiempo. Sobre esto volveré en seguida.

Quiero examinar primero algunas ideas de otra notable figura del teatro contemporáneo, Jean Cocteau, acerca de la relación entre la poesía y el teatro. En ellas veo un inmejorable punto de partida. Distinguía Cocteau, en el prefacio a *Les Mariés de la Tour Eiffel,* con cierta simplista malicia, entre la *poésie de théâtre* y la *poésie au théâtre,* presentando aquella pieza suya como ejemplo del primer tipo. «La poésie

---

[4] «I do not mean to imply that we lack superb playwrights: on the contrary, the modern theater can show many images of human life which are both beautiful and revealing; triumphs of the stealthy hunt in the jungle. The centerless diversity of our theater may be interpreted as wealth. And we do not wish to relinquish any of it: neither Lorca nor Eliot, neither Chekhov nor Cocteau. But, thinking of such masters together, we cannot tell what to make of them» *(op. cit.* p. 2).

au théâtre —dice— est une dentelle délicate impossible à voir de loin. La poésie de théâtre serait une grosse dentelle; une dentelle en cordages, un navire sur la mer. *Les Mariés* peuvent avoir l'aspect terrible d'une goutte de poésie au microscope» [5]. Claro que esta distinción, no siempre fácil de establecer (aplicamos hoy esta noción de «poesía de teatro» con mayor amplitud de la que seguramente tenía allí para Cocteau), no basta para comprender la actitud del dramaturgo francés frente a las posibilidades o limitaciones de un teatro «poético», de su forma y lenguaje; con ella, Cocteau parece sólo criticar el uso o abuso del lirismo en el teatro, como algo entretejido a su «trama» —ese «encaje delicado», apenas perceptible— que resulta al fin y al cabo falso (o extraño) sobrepuesto. Pero Cocteau se torna más concreto en los argumentos que sigue desarrollando en «defensa» de *Les Mariés*... Al reproche que se le ha hecho de «bufonería», responde así:

> Si le froid signifiait: nuit, et le chaud: lumière, tiède signifierait: pénombre. Les fantômes aiment la pénombre. Le public aime le tiède. Or, outre que l'esprit de bouffonnerie comporte un éclairage peu propice aux fantômes (j'appelle ici fantômes ce que le public appelle poésie), *outre que Molière se montre plus poète dans 'Pourceaugnac', le 'Bourgeois Gentilhomme', que dans ses pièces en vers,* l'esprit de bouffonnerie est le seul qui autorise certaines audaces [6].

Su toma de partido es aquí evidente. No es en el verso, medio expresivo de la poesía lírica, donde el poeta dramático hallará el lenguaje más conveniente a la «poesía de teatro» (por el contrario, el verso en el teatro le parece prescindible), sino en un espectáculo donde «la féerie, la danse, l'acro-

[5] «Préface de 1922», *Les Mariés de la Tour Eiffel, Oeuvres Complètes,* vol. VII, Genève: Marguerat, 1948, p. 14.

[6] *Op. cit.,* p. 16. Subrayado mío.

batie, la pantomime, le drame, la satire, l'orchestre, la parole combinés, réaparaissent sous une forme inédite»[7]. Es significativo que el Cocteau menos experimental o más austero de su teatro posterior no acuda tampoco al verso sino en una rara ocasión, la de *Renaud et Armide* (1941), denominada por él «tragedia», pero que tiene más de lirismo operático que de otra cosa, excepción a la regla, única y tardía, que tal vez podía esperarse de un artista «proteico» como Cocteau[8]. (La figura de Cocteau nos parece hoy la de una especie de poeta «total», cultivador de todos los géneros literarios y de todas las artes, entre las cuales el cine le sirvió probablemente de vehículo ideal de síntesis.)

T. S. Eliot, para quien el drama en verso es la forma idónea para expresar «un margen de extensión indefinida, de sentimiento que podemos solamente detectar, por decirlo así, con el rabillo del ojo y que nunca podemos enfocar»[9], insiste, por su parte, en el carácter *dramático* que debe revestir el verso en el teatro, rechazando, como Cocteau, todo innecesario lirismo, esto es, «buena poesía moldeada en forma dramática»[10]. Para T. S. Eliot, pues, existe también una «poesía

---

[7] *Op. cit.*, pp. 16-17.

[8] Así explica Cocteau el carácter de la pieza: «Si je me suis inspiré de quelque ouvrage, ce serait plutôt à la musique de théâtre que je serais redevable. Je ne parle pas de la musique du verbe, toujours inadmissible à l'origine et qui ne doit se produire que par accident. Je parle de la science d'un Gluck et d'un Wagner en ce qui concerne l'enchaînement et le développement des thèmes. *Orphée, Tristan et Ysolde,* restent les exemples d'un mécanisme idéal de longues et de brèves, de précisions et de cris du coeur» *(Œuvres Complètes,* VI, p. 290).

[9] ...«there is a fringe of indefinite extent, of feeling which we can only detect, so to speak, out of the corner of the eye and can never completely focus»... («Poetry and Drama», en *On Poetry and Poets,* New York: The Noonday Press, sucesivas impresiones a partir de 1961, p. 93).

[10] ...«fine poetry shaped in dramatic form», *ibid.*, p. 76.

de teatro» que nada tiene que ver con la «poesía en el teatro», lo que varía es la concepción: el verso es, en la visión de Eliot, el elemento dominante o aglutinador de la «poesía de teatro» y a él se subordina todo lo demás. Eliot llega a poner en guardia al dramaturgo, de modo «extremista», diría uno, contra los peligros de la prosa en el teatro «poético»:

> Pero para ser poético en prosa, un dramaturgo tiene que ser tan consistentemente poético que su alcance es muy limitado. Synge escribió obras acerca de personajes cuyos originales en la vida hablaban poéticamente, así que podía hacerlos hablar poesía mientras permanecían reales. El dramaturgo poético en prosa que no tiene esta ventaja, tiene que ser demasiado poético. El drama poético en prosa está más limitado por la convención poética, o por nuestras convenciones sobre qué asunto es poético, que el drama poético en verso. Un verso realmente dramático puede ser empleado, como lo empleó Shakespeare, para decir las cosas más prosaicas [11].

Ante la alternativa propuesta, que podríamos llamar, simplificando, controversia Cocteau-Eliot, en cuanto al lenguaje del teatro «poético», adopto en el presente trabajo una posición ecléctica, o, más bien, práctica, atendiendo, por encima de todo, a lo que me parece imperativo formal de las dos obras estudiadas, de acuerdo con las respectivas concepciones de los dos autores, Valle-Inclán y Lorca. En el examen de las dos piezas, trataré de determinar, eso sí, dónde reside o

[11] «But in order to be poetic in prose, a dramatist has to be so consistently poetic that his scope is very limited. Synge wrote plays about characters whose originals in life talked poetically, so he could make them talk poetry and remain real people. The poetic prose dramatist who has not yet this advantage, has to be too poetic. The poetic drama in prose is more limited by poetic convention or by our conventions as to what subject matter is poetic, than is the poetic drama in verse. A really dramatic verse can be employed, as Shakespeare employed it, to say the most matter-of-fact things» (*ibid.*, p. 82).

de qué modo funciona la «poesía de teatro», y cómo afecta la «poesía *en* el teatro», presente, en mi opinión, en ambas piezas, su naturaleza dramática, o, mejor, escénica.

En todo caso, he de volver con frecuencia a las ideas de T. S. Eliot por lo que toca al uso del verso o mezcla de prosa y verso (a lo cual, como después veremos, Eliot se manifiesta poco favorable) en estas obras. La penetración con que Eliot analiza este aspecto —aunque no se compartan sus pronunciamientos extremos— obliga al apoyo de sus textos, sobre todo por ser el caso de Valle-Inclán y Lorca el de poetas (poeta es Valle-Inclán en el sentido más lato, si bien su obra lírica es relativamente escasa) que, como Eliot, en el drama hallaron expresión original a su talento.

II

La marquesa Rosalinda (1912), de Valle-Inclán, me parece una de las piezas hispánicas de teatro «poético» más dignas de atención desde el punto de vista de su proposición estética y de su composición. Asociada por lo común al teatro «modernista» de principios de siglo o, más acertadamente tal vez, a la poesía modernista, *La marquesa Rosalinda* trasciende de modo sorprendente, vista con la perspectiva de hoy, esas categorías o relaciones de «época». Menos tiene que ver, sin duda, con el teatro «modernista» de Marquina y Villaespesa que con la lírica modernista (o rubendariana) y, sin embargo, la visión de lo rubendariano es inseparable en la pieza de la distancia irónica con que el autor contempla a sus personajes y la acción que entre ellos se desarrolla. En realidad, la obra, que Valle-Inclán subtitula muy apropiadamente «farsa sentimental y grotesca», está más cerca de la caricatura, de lo grotesco «esperpéntico», de lo que su asunto podía hacer suponer y no soy yo el primero en señalarlo [12]. Por supuesto, como también se ha señalado, este aspecto de la obra refleja una modalidad del modernismo que, presente ya en cierto Rubén Darío, se definiría claramente en aquellos primeros años del siglo en la obra de Lugones y Herrera y Reissig. Esa modalidad, que aunaba el humorismo con lo que se podría llamar lo «exquisito prosaico», sería también cultivada por Valle, el poeta lírico, en los «versos funambulescos» de *La pipa de kif* (1919); en ella está, a mi modo de ver, un importante antecedente del «esperpento», tal vez «descubrimiento» por parte de Valle-Inclán de las posibilidades de la estilización jocoseria como procedimiento caracterizador de personas, ambientes, cosas [13]. Pero estas nociones

---

[12] Véase Sumner M. Greenfield, *Ramón del Valle-Inclán, Anatomía de un teatro problemático*, Madrid: ed. Fundamentos, 1972, pp. 114-133; Emilio González López, *El arte dramático de Valle-Inclán*, New York: Las Américas Publishing Co., 1967, pp. 120-129; José Montesinos, «Modernismo, esperpentismo o las dos evasiones», en *Ramón del Valle-Inclán; An Appraisal of his Life and Works* (edición de Anthony N. Zahareas, Rodolfo Cardona, y Sumner Greenfield), New York: Las Américas Publishing Co., 1968, p. 141; Paul Ilie, «The Grotesque in Valle-Inclán», *ibid.*, pp. 504-510; Antonio Risco, *La estética de Valle-Inclán en los esperpentos y en «El ruedo ibérico»*, Madrid: Gredos, 1966. Risco dice de la obra: «... en realidad es ya un esperpento, sólo que disfrazado con elementos y formas típicos de la literatura modernista, que Valle aquí disloca y deforma al extremo» (p. 64). Aunque no menciona allí *La marquesa Rosalinda*, las consideraciones de Emma Susana Speratti-Piñero sobre *La cabeza del dragón*, a la que llama «pre-esperpento», son aplicables igualmente a aquella obra; véase «La farsa de '*La cabeza del dragón*', pre-esperpento», en *De 'Sonata de Otoño' al esperpento. Aspectos del arte de Valle-Inclán*, London: Támesis Books Limited, 1968, especialmente pp. 40-45.

[13] No figura, sin embargo, entre los antecedentes del esperpento en la sección «Génesis» del notable estudio de E. S. Speratti-Piñero dedicado a *Tirano Banderas*. La autora sólo menciona a Lugones (y a Laforgue) en una nota, más adelante, hablando de la posible influencia de aquél en cierta «caricatura lunar» de Valle-Inclán, añadiendo «cuyo *Lunario sentimental* conocía y admiraba». («La elaboración ar-

sólo apuntan a aspectos de la pieza, no a su imagen total; vuelvo, pues, a mi idea primera de la dificultad de clasificar o situar la obra dentro de un estilo dado.

Si, en la medida de lo posible, «descomponemos» la obra para hallar sus «elementos», encontraremos algo parecido a lo que sigue (y perdóneseme la didáctica enumeración, que utilizo para mayor claridad):

1) Un asunto, a primera vista, del sentimentalismo más ramplón: el amor de una dama de la nobleza por un cómico de la legua. Los ingredientes del asunto serán, pues, los trillados obstáculos a la unión de los amantes —en este caso, celos vengativos del marido, falta de recursos materiales para vivir holgadamente por cuenta propia, felicidad de la hija casadera de la dama— y la consiguiente separación.

2) El sello original que imprime Valle-Inclán al tópico asunto. La protagonista se acerca a la vejez, y su drama es, ante todo, resistencia a envejecer. Esta súbita pasión tardía es algo así como su canto de cisne (llamarada de ocaso, «sonata de otoño»). De ahí que lo sentimental de la situación asuma, en definitiva, el tono de un leve patetismo (la Rosalinda que al final escoge la paz del convento es la mujer que se ha resignado a los estragos de la vejez y que, con elegante serenidad, se prepara a recibirlos). El cómico, Arlequín, empedernido Don Juan, por una parte, y, por otra, poeta —y esto último es de señalada importancia para el sentido total de la obra— sufrirá una transformación semejante. Si, al comienzo, su cortejo de la Marquesa es un amorío más, «teatral» aventura galante, en un momento de iluminación descubre en ella la realidad del amor, revelación «poética» que le llega demasiado tarde, haciéndole percibir, por el con-

tística en *Tirano Banderas*», *op. cit.*, pp. 156-157, nota 22). Doy con toda modestia esta opinión; es una cuestión que me parece digna de ser explorada por los valleinclanistas.

traste con la subsiguiente «caída», el profundo fracaso de su vida. La separación final de los personajes queda así marcada por el doloroso reconocimiento de su doble, íntima, derrota.

3) Un tratamiento irónico del asunto central, donde el aspecto doloroso que acabo de exponer no excluye, sino que se amalgama con lo ridículo. O, mejor, donde la esfera de lo subjetivo —sentimiento, sufrimiento— de los protagonistas, Rosalinda y Arlequín, no se desliga de la naturaleza de trivial historieta melodramática que tienen estos amores; la aludida topicidad sentimental resulta así, pues, motivo de risa, recurso de explotación cómica. No hay un momento de expresión elevada del sentimiento, que no esté seguido o entreverado de prosaicos momentos de alivio cómico, como mostraré en su oportunidad.

4) Subrayado de lo grotesco mediante figuras y situaciones tradicionales del «retablo cómico»: personajes de la *Commedia dell'Arte,* viejo marido engañado y celoso, matones jactanciosos a lo *miles gloriosus,* dueña celestinesca.

5) Texto en su totalidad en verso, totalidad que comprende las acotaciones escénicas.

El examen detallado de este último aspecto —lo que llamo «lenguaje»—, de su función con respecto al asunto y la construcción dramática de la pieza —o, por mejor decir, en cuanto a la «realización» de su tema— es, según ya se ha indicado, imprescindible para entender como es debido su acierto en el orden teatral y, paradójicamente (más bien, paralelamente) las limitaciones de su hipérbole poética. Espero que el análisis pueda ayudar en algo también, a la larga, a la comprensión de ciertas constantes del arte dramático de Valle-Inclán, de su manera de concebir y componer el teatro, especialmente el de naturaleza «esperpéntica».

Lo primero que hay que preguntarse es por qué apela Valle-Inclán al verso como lenguaje de su obra, o, en otras palabras, si existe una fundamental razón estética para ello. Adelanto que para mí la respuesta es afirmativa: el verso es, a mi juicio, la solución «fatal» al propósito o propósitos artísticos de *La marquesa Rosalinda*[14].

Para empezar, la pieza constituye un complicado «artificio», según he sugerido en las anteriores observaciones. Se trata, en suma, de presentar una manida situación sentimental, «romántica», con la perspectiva de la más corrosiva ironía y, más, con acusados rasgos grotescos. El artificio es, en principio, doble: por un lado, vemos una marquesa que habita o, mejor, forma parte de un estilizado palacio-jardín dieciochesco (trasunto de Verlaine y Darío); por el otro, una tropa de farsantes italianos, que son, a su vez, tipos de la *Commedia dell'Arte* y cuyo cabecilla o «autor» será la contrafigura en la relación amorosa asunto de la pieza (no hay que olvidar, por lo demás, en esta consideración del «artificio» de la obra, el prominente sitio que las figuras de la *Commedia* ocuparon entre los parnasianos y sus émulos modernistas)[15]. Dos maneras estéticas, dos mundos «artificiales» se fundirán, pues, en la «farsa», tal como indica en el preludio —obsérvese la matización irónica que todo esto tiene— Arlequín, el poeta que supuestamente la ha «inventado», que ahora la presenta al público y que será protagonista de ella:

---

14 Utilizo las *Obras Completas*, I, Madrid: Editorial Plenitud, 1952. Doy entre paréntesis, en el texto, el número de la página citada.

15 La distinción que hace Ilie entre el mundo «humano» de la Marquesa y su círculo y el de las «desfiguraciones de la humanidad» de Arlequín y los farsantes me parece, pues, inexacta, aunque sus ideas sobre lo «grotesco» en la pieza son de gran valor (ver *loc. cit.*, pp. 505 y 507).

Ya espera el carro de la farsa
vuestro permiso en la cancela
del jardín: Traigo en mi comparsa
a Pierrot y Polichinela.

Para espiar detrás del seto
la luna, sus cuernos me brinda,
y he de contaros el secreto
de la Marquesa Rosalinda.

(213)

Estos últimos versos se repetirán como estribillo otras tres veces, subrayando así, machaconamente, lo que será «pretexto» de la farsa, pero al personaje de la Marquesa se dedican, directamente, además, seis de las veintiocho estrofas (sin contar las de estribillo) que componen el preludio. En esencia, lo que persigue el preludio es explicar la naturaleza de la obra, esto es, su manera de concebir la figura central (la del título), el mundo en el cual ésta se mueve (donde lo artístico domina sobre la realidad social) [16] y su conflicto sentimental (su «secreto»). La historia triste de esa marquesa «modernista» (avatar de la marquesa Rosalinda de «El clavicordio de la abuela» de Rubén) será, en fin, contada, según aclara Arlequín en el preludio, con el aire festivo de la «farsa italiana». Nada prescindible en la representa-

[16] Es muy elocuente, en este sentido, la anécdota que presenta a Valle-Inclán interrumpiendo un ensayo de *La Marquesa Rosalinda* para decir a los actores: «Un momento, un momento, por favor. ¡Un momento! El tono no es el conveniente. No se trata de una comedia de Benavente, ni de Linares ni de Echegaray; se trata de un juego, de una burla, de una cosa que pasa sobre una nube; nada de lo que allí se dice es cierto ni verdadero. ¡Por favor! Vuelvan a empezar. Hagan el favor de empezar de nuevo». La cuenta Ermilo Abreu Gómez en *Sala de retratos* (México, 1946). Tomo el dato y la cita de Greenfield, *Anatomía de un teatro problemático*, p. 26.

ción, pues, como puede observarse, este prólogo que recitará Arlequín. El preludio «sitúa» apropiadamente al espectador, lo prepara a recibir el singular compuesto de la pieza: aun hoy, después de dos décadas de «absurdismo» en el teatro, el público se resiste, por hábito inveterado, a estas fórmulas donde lo sentimental, sin dejar de serlo, traza a la vez su propia parodia (fuente de incesante confusión) [17]. El «poeta» Arlequín insiste una y otra vez, como para que no quede la menor duda, en el carácter de artificio grotesco-sentimental que tiene *su* cuento:

... Para el amor desesperado
tengo rimas de cascabeles.

(213)

... con el ritmo de las piruetas
yo rimo mi bella mentira.

(213)

... salte la gracia del trocaico
verso, ligero como un niño.

(213)

Mezcle sus risas Colombina
a los sollozos de Pierrot...

(213)

Y la pavana señoril
mezcle su ritmo al ritmo joven,
lleno de gracia pastoril,
que tuvo el clave de Beethoven.

(213)

---

[17] Dice Montesinos: «Los personajes parecen parodiarse a sí mismos» (*loc. cit.*, p. 141).

Para contarlo, cascabeles
pondré en el cuello de Pegaso,
y en mis estrofas los caireles
de una falda de medio paso.

(214)

Enlazaré las rosas frescas
con que se viste el vaudeville
y las rimas funambulescas
a la manera de Banville.

(215)

———

Olor de rosa y de manzana
tendrán mis versos a la vez,
como una farsa cortesana
de Versalles o de Aranjuez...

(215)

Ahora bien, el medio más seguro de «hacer entrar» al espectador en esta extrañeza de que se le habla es, precisamente, si se considera con atención el intento del autor, poner a aquél, como lo efectúa el preludio, bajo la influencia directa del ritmo, ritmo de la música verbal, pero también de su esencial sentido (pavana señoril – ritmo de las piruetas, amor desesperado – rimas de cascabeles, risas de Colombina – sollozos de Pierrot); ritmo en el cual se traduce, desde el comienzo, el referido compuesto de la pieza. El espectador quedará, para decirlo con una frase proverbial, «curado de espanto», pero, más todavía, prendido en esa música saltarina del «trocaico verso, ligero como un niño», en esos eneasílabos con «rimas funambulescas», donde se suceden imágenes y figuras del museo parnasiano y modernista; la introducción permitirá al espectador, así, aprehender desde el principio, justamente, la índole de los personajes, el «escenario» y la acción de la comedia.

Téngase en cuenta que la acotación con que se abre la primera jornada y que sirve literariamente un propósito similar, pierde *teatralmente* casi todo su valor de subrayado irónico. La cito en su integridad:

Desgrana el clavicordio una pavana
por el viejo jardín. El recortado
mirto, que se refleja en la fontana,
tiene un matiz de verde idealizado.

Sobre la escalinata que las rosas
decoran, y en el claro de la luna,
abre el pavo real sus orgullosas
palmas. ¡Un cuento de Las mil y una!

Y el Abate Pandolfo, que pasea
bajo la fronda, el entrecejo enarca
meditando un soneto a Galatea
en la manera sabia del Petrarca.

Al borde del camino, su ocarina
hace sonar el sapo verdinegro,
y canta el ruiseñor su cavatina
con las audaces fugas de un alegro.

Se ha detenido al pie de la cancela
un carro de farsantes italianos.
Colombina, Pierrot, Polichinela
entran bailando asidos de las manos.

(217)

Un escenógrafo ingenioso, no lo niego, podrá poner algo de juego, de caricatura, al decorado que se describe, pero faltarían siempre las notas que sólo la palabra puede expresar, entre otras, la visión irónica que se proyecta sobre lo descrito mediante la exclamación «¡Un cuento de Las mil y una!», o el sutil acorde entre el paródico escenario de *fête galante* (con cierto aire «sonatinesco») y el «neoclásico» poetizar del abate Pandolfo. Cierto que se podría recitar la acotación, como se ha hecho en representaciones de obras de Valle-Inclán, pero a mi modo de ver esto constituiría una traición a la esencia del arte teatral: aunque se haya hecho, no creo que la intención de Valle fuera ésta nunca, y aún menos en las piezas en verso de la primera época. (Del problema de las acotaciones en *La marquesa Rosalinda* me ocupo con algún detenimiento más adelante). Recuerdo, a propósito de lo que vengo afirmando, la representación de *La marquesa Rosalinda* por el Teatro Universitario de La Habana en 1949 (para mí grata memoria de entusiasmos juveniles, aunque hoy tal vez condenaría en ella bastantes faltas). Lo más vívido de ese recuerdo es precisamente el efecto de «enlace» logrado entre la recitación del preludio (la figura de Arlequín en un área concentrada de luz, el resto en sombra) y, tras un breve apagón, la entrada de los faranduleros «bailando asidos de las manos» al compás del pandero de Colombina. El «tono» de la obra (que por ser representada al aire libre no contaba con muchos recursos de tramoya) quedaba así perfectamente establecido, sin que se echara de menos desde el primer momento cierta «corriente mágica», «fascinación» de su artificio poético, que el texto, tal como lo concibe Valle-Inclán, se propone, por encima de todo, suscitar.

Eso que llamo fascinación del artificio poético, a falta de término más exacto —en definitiva el espíritu animador o la razón de ser de la pieza— depende en gran medida, en fin, como he indicado, del ritmo verbal creado por Valle-Inclán. El artificio era demasiado complejo, demasiado «artístico», valga la redundancia, para ponerlo en prosa. El verso era una exigencia, un imperativo de la composición, o, dicho de otro modo, la composición se ha ejecutado en verso porque la idea o plan original no admitía otra forma. Ya he hablado suficientemente de los conceptos o modos estéticos que en la obra se integran. Lo que ahora destaco es que no se podía producir la integración buscada sino con el verso. En los comentarios que he hecho al preludio, me he referido de una manera general al ritmo de la pieza. Creo que se imponen ciertas precisiones.

Considérese, ante todo, el orden sentimental-grotesco que la obra aspira a constituir. El gran riesgo que se corre, en tal intento, es el de la oscilación entre uno y otro término de la dualidad, que terminaría por provocar en el espectador, en el mejor de los casos, desconcierto, y, en el peor, protestas más o menos airadas. Y no vale aducir el clásico ejemplo de *La Celestina,* donde existen en realidad dos mundos separados —el elevado o noble de Calixto, Melibea y Pleberio, y el bajo o plebeyo de Celestina, criados y rameras— y donde lo sentimental y lo grotesco componen, por tanto, como los dos polos de la obra. (Algo semejante cabría decir sobre el lado cómico, sostenido por los graciosos, de cualquier comedia «seria» del Siglo de Oro). En *La marquesa Rosalinda,* por el contrario, no está de más repetirlo, *lo sentimental es a la vez grotesco.* Y el medio unificador, integrador, es el verso, porque él provee, literalmente, la «justa medida», porque la música verbal —metro, acento, rima— instaura, según se va viendo, el ritmo que sirve de «conducto» único a lo sentimental y a lo grotesco; es como si lo uno y lo otro salieran del registro grave o alto, respectivamente, tonalidad adecuada a cada modo, del mismo instrumento. Véase la agilidad con que se pasa en el preludio de uno a otro registro, para conseguir, en cuanto a realización formal, esa «armonía de contrarios» de que habla Arlequín en un momento de la obra («La moral de la vida es ésa: / Una armonía de contrarios» [275]). Las siguientes estrofas, ya casi al final del preludio, son buen ejemplo de esto:

¡El Amor corone las liras
de rosas! ¡Cantemos al fuerte
tejedor de bellas mentiras
sobre la angustia de la muerte!

Ha dado un golpe el violonchelo,
caló el monóculo el Marqués,
los abanicos hacen vuelo,
se oye el ras de los guardapiés...

(216)

A la gravedad sentimental de la manera rubendariana más reconocible, en la primera estrofa, sucede la humorística discordancia a lo Lugones o a lo Herrera y Reissig, apoyada muy eficazmente por los pares agudos (en otras ocasiones se acude, con el mismo intento, a los versos esdrújulos, como puede apreciarse en una de las estrofas que en seguida cito).

Considérese, asimismo, que ni aun la figura de la Marquesa escapa a este difícil orden armónico, como se evidencia ya desde el preludio; he aquí dos pasajes significativos:

Toda llorosa, blanca y bella,
pasó la Marquesa: soñaba,
y en su falda, como una estrella,
un gusano de luz temblaba.

Por el sendero la vestía
la noche, de niebla y armiños,
y la luciérnaga seguía
en su falda, haciéndome guiños.

Pasó. Recatada en la blonda
de encaje, era rosa y marfil.
Calcaba por claro en la fronda
la luna, su frágil perfil.

(214)

———

La furtiva silueta blonda
argenta la celeste hoz,
finge marquesa de la Fronda
cubierta de polvos de arroz.

Envuelta en el halo quimérico
que da la luna metafórica,
arrastra un prestigio esotérico
como una figura alegórica.

Cruza el jardín con leve pie.
La mano deshoja una flor
con la gracia de una musmé
sobre el celaje de un tibor.

(215-216)

La primera evocación de la Marquesa, «llorosa, blanca y bella», donde lo sentimental parece venir acentuado por las difusas suavidades que la rodean —«niebla», «armiños» (procedentes de la noche), «blonda de encaje»— y donde la figura misma se presenta con las notas convencionales que se atribuyen a una delicada belleza natural —«rosa y marfil» de la tez, «frágil perfil»—, cede el paso a esa otra visión caricaturesca, donde prima lo afectado, lo «culterano»: esa «marquesa *de la Fronda*» llena de afeites («polvos de arroz»), reducida por el halo de la luna a la fijeza de «una figura alegórica», estilizado esmalte en la imagen de la «musmé sobre el celaje de un tibor».

El procedimiento que acabo de describir funciona consistentemente en el cuerpo de la obra. La Marquesa, para empezar, es como un Jano cuyas dos caras —una, con el aspecto sublime de la pasión amorosa, la otra, con una mueca de fatiga física o maliciosa burla— alternan, en rápidas transiciones que el verso atempera o modula, ante el espectador. En la jornada segunda, la entrada inicial de la Marquesa en escena, para dialogar con la Dueña, sirve de pretexto para un momento de llana comicidad (la acotación insiste ya en el desdoblamiento noble-plebeyo [18] de la figura: «La linda Marquesa con su miriñaque / parece una rosa vuelta boca abajo, / la linda Marquesa que junta al empaque / del jardín de Francia el desgaire majo»). He aquí ese diálogo:

ROSALINDA: ¿Habéis llevado, Aldonza, las dos velas
a las madres Descalzas?

LA DUEÑA: Sí, señora.

ROSALINDA: ¿Os entregó la Madre superiora
una oración para el dolor de muelas?

LA DUEÑA: Sí, señora. Y la Madre Prudenciana
una orza con jalea de ciruelas,
y otra orza con jalea de manzana.
Y dijo vuestra hija Doña Estrella,
y muy recomendado,
que la décima aquella
para la cerrazón en despoblado,
y el responsorio contra los ladrones,
todo estaría copiado
mañana, porque son muchos renglones.

---

[18] Observa bien Risco: «En esta farsa no son sólo Colombina o los dos matones quienes se sirven de un lenguaje tosco, sino que incluso en boca de Rosalinda hallamos frases de este tenor...» *(op. cit.*, p. 72). Es algo que pasan por alto González López y Greenfield, que presentan a la Marquesa sólo desde el punto de vista de lo sentimental y delicado. Greenfield admite: «Todo esto no quiere decir que Valle-Inclán no se burle de su heroína», pero, a continuación, añade, en cierto modo desdiciéndose y con explicaciones algo peregrinas: «Sí lo hace, pero con ironía amorosa cervantina, y la burla se dirige no a su amor sino a la extravagancia de su sueño amoroso, como se manifiesta especialmente en el ampuloso lenguaje culteranista de Arlequín, del que a su vez se contagia la impresionable marquesa española» *(op. cit.*, p. 121).

ROSALINDA: ¡Basta! ¡Basta! ¡Jesús, qué jerigonza!
Llevad este billete. En el jardín
encontraréis, Aldonza,
al señor Arlequín.

(254-255)

El tono de comicidad se mantiene al comienzo de la escena que sigue con los frívolos comentarios de Amaranta y Rosalinda:

AMARANTA: ¿Tus lágrimas entonces, qué las motiva?

ROSALINDA: Pues
los celos que esta luna le entraron al Marqués.
Pretende que me vista con saya de estameña,
y que me ponga tocas y espejuelos de dueña,
y que rece trisagios y suspire con flato.

AMARANTA: ¡Pero se ha vuelto loco!

ROSALINDA: ¡Siempre fue un mentecato!

AMARANTA: Recuerdo que otro tiempo le vendabas los ojos.

ROSALINDA: ¡Nunca! Pero él sabía respetar mis antojos.
Se constipaba entrando en mis habitaciones,
sonaba en la tarima la caña y los tacones,
me besaba la mano... ¡Mirándose al espejo
todo lo comprendía! Y al encontrarse viejo,
me hablaba en su gabacho, llamándome de vos.

AMARANTA: ¡Se ha visto al gentilhombre en el golpe de tos!
¡Bien dicen que Versalles de Francia sabe hacer
cortesano al marido, si es linda la mujer!

ROSALINDA: Pues de un brinco ha pasado con su borla de estoico
doctorado en Versalles, a castellano heroico...

(255-256)

A continuación, Rosalinda, al hablar de su amor por Arlequín, da un giro hacia lo «sublime», en el cual arrastra a Amaranta, hasta el final de la escena. Cito el parlamento de Rosalinda que introduce el nuevo sesgo:

ROSALINDA: Si el corazón que adoro pasan traidores filos,
has de ver de mi pecho manar la sangre a hilos.
Me apagaré al suspiro de Arlequín, como luz
que apaga misterioso viento, al pie de una cruz,
¡El mismo golpe puede pasar dos corazones
si en el pecho del uno tiene el otro prisiones!

(256-257)

Una escena clave para comprender el proceso de la amalgama que vengo examinando en cuanto a la relación amorosa Rosalinda-Arlequín es aquélla de la jornada segunda en que Arlequín «reconoce» a Rosalinda por el verdadero amor, crisis que «anuda» el conflicto sentimental de los personajes. La Marquesa ha mandado aviso a Arlequín para que acuda a su carroza, donde ella permanece embozada. El diálogo se inicia con una de las habituales galanterías de Arlequín: «Señora, levantad una punta del velo, / aunque haya de cegarme el sol de vuestro cielo». Y Rosalinda le responde:

Bien quisiera encubrir las huellas de mi pena.
He llorado esta tarde como una Magdalena,
y empañaron las lágrimas el brillo de mis ojos
que agonizan, sepultos en dos círculos rojos.
Apenas puedo entreabrirlos con la jaqueca,
y me he puesto en las sienes dos parches de manteca.

(277)

Nótese la mezcla de imágenes de cierto lirismo convencional («Bien quisiera encubrir las huellas de mi pena», «y empañaron las lágrimas el brillo de mis ojos») con los prosaísmos de las frases hechas (llorar como una Magdalena, los círculos rojos de las ojeras: a esta última imagen se desciende, por cierto, en el mismo verso desde el altisonante comienzo, «que agonizan, sepultos...»). El parlamento de Rosalinda desemboca, así, con facilidad propiciada por el recurso de los dos tonos alternos, en la cotidiana ramplonería de los últimos pareados, que ponen el toque definitivo de grotesco a sus palabras: la caída aquí desde el sentimental primer verso hasta esta platitud de los emplastos para la jaqueca, viene a ser como un compendio de este procedimiento sistemático de la pieza. Pero la escena nos depara, de inmediato, la sorpresa del nudo sentimental. La acotación marca primero el cambio de tono, con sus agudezas de lírica amorosa renacentista:

La madama se alza el velo,
la cara desenmascara,
y muestra a la luz del cielo
el cielo que hay en su cara.

(277)

Lo que sigue, exige de los intérpretes la seriedad de las grandes crisis pasionales, la emoción directa del grito:

ARLEQUÍN: ¡Rosalinda!

ROSALINDA: ¡Qué grito tan extraño!

ARLEQUÍN: ¡Señora!

ROSALINDA: Parece que me habéis reconocido ahora.

(277)

Es tal vez el único momento de verdadero patetismo de la pieza, pero como vamos viendo, constituye un «centro de gravedad» que ha de atraer fatalmente su opuesto. La tensión comenzará en seguida a debilitarse, a convertirse, otra vez, en discreto galanteo primero y en vulgares comentarios después:

ARLEQUÍN: ...Y tu mano lunaria, el esquife de plata
de mi ensueño, conduzca a oír la serenata
de las liras, enfermas de aquel celeste mal,
que el narigudo Ovidio llamó mal autumnal.

ROSALINDA: ¡Galano discreto! Mas oye atentamente:
¿Cuántos años cumpliste?

ARLEQUÍN: Los que dice la gente.
La edad de un comediante, Marquesa, no persigas.
Yo, como soy tu amante, tendré la que tú digas.

ROSALINDA: No juzgues mi curiosa pregunta inoportuna.
Te adoro, y por los dedos quería sacar una
cuenta. Saber el tiempo que aún seguirá clavada
en nuestros corazones la saeta dorada.
Porque llegó el momento de decirnos adiós,
o de pedirle al carro dosel para los dos.
Tu vida está en un hilo, y como soy sensible,
no hago más que llorar. ¡Me estoy poniendo horrible!
¿Arlequín, en qué piensas?

ARLEQUÍN: Pienso en tus pobres huesos,
en los tumbos del carro por los caminos esos,
en el rodar constante de una aldea a otra aldea,
peregrinos que nunca llegamos a Judea.

ROSALINDA: Pues así no podemos seguir. A mi marido
le entró un furor sangriento que nunca había tenido.
¡No sé qué mal de ojo le hicieron en España!
¡Es Castilla que aceda las uvas del champaña!
¡Son los autos de fe que hace la Inquisición!
¡Y las comedias de don Pedro Calderón!

ARLEQUÍN: Yo mejor lo atribuyo al cambio de manjares:
¡La sobreasada de las islas Baleares!
¡El marisco gallego, que es de tanto deleite!

¡Y ese queso manchego tan metido en aceite!
¡Y el de Burgos! ¡Y aquel vino rancio y espeso
que reclama la boca tras de morder el queso!
¡Y el jamón y los embutidos de los charros!
¡Salamanca, con sus doctores y sus guarros!
¡Y Córdoba y Navarra! ¡Y Lugo y Candelario!
¡Y el pimentón, que en Francia es algo extraordinario!
¡Y el sol!

ROSALINDA: ¿El sol?

ARLEQUÍN: El viejo que canta entre las viñas,
que grana los racimos y el amor de las niñas;

———

¡El sol, el sol ha sido!

ROSALINDA: ¡Acaso!... Porque el sol
también se anuncia en la frente del caracol.

(278-279)

El final de la escena, sin embargo, apunta a recrear el estremecimiento sentimental, destacándose así su importancia. Y es que aquel momento de intensa emoción ha de quedar ya integrado como algo esencial a la relación entre Arlequín y la Marquesa, con lo cual adquirirá la debida densidad el aspecto sentimental de la obra. Es en la acotación aquí, sobre todo, como para que no quepa la menor duda, que se presenta diáfanamente la nota sentimental:

ARLEQUÍN: ¡Adiós, alondra de oro!
¡Que el mundo del ensueño me abres como un tesoro!
¡Adiós, dama encantada por los encantadores!
¡Señora de las rosas! ¡Dueña de ruiseñores!

Eros lanza una flecha de su arco
tras los griegos laureles del jardín,
y va volando por el cielo zarco
a clavarse en el pecho de Arlequín.

El comediante ensaya una sonrisa,
la mano al pecho traspasado llega,
y del pecho volar siente una brisa.
¡El espíritu es aire en lengua griega!

(281-282)

La tirada final de la obra, por boca de Arlequín, nos ofrece otro excelente ejemplo del tratamiento híbrido estudiado en cuanto al conflicto sentimental que sirve de base a la comedia. Esta vez el movimiento es el inverso (y ya irreversible). Se trata aquí de deshacer por completo la «ilusión» de la comedia, esto es, de deshacer la «ilusión» de los amores imposibles de Arlequín y Rosalinda. Y es precisamente el poeta Arlequín, en este monólogo final, contrapunto del preludio (o, tal vez mejor, del monólogo con que el mismo personaje cierra la jornada primera, al cual me referiré en breve), quien, tras presentarse tristemente desengañado, haciendo una especie de «pirueta» que es como un anticlímax, adopta el leve tono del actor que ha terminado su fatigoso trabajo de «representación». Desinfla así, de golpe, su realidad «humana» en la obra y la realidad de la obra misma, a la que podemos contemplar ahora, como desde entre bambalinas, en su carácter de juego de invención, de «pura farsa»:

¡Pasaron las locas quimeras
de Farandul!
¡Canto de alondras mañaneras
en el azul!
¡A qué rodar por los caminos
como antes,
si no he de ver en los molinos
los gigantes!
Ahuyentaron los desengaños
mi alado sueño,
y los rebaños son rebaños,
y mi Pegaso, Clavileño.

Dejo colgada mi careta
en una rama de laurel,
y si me torno a la carreta,
es porque acaba mi papel.
Ya está sonando la campana
el asistente del telón,
y he de dejar para mañana
el mostraros mi corazón.

(311-312)

La proyección de lo sentimental desde la zona de personajes que conservan apenas adulterado su carácter grotesco de figuras de la farsa italiana —Pierrot y Colombina—, es el complemento de lo que he venido mostrando con respecto a la Marquesa y Arlequín. El amor de Colombina por Arlequín, entre grita y aspaviento, asoma, aquí y allá, sincero, con matices de devoción, celos, despecho. Lo mismo ocurre con la amargura de marido burlado de Pierrot, que se expresa en gestos, actitudes, voz, juegos macabros, según indican a menudo las acotaciones. Véanse algunos ejemplos:

COLOMBINA: ¡Calla, Arlequín!
Que tus palabras dan la muerte
igual que un áspid de jardín.

Trágico, a fuer de ser grotesco,
sale Pierrot haciendo zumba.
En su rostro carnavalesco
hay una mueca de ultratumba.

(242-243)

———

Se va Pierrot bamboleante,
y bajo la luna espectral,
toma un relieve alucinante
su cara cubierta de cal.

(244)

———

COLOMBINA: ¡Toda la vida guardaré
el recuerdo de nuestra historia!
¡Toda la vida te amaré!

ARLEQUÍN: Mucho fías a la memoria.

COLOMBINA: ¡Sin tu amor no tendré ventura!

(274)

COLOMBINA: ¡Ay, Polichinela, tú no sabrás nunca,
porque tú no tienes talle de galán.
lo que son amores que el destino trunca,
lo que son suspiros que en el viento van!
¡Ay, Polichinela, no pesarán tanto
tus jorobas, como mi pena celosa!
¡Como cada gota que vierto de llanto!

(286)

Suena sepulcral
la voz de Pierrot;
parece un fagot
en un funeral.

(305)

(La acotación que sigue da cuenta del resultado del duelo entre Pierrot y Arlequín.)

Hacen campo de Agramante.
Saltan rotas las espadas.
Mientras solloza un farsante,
ríe el otro a carcajadas.

(307)

No cabe duda, según lo observado, de que la fórmula artística concebida por Valle-Inclán —esa mezcla a proporción de lo sentimental y lo grotesco— halla feliz realización en el lenguaje que ha escogido (pienso ahora específicamente en lo verbal del texto). Valle-Inclán logra con el empleo del verso en *La marquesa Rosalinda* esa flexibilidad que recomienda T. S. Eliot para la versificación en el teatro, capacidad de «decir cosas llanas sin ramplonería, tanto como de tomar los más altos vuelos sin sonar exagerada» [19], pero, a la vez, dentro de lo que Eliot llama, con relación a Shakespeare, «una suerte de diseño musical también que refuerza y es uno con el movimiento dramático» [20]. «Las transiciones en la escena (es la escena del fantasma del padre en *Hamlet)* —añade Eliot poco más adelante— obedecen a leyes de la música de la poesía dramática» [21]. En *La marquesa Rosalinda,* Valle-Inclán maneja, en fin, con gran habilidad esa música —ritmo del verso— que, de acuerdo con Eliot, «debe impresionar a los oyentes sin que estén conscientes de ello» [22], reforzando, al mismo tiempo, la acción del drama. Esta cualidad es la que separa *La marquesa Rosalinda* de las otras piezas en verso escritas por Valle en la misma época *(Voces de gesta,* de 1912, *Cuento de abril,* de 1910) [23], piezas que dan la impresión más de poemas «unidimensionales» escenificados que de verdadera poesía dramática.

---

19 ...«to say homely things without bathos, as well as to take the highest flights without sounding exaggerated» *(op. cit.,* p. 78).

20 ...«a kind of musical design also which reinforces and is one with the dramatic movement» *(op. cit.,* pp. 80-81). Es algo que se podría textualmente repetir acerca de Lope o el mejor teatro del Siglo de Oro, la tradición dramática española, en fin, con la cual hay que relacionar, en primer término, a Valle-Inclán.

21 «The transitions in the scene obey laws of the music of dramatic poetry» *(op. cit.,* p. 81). Eliot habla después de un «doble diseño» en la gran poesía dramática, «the pattern which may be examined from the point of view of stagecraft or from that of the music» *(op. cit.,* p. 81).

22 ...«the verse rhythm should have its effect upon the hearers, without their being conscious of it» *(op. cit.,* p. 78).

23 *La marquesa Rosalinda* es, como se ve por todo lo hasta aquí apuntado, claro anticipo de la *Farsa italiana de la enamorada del rey* y la *Farsa y licencia de la reina castiza,* ambas de 1920; otra prueba de que, en cuanto a las «estéticas» de Valle-Inclán, la noción de desarrollo cronológico es siempre relativa, por no decir engañosa.

La escena inicial de la jornada segunda es una admirable muestra de la fusión de lo visual y lo sonoro (música del verso, ritmo de las acciones de los personajes) para crear esa impresión mixta de gracia delicada y risible monstruosidad —impresión de algún capricho goyesco— que se propone producir la obra. El logro del propósito es aquí de señalada importancia, ya que se trata de poner en movimiento el acto central o de crisis; resulta muy eficaz, pues, para conseguir dicho objetivo, la introducción que hace Valle del viejo y deforme Polichinela tejiendo un «dancil» —al son del recitado— con tres «traviesas meninas», el paje y la dueña, quienes tocan supersticiosamente sus jorobas en busca de buena suerte. El ágil donaire de las muchachas, la estampa monstruosa y la crudeza del lenguaje de Polichinela, el ritmo saltarín obtenido por la acentuación de metros diversos, el uso variado del consonante (ya en alternancia, ya en pareados), la profusión del musical estribillo («¡Tan! ¡Tan! ¡Tan! / En mi joroba todos dan»), todo se conjuga soberbiamente para alcanzar el efecto que se busca. No falta ni siquiera allí la intencionada sentencia filosófica, que parece surgir como consecuencia natural del movimiento de la escena, en perfecto acuerdo de sentido con el «sonido y furia» del conjunto:

> Entre mis dos jorobas vuela la humanidad:
> La del pecho es locura, la de atrás necedad.
>
> (249)

(Para una justa apreciación del efecto se impone, desde luego, la lectura de la escena en su integridad, que no transcribo por no alargar más de lo recomendable este estudio; remito al lector, pues, en esta ocasión, forzado por la necesidad, al texto de la obra).

No obstante, según ya hube de indicar, la pieza adolece, también, de lo que llamaba Cocteau «poesía en el teatro», propensión lírica[24] de Valle presente siempre en su obra dramática, rica por igual en deslumbrantes momentos de «poesía de teatro». Esta contradicción (expuesta de modo simplista: impresión subjetiva o lírica contra acción teatral) del arte dramático de Valle-Inclán es, por lo demás, parte de la tensión «genérica» de su obra, bien estudiada por la crítica, especialmente la confusión de fronteras entre narración y acción teatral, con mucho de guión cinematográfico también[25]. Valle esquiva, en fin, las parcelas de los géneros literarios, y ésta es una señalada razón de la originalidad de su arte; ahora bien, desde el punto de vista de la virtualidad escénica de su teatro, la independencia «genérica» de Valle es problemática hasta constituir una debilidad. Examinaré

---

24 «En algunas de sus farsas sentimentales o grotescas, en verso, *La Marquesa Rosalinda* o *La reina Castiza* —dice, por cierto, Pedro Salinas—, el autor prodiga las decoraciones, las acotaciones de escena, versificadas, y sometidas muchas veces a un tratamiento tan esmerado como si cada una de ellas valiese por un poema independiente. No habrá antología completa de la poesía de Valle-Inclán que no adopte algunos de estos poemitas que no están en sus libros líricos y que hay que espigar en sus obras teatrales» («Significación del esperpento o Valle-Inclán, hijo pródigo del 98», en *Literatura española siglo XX*, México: Antigua Librería Robredo (segunda edición aumentada), p. 93). En relación con lo que a continuación apunto, es referencia obligada lo que allí señala Salinas acerca de la prosa narrativa de Valle-Inclán, lo que él llama «estilo de acotación escénica» (p. 94).

25 Sobre lo teatral y lo cinematográfico en las *Sonatas*, véase Alonso Zamora Vicente, *Las sonatas de Valle-Inclán*, Madrid: Gredos, 1955, pp. 132-142. Un buen examen panorámico de la confusión genérica o mezcla de técnicas (de lo teatral y lo narrativo) y del cinematografismo en Valle, se encuentra en Risco, *op. cit.*, pp. 110-127. A. Zamora Vicente, en *La realidad esperpéntica, Aproximación a 'Luces de bohemia'* (Madrid: Gredos, 1969), dedica un pasaje iluminador a la influencia del cine en Valle («Del teatro al cine», pp. 156-163). En cuanto a lo cinematográfico de su teatro en general, véase Greenfield, *Anatomía...*

a continuación ciertas incidencias de *La marquesa Rosalinda* en el defecto (o exceso) de la «poesía en el teatro», con las implicaciones que ello tiene respecto a su representación; y dedicaré, por último, algún espacio a indicar cómo opera, en función del conjunto de los elementos escénicos, la «poesía de teatro» en la obra.

Entre las imágenes «poéticas» de la obra, la de la luna tiene en el texto una importante misión, que, como espero mostrar, no alcanza virtud de «poesía de teatro» por la dificultad de su concreta proyección en escena. Es, sin duda, la intención de Valle-Inclán hacer del claro de luna —ambiente de la jornada primera— el «medio emocional» de toda la obra. Bajo el influjo de la luna se alza la marea de la pasión amorosa; la luna es, por otra parte, la inspiradora del «poeta» Arlequín (recuérdese el estribillo del preludio: «Para espiar detrás del seto, / la luna, sus cuernos me brinda / y he de contaros el secreto de la Marquesa Rosalinda») y, consecuentemente, correspondencia simbólica de la amada; así, dice Arlequín a Rosalinda en la escena de la jornada segunda que he examinado con cierta extensión:

> Asombro fue, mi bella, al ver tu palidez
> amante y la divina claridad de tu tez.
> ¡Oh, Marquesa celeste, a un tiempo estrella y flor,
> que de la Luna en Sirio tienes el resplandor!
>
> (277)

Pero aún hay más; el monólogo de Arlequín con que concluye la jornada primera es un himno a la luna que recuerda al *Lunario sentimental* de Lugones. El motivo de la luna se presenta allí dilatadamente. Cito algunos fragmentos:

¡Oh, luna de poetas y de orates,
por tu estela argentina
mi alma peregrina
con un ansia ideal de disparates!

(245)

¿Quién el poder a descubrir acierta
de tu cara de plata,
de tus ojos de muerta
y de tu nariz chata?

(245)

¡Bajo el influjo de tus conjunciones
amor suspira y canta,
y la onda de los mares se levanta
como la onda de los corazones!...

(245)

El barro de mi alma se aureola
con tu luz enigmática,
y te saluda con la cabriola
de una bruja sabática:
Luna que de soñar guardas las huellas,
cabalística luna de marfil
tú escribes en lo azul moviendo estrellas:
¡Nihil!

(246)

A todo esto habría de corresponder, pues, una visión teatral donde la imagen de la luna se percibiera como una fuerte y constante presencia misteriosa. Valle-Inclán acude a un recurso que más bien recuerda a ese invisible encaje —«poesía en el teatro»— de que habla Cocteau. La «figura» de la luna aparece, como elemento del decorado, a continuación del monólogo de Arlequín y después, con carácter de simétrica evocación, al final de las otras dos jornadas:

> *La luna, enmascarada en el follaje,*
> *saca un ojo mirando al comediante,*
> *como la dueña que seduce al paje*
> *y deja ver un cuarto de semblante.*
>
> (246)

La imagen tiene, sin embargo, toda la sugerente ambigüedad de la poesía lírica, y su «exteriorización» teatral plantea un problema sin adecuada solución (no lo sería, verdaderamente, el cartón o lienzo pintado o algún otro truco mecánico). Un contraste que permite entender plenamente lo que afirmo es el caso semejante de *Bodas de sangre,* donde la participación dramática de la luna constituye un notable ejemplo de «poesía de teatro», según se verá más adelante.

Otro aspecto problemático al cual ya me he referido, es el de las acotaciones, cuya «teatralización» resulta punto menos que imposible en todo o en parte [26] (a veces la mayor y aun la mejor parte), cuestión, naturalmente, relacionada con la particular visión artística —agenérica, podría decirse— de Valle. Me detengo brevemente en este aspecto, pues la crítica ha insistido suficientemente en él (v. notas 24 y 25). En *La marquesa Rosalinda,* las acotaciones muestran la típica tendencia de Valle a rebasar los límites del drama; esto es manifiesto en aquellas acotaciones que he venido citando a lo largo de este estudio como ilustración de rasgos diversos de la pieza. El empleo del verso en las acotaciones contribuye

---

[26] Aun en sus piezas más ceñidamente teatrales (pienso, por ejemplo, en *La cabeza del Bautista* o *La rosa de papel),* algunas acotaciones tienen un valor puramente literario (o lírico), esto es, perceptible sólo en la lectura.

aquí, desde luego, a acentuar su cualidad lírica. Esa que he llamado antes «hipérbole poética» encuentra en el Valle dramaturgo, por otro lado, cierta compensación; consciente del exceso, Valle suele recalcar, en el diálogo, aquello que la acotación indicaba en forma de síntesis poemática. El diálogo no será nunca, por supuesto, sustituto de la atmósfera sugerida por el poema-acotación, pero, al menos, situará a veces con funcionalidad teatral al espectador, transmitiéndole notas ambientales mediante explícitas referencias de los personajes. Así, la acotación de «largo alcance» lírico con que se presenta el decorado al comienzo de la primera jornada, de la cual me he ocupado en otro lugar de este estudio, se reitera en el curso de los diálogos que siguen como variaciones «dramáticas», esto es, desde el punto de vista de algunos personajes. Arlequín, por ejemplo, puntualiza:

Entre los mirtos y los pavos reales
van a tener estrado,
Colombina, tus risas inmortales.

(221)

Y constituyen un desarrollo, coloreado por la emoción individual del personaje, del tópico modernista de los pavos reales, las rosas, los cisnes, etc. estos parlamentos de Estrella, la hija de la Marquesa:

Suspiran los pavos reales
en la penumbra del jardín,
y las rosas en los rosales
también me hacen un mohín
deshojándose con desmayo,
que es su manera de llorar.

(223)

Y el cisne suspira en la onda
que cubre de oro la tarde.
Y tiene un murmullo la fronda
para decirme: ¡Dios te guarde!
¡Y llora la fuente de plata,
como yo, en la angustia otoñal!
Y el grillo de la serenata
toca una marcha funeral.

(223-224)

Como «contrapunto» al entusiasmo poético de Estrella, la Dueña, digna descendiente de la Nodriza de *Romeo y Julieta,* representa la percepción prosaica del escenario, añadiéndole las notas correspondientes al orden grotesco de la obra. Tras el parlamento sobre las rosas, comenta: «Tal vez piensan para su sayo / en que nadie las va a regar» (223). Y después: «¡La fuente, los cisnes, el grillo!... / Demasiada complicación / para mi ciencia» (224). Y a la réplica de Estrella: «¡Y tan sencillo / como es para el corazón!», responde: «Un sofista de la catedral / podría daros del asunto / una explicación musical / dentro del punto y contrapunto» (224).

Ahora bien, las acotaciones de Valle suelen incidir aquí, asimismo, en lo novelesco, creando otro tipo de dificultad. Cierto que con los recursos mecánicos de los teatros en la actualidad, muchas cosas que antes parecían irrealizables en la escena, son ahora rutinariamente practicables, pero hay pasajes de obras dramáticas de Valle que sólo podrían ser «representados» en el cine, como ha señalado la crítica frecuentemente (pienso muy en particular en las *Comedias bárbaras).* En *La marquesa Rosalinda,* como en otras obras de Valle, lo novelesco suele ser descripción, y lo que es más, descripción llena de reminiscencias literarias. La recitación sería el único medio de comunicar al público de teatro la «carga literaria» enriquecedora de ciertas imágenes; y aun así, lo que se comunica es una experiencia de cultura que se presume compartida por el espectador (presunción no siempre fundada en cuanto al espectador medio, por el contrario de lo que sucede con el lector más o menos habitual de literatura).

Un ejemplo característico es la larga acotación de la segunda jornada que describe a los matones Juanco y Reparado, contratados por el Marqués para ahuyentar a Arlequín, que trasciende a picaresca (con destellos de poesía satírica de Quevedo o Cervantes). Cito la primera, la tercera, y las tres últimas de las nueve cuartetas de «jacarandosos» decasílabos que la componen:

Los dos matantes se hablan de quedo,
y están sus ojos agitanados
tras el embozo poniendo miedo,
como dos canes encarnizados.

(269-270)

Evoca glorias de la almadraba
la picardía de su ceceo,
y el rostro zaino que se socava
bajo la sombra que da el chapeo.

(270)

Están celosas por culpa d'ellos
Mari Sarmiento la Despenada
y la Galindo, que anda en cabellos
con la mejilla siempre arañada.

Han recibido trato de azotes
de Pero el Diente y Antón Soguilla.
A los verdugos les ponen motes
que luego sacan en jacarilla.

Y por mesones y por posadas
marcan el naipe del sacanete,
sus uñas gafas y caireladas,
como las uñas de Rinconete.

(270)

Estos desvíos de la auténtica «poesía de teatro» —debilidades dramáticas de la obra— tal vez sean más notables, de modo paradójico, por el acierto teatral que constituye su conjunto. Me refiero a la imagen total de «gran mascarada del mundo», de «fiesta galante» que es a la vez tinglado de farsa o tragicomedia, donde los disfraces —trajes, pelucas y afeites dieciochescos, atuendo de la *Commedia dell'Arte,* —el escenario— jardín de un Versailles modernista con trazos de aguafuerte goyesco—, las «piruetas» y «aspavientos» de los personajes y el ritmo integrador del verso forman el relieve, el «grueso cordaje» de que habla Cocteau; diseño múltiple del que se deriva un especial tipo de emoción: emoción estética, en fin, sólo posible de ser generada a plenitud por la obra en cuanto espectáculo de poesía dramática, una vez más, en cuanto «poesía de teatro».

III

Bodas de sangre (1933), como otras obras de García Lorca, presenta, en cuanto a su «lenguaje», una considerable dificultad —dificultad para el espectador y para sus intérpretes, pero, a la larga, también, complejo problema estético—: la de la combinación de prosa y verso. Se pronunciaba contra esa mezcla en el teatro T. S. Eliot, en la citada exposición de sus ideas sobre el drama poético:

> Demasiadas personas, de otro lado, se acercan a una obra que saben está en verso, con la conciencia de la diferencia. Es una desgracia que sean repelidos por el verso, pero, también,

puede ser deplorable el que sean atraídos por él, si eso significa que están preparados para disfrutar de la obra y del lenguaje de la obra como dos cosas separadas. El principal efecto del estilo y el ritmo en el discurso dramático, ya sea en prosa o en verso, debe ser inconsciente.

De esto se sigue que una mezcla de prosa y verso en la misma obra debe en general evitarse: cada transición hace consciente al que escucha, con una sacudida, del medio expresivo. Es, puede decirse, justificable, cuando el autor desea producir esta sacudida: esto es, cuando desea transportar al público violentamente de un plano de la realidad a otro [28].

Dos aspectos fundamentales del problema planteado por el empleo alterno de verso y prosa en la obra dramática de Lorca, se señalan aquí lúcidamente: uno, el de la separación que tiende a hacer el espectador entre «la obra y el lenguaje de la obra»; y el otro (derivado de aquél), el de la conciencia del medio expresivo reavivada en el espectador a cada transición de verso a prosa, y viceversa.

---

[28] «Too many people, on the other hand, approach a play which they know to be in verse, with the consciousness of the difference. It is unfortunate when they are repelled by verse, but can also be deplorable when they are attracted by it — if that means that they are prepared to enjoy the play and the language of the play as two separate things. The chief effect of style and rhythm in dramatic speech, whether in prose or verse, should be unconscious.

From this it follows that a mixture of prose and verse in the same play is generally to be avoided: each transition makes the auditor aware, with a jolt, of the medium. It is, we may say, justifiable when the author wishes to produce this jolt: when, that is, he wishes to transport the audience violently from one plane of reality to another» *(op. cit.*, p. 77).

El ejemplo que da Eliot a continuación, como justificado, es el del drama isabelino, a cuyo público, dice, «seemed perhaps proper that the more humble and rustic characters should speak in a homely language, and that those of more exalted rank should rant in verse» (p. 77).

En *Bodas de sangre,* específicamente, cabe distinguir entre el verso utilizado en una situación donde en la vida real se suele emplear de manera semejante (la nana del primer acto, el epitalamio del segundo) y el verso como elección, en principio, libre por parte del autor, aunque la elección del verso pueda, en éste y otros casos, considerarse resultado de una necesidad artística del plan de la obra (la mayor parte del tercer acto). No se me interprete mal, no caigo en la simpleza de afirmar que el primer uso aquí indicado sea mejor porque la acción lo justifique desde la perspectiva de un estrecho «realismo» (esos versos no son, por otro lado, huelga decirlo, mera nana o mero epitalamio, y sus originales imágenes juegan un papel importante en relación con *motivos* centrales de la obra); concedo también que el empleo del verso en el tercer acto haya sido la solución más adecuada al diseño concebido por Lorca. Lo que indico es la radical diferencia entre los contextos en que aparece el verso, desde el punto de vista del espectador (y también del intérprete, si bien la dificultad que se origina de ello sea de otro orden para este último); o, en otras palabras, la relativa naturalidad con que se inserta el verso en la prosa en el primer caso (nana, epitalamio) y el evidente «artificio» del verso en el segundo (cuadro del bosque, cuadro final). García Lorca mismo, por lo demás, aunque indirectamente, se refiere a la diferencia. En una entrevista con Pedro Massa, a propósito del estreno de la obra (1933), Lorca describe así su «fórmula»:

> No más una obra dramática con el martilleo del verso desde la primera a la última escena. La prosa libre y dura puede alcanzar altas jerarquías expresivas, permitiéndonos un desembarazo imposible de lograr dentro de las rigideces de la métrica. Venga en buena hora la poesía en aquellos instantes que la disposición y el frenesí del tema lo exijan. Mas nunca en otro momento. Respondiendo a esta fórmula, vea usted, en *Bodas de*

> *sangre,* cómo hasta el cuadro epitalámico el verso no hace su aparición con la intensidad y la anchura debidas, y cómo ya no deja de señorear la escena en el cuadro del bosque y en el que se pone fin a la obra [29].

Y, a la pregunta del entrevistador sobre qué momento de la pieza le satisface más, contesta:

> Aquel en que intervienen la Luna y la Muerte, como elementos y símbolos de fatalidad. El realismo que preside hasta ese instante la tragedia se quiebra y desaparece para dar paso a la fantasía poética, donde es natural que yo me encuentre como el pez en el agua [30].

Obsérvese que este segundo comentario distingue claramente entre el «realismo» que preside los dos primeros actos y la «fantasía poética» del tercero; de algún modo, pues, admite Lorca una gradación entre las limitaciones de forma e intención del verso que corresponde a la «convención realista», y las libertades del que sirve de instrumento a la más pura facultad imaginativa del poeta. Esto lo percibe, por cierto, el entrevistador, quien, como si temiera dejar al final de la entrevista aquella impresión de «fantasía» aparentemente lírica, subraya el realismo de la poesía en las escenas de la boda: «Hay otra escena, Federico —le arguyo—, que, sin perder su perfil de realidad, puede competir en belleza con esa que me señala... Aquel coro de voces juveniles llamando a la Novia al divino momento de sus nupcias. ¿Quiere usted repetirlo?» [31].

---

[29] Federico García Lorca, *Obras Completas,* Madrid: Aguilar, décima edición, 1965, p. 1721. Todas las citas de *Bodas de sangre* se hacen por esta edición. Doy entre paréntesis, en el texto, el número de página.

[30] *Ibid.,* p. 1721.

[31] *Ibid.,* p. 1721.

En cuanto al método de combinar prosa y verso, vemos aquí, asimismo, que es en Lorca, tanto como en Eliot la condenación del recurso, el producto de una cuidadosa consideración sobre la forma más idónea para el drama poético que en aquel momento intenta crear. (Lo que destaco es que si Lorca yerra en algo en este punto, no lo hace, como es tópico suponer, por falta de una madura meditación estética)[32]. En realidad, están preocupados los dos, Eliot y Lorca, por la misma cuestión, sólo que proponen soluciones diferentes. Lorca prefiere, según parece indicar, «la prosa libre y dura» para aquellos momentos en que la acción (o la emoción) pida un estilo más llano e inmediato de expresión y «la poesía [el verso] en aquellos instantes en que la disposición y el frenesí del tema lo exijan». Eliot favorece, como sabemos, el verso para toda situación, recomendando que éste tenga tal elasticidad que permita su único empleo como lenguaje del «drama poético». «Pero si nuestro verso —aclara— ha de tener tan amplio alcance que pueda decir todo lo que haya de ser dicho, se sigue que no será 'poesía' todo el tiempo. Solamente será 'poesía' cuando la situación dramática haya alcanzado tal punto de intensidad que la poesía se vuelva la expresión natural, porque sea el único lenguaje en el cual las emociones puedan ser de algún modo expresadas»[33]. Sobre lo poético, o el lugar que la poesía ha de ocupar en el drama,

---

32 El libro de Marie Laffranque *Les idées esthétiques de Federico García Lorca* (Paris: Centre de Recherches Hispaniques, 1967) nos muestra, de modo admirable, la imagen del Lorca preocupado por los más variados aspectos de su trabajo creador. Sobre Lorca y el teatro, ver especialmente las páginas 272-275 del libro.

33 «But if our verse is to have so wide a range that it can say anything that has to be said, it follows that it will not be 'poetry' all the time. It will only be 'poetry' when the dramatic situation has reached such a point of intensity that poetry becomes the natural utterance, because then it is the only language in which the emotions can be expressed at all» *(op. cit.,* p. 78).

ambos poetas están, en fin, de acuerdo: únicamente en ciertos momentos de intensidad habrá de servirse el autor dramático de «la poesía». Ahora bien, para Lorca (o, mejor, para el Lorca que escribe *Bodas de sangre* hacia 1933), según se desprende del comentario transcrito, la poesía equivale al verso por oposición a la prosa, mientras que, para Eliot, se trata de cierto carácter o tono del texto en su totalidad versificado.

Cierto también que si podemos reprochar a Lorca los saltos a que obliga a los espectadores por la alternancia de prosa y verso y, en consecuencia, por «distraer su atención de la obra misma a su medio de expresión», según piensa Eliot [34], la opinión de éste sobre la casi imposibilidad de lograr un drama poético en prosa, es, por otra parte, muy vulnerable. No sólo relega al plano de la insuficiencia a un buen número de sobresalientes dramaturgos contemporáneos, cuya obra en prosa tiene un valor esencialmente «poético» (y cuyo talento no se ha destacado en la «versificación») —piénsese en Giraudoux, Ghelderode o Anouilh—, sino que muestra un incomprensible desprecio por la prosa como instrumento de poesía, especialmente de poesía dramática. Eliot parece negar a la prosa toda aptitud para sugerir sutiles emociones, ignorando, de paso, al artista que ha sabido explotar sus posibilidades rítmicas y convertirla en recurso expresivo comparable a veces, y a veces superior, al de la música, más evidente, del verso en el teatro [35]. El juicio de Eliot, a propósito de Maeterlinck, sobre lo restringido de los asuntos que

---

34 ...«to distract their attention from the play itself to the medium of its expression» *(op. cit.,* p. 78).

35 Léase, por ejemplo, lo siguiente: «There are great prose dramatists —such as Ibsen and Chekhov— who have at times done things of which I would not otherwise have supposed prose to be capable, but who seem to me, in spite of their success, to have been hampered in expression by writing in prose» *(op. cit.,* p. 93).

puede tratar el teatro poético en prosa («Pero para ser poético en prosa, un dramaturgo tiene que ser tan consistentemente poético que su alcance es muy limitado»)[36], bien podría aplicarse, al pie de la letra, al teatro poético en verso: la limitación temática forma parte, en definitiva, de la esencia misma del teatro que se defina como «poético», ya sea en verso o en prosa. La escasa producción dramática del propio Eliot es, en este sentido, muy significativa. No olvidemos, del lado contrario, lo poco poético o, más bien, antipoético que puede ser cierto teatro en verso, y ahí están *El hombre de mundo, Consuelo* y *El gran Galeoto* para probarlo: los prosaicos asuntos de estas piezas en verso las alejan, precisamente, de lo que consideraríamos teatro poético, cualquiera que sea su forma. Lorca es, además —resulta tópico ya decirlo—, uno de esos creadores que, con genio extraordinario, han sabido hacer de la prosa un eficaz medio expresivo o instrumento poético. Recuérdese, otra vez, en la entrevista arriba citada, su explicación al empleo de la prosa en *Bodas de sangre:* «La prosa libre y dura puede alcanzar altas jerarquías expresivas, permitiéndonos un desembarazo imposible de lograr dentro de las rigideces de la métrica». (Se me ocurre, no obstante, que Eliot habría decidido situar a Lorca —así como, por razones semejantes, al Valle-Inclán de los dramas rurales— junto a J. M. Synge, aplicándole el mismo argumento de que el autor irlandés «escribió obras sobre personajes cuyos originales en la vida hablaban poéticamente, de modo que podía hacerlos hablar poesía a la vez que seguían siendo personas reales»[37]; argumento, a todas luces, simplificador, por no decir falso y que, en el fondo, revela la actitud defensiva de Eliot).

---

[36] *Op. cit.*, p. 82. Véase nota 11.
[37] *Op. cit.*, p. 82. Véase nota 11.

Hechas las anteriores aclaraciones, podemos abordar convenientemente el innegable problema que en *Bodas de sangre* presenta ese paso del plano de la «realidad» de los dos primeros actos al de la «fantasía» del tercero, de la casi totalidad de la prosa a la casi totalidad del verso en un plano y el otro, respectivamente y, para complicar aún más las cosas, la nueva inserción del planto «realista», con la escena de prosa que precede al plano en verso del final de la obra. Un examen del tercer acto es imprescindible para una justa apreciación del asunto. Adelanto que la obra cuenta con recursos —recursos de «poesía de teatro» en el sentido que le daba Cocteau a esta expresión—, destinados a resolver la cuestión: el grado de efectividad con que lo logra será especial objeto de estas páginas.

Para empezar, señalo algo evidente tal vez, pero que es indispensable punto de partida de mi análisis: el paso de un plano a otro implica el corte o, si se prefiere, la interrupción de la acción que se ha venido desenvolviendo hasta el final del segundo acto. La apasionada arenga de la Madre a sus familiares —con que concluye el segundo acto—, para que asistan al Novio en su empresa de persecución y venganza, representa una crisis de la que se aguardarán ciertas «normales» consecuencias. Recordemos ese parlamento, tan semejante en el tono inflamatorio a algún otro del teatro del Siglo de Oro, como el de Laurencia en *Fuenteovejuna:*

> Al agua se tiran las honradas, las limpias; ¡ésa, no! Pero ya es mujer de mi hijo. Dos bandos. Aquí hay ya dos bandos. *(Entran todos.)* Mi familia y la tuya. Salid todos de aquí. Limpiarse el polvo de los zapatos. Vamos a ayudar a mi hijo. *(La gente se separa en dos grupos.)* Porque tiene gente; que son sus primos del mar y todos los que llegan de tierra adentro. ¡Fuera de aquí! Por todos los caminos. Ha llegado otra vez la hora de la sangre. Dos bandos. Tú con el tuyo y yo con el mío. ¡Atrás! ¡Atrás! (1244).

Al abrirse el telón para el tercer acto, el público, en efecto, esperará presenciar la «natural» continuación a aquella violenta incitación a actuar, el desarrollo de aquel conflicto, concebido, según Lorca mismo, atendiendo a ciertas normas de «realismo». Esa acción «suspendida» habría sido, además, la mejor respuesta a uno de los móviles de la obra —o su tema en el nivel de la realidad social que refleja—: el de la ofensa del honor y el exigido desagravio. La Madre es, por cierto, el más estricto mantenedor, en la pieza, de la tradicional opinión en materia de honra. «La honra más limpia que una sábana puesta al sol» (1198), dice de su hijo, y, a la Novia, explicándole lo que es casarse: «Un hombre, unos hijos y una pared de dos varas de ancho para todo lo demás» (1200). Su alusión a la Novia, en el parlamento arriba citado —«Al agua se tiran las honradas, las limpias; ¡ésa, no!»— es el indignado resumen de la típica manera de encarar las relaciones del hombre y la mujer, o de la mujer respecto al hombre, dentro del referido concepto hispánico del honor. Trato de sugerir que el conflicto de honor planteado demandaría una resolución acorde con ciertas reglas dictadas por la tradición; la tradición del honor, o, más exactamente del drama de honor «calderoniano», pesará, en otras palabras, en el ánimo del espectador —pienso, a este último respecto, especialmente, en el espectador hispánico—, condicionando su expectativa. Pero, en lugar de la acción «realista» esperada, el telón se descorre en el tercer acto para mostrar un bosque irreal, poblado por figuras igualmente irreales o «fantásticas».

La continuidad de esta acción que, para mayor conveniencia, designo como «realista», no habría impedido, por otra parte, que se definiera adecuadamente el tema profundo de la obra, el de la sangre o de la «fatalidad» de la sangre, insinuado en la constante oposición de los *motivos* de la sangre que fluye (generación, vida) y de la sangre derramada (muerte); a este tema de la sangre queda subordinado, a fin de cuentas, el tema del honor, en la imagen de la sangre en cuanto linaje y, por ello, en cierto sentido, determinante —forma también de «fatalidad»— de atributos individuales de los personajes y, en última instancia, de su conducta («buena sangre» del Novio, «mala sangre» de la Novia y Leonardo). Lorca, por otro lado, volverá sobre el tema del honor en la escena entre la Novia y la Madre en el último cuadro, obvio intento de «anudar un cabo suelto» de cuya justeza (o, más bien, falta de justeza) me ocuparé en breve.

Pero no nos llamemos a engaño acerca de la aparente falta de unidad de la pieza; no se trata, repito, de una deficiencia inadvertida por el joven autor que está aún experimentando con su técnica. Todo lo contrario: Lorca se ha propuesto, precisamente, alejar su obra, temática y, en consecuencia, formalmente, del esquema convencional del drama de honor, guiado por la aspiración a que aquélla alcanzase verdaderas dimensiones trágicas (como «tragedia», la define en el subtítulo). Para ello busca superponer a la inmediata realidad local, al mundo de prejuicios de casta y honra del señorío rural, el del universal terror a ciertas fuerzas oscuras, origen del concepto del *fatum*, del destino percibido como fuerza sobrenatural. Y ningún vehículo podía ser más propicio para su objetivo de romper con los moldes conocidos, de transformar o «sublimar» lo dado, que rodear la muerte de los protagonistas de sombras de misterio, figuras terribles que, en aquel «ambiente» de bosque nocturno, auguran el desenlace trágico o ayudan a su ejecución. Ahí estaba, por otra parte, el efectivo antecedente de *El caballero de Olmedo*, de Lope; sólo que Lorca convierte lo que allí es circunstancial sugerencia en firme sostén de la que considera visión esencial en su obra: el curso de la sangre hacia el cumplimiento de su destino o, mejor tal vez, la sangre misma como curso de un inalterable destino. En cuanto a la forma, Lorca se decide, para mejor lograr su propósito de «sublimación», por el ritmo del verso y la más libre asociación de la imagen poética (o poemática).

Las frases cortas, sentenciosas y cargadas de significación —el *leitmotiv* de la sangre en sus varios aspectos se precisa o sintetiza en ellas— de los tres leñadores, figuras que descienden del antiguo coro trágico, forman, al abrirse el tercer acto, como una especie de introito a la versificación que va a dominar el texto en adelante. Al vislumbrarse la luna, todavía simplemente una «claridad», los leñadores romper a cantarle una «letanía», conjuro apaciguador o propiciatorio que se inicia con un hexasílabo y un octosílabo, continúa con un pentasílabo y un octosílabo, intercalados entre dos eneasílabos, y termina con dos combinaciones de un pentasílabo y un endecasílabo. Es un controlado crescendo desde los metros tradicionales de arte menor hasta el culto endecasílabo, con los eneasílabos como escalón o puente. Se forman, por otra parte, cuatro series de monorrimos asonantes en el breve pasaje (diez versos en total). Helo aquí:

LEÑADOR 1.º: ¡Ay luna que sales!
Luna de las hojas grandes.

LEÑADOR 2.º: ¡Llena de jazmines la sangre!

LEÑADOR 1.º: ¡Ay luna sola!
¡Luna de las verdes hojas!

LEÑADOR 2.º: Plata en la cara de la novia.

LEÑADOR 3.º: ¡Ay luna mala!
Deja para el amor la oscura rama.

LEÑADOR 1.º: ¡Ay triste luna!
¡Deja para el amor la rama oscura!

(1248-1249)

Me he detenido en el esquema métrico de este pasaje para hacer notar la diversidad rítmica que comprende en su brevedad. La nana del primer acto, salvo por el segundo verso del estribillo, un decasílabo, utilizaba solamente el hexasílabo. En cuanto al epitalamio, el hexasílabo, el octosílabo, las combinaciones de seguidilla, otros típicos pies quebrados y algunos decasílabos y dodecasílabos (de estos últimos, varios con división de seguidilla) tratan de reproducir, con más o menos fidelidad, las formas del cancionero popular. Esto es, se apoyan sobre lo tradicional, los metros más conocidos o popularmente aceptados. Creo que la original combinación métrica del examinado pasaje de los leñadores apunta, por el contrario, a lo insólito, a lo distinto; el tono que tiene, según ya señalé, de jaculatoria —jaculatoria a la divinidad lunar— contribuye también a fortalecer la sensación de cosa extraña o sobrenatural que el cuadro busca provocar desde el principio (incluido el «ambiente oscuro» y el sonido de los dos violines —«expresión» del bosque, según se aclara en una acotación más adelante— de las indicaciones escénicas).

Tiene razón Rupert Allen[38] al afirmar que un director experimentado prolongará la pausa entre la salida de escena de los leñadores y la aparición de la Luna como personaje. El público necesitará, todavía, más tiempo para absorber toda aquella «extrañeza» que sustituye al esperado desarrollo

---

[38] Rupert C. Allen, *Psyche and Symbol in the Theater of Federico García Lorca, 'Perlimplín', 'Yerma', 'Blood Wedding'*, Austin and London: University of Texas Press, 1974. Escribe Allen:

«The night forest is gloomy and still. Here it is up to the director's sense of timing to give the audience the weird impression that they have been 'abandoned', as it were. In the double obscurity of auditorium and stage the audience waits for the spectacle to continue. There is a moment of uncertainty, of crossing a threshold into another world, the world of pure symbol. The knowledgeable director will carry the empty stage for as long as possible to the point where the audience begins to shift uneasily» (pp. 163-164).

de la acción realista anterior. Sobre todo, si se tiene en cuenta que, a continuación, entrará en escena aquella misma luna que se acaba de invocar en figura de «leñador joven y con la cara blanca». Uno se inclina a pensar, por lo que se va observando, que los preparativos mencionados para que el público acepte sin mucha resistencia esa irrupción de la «fantasía» en escena, no resultarán muy eficaces. Y menos si se considera que se produce, a la vez que un cambio en la naturaleza de la acción, un cambio radical de lenguaje; la Luna será, en efecto, una suerte de «luna metafórica» que se nombra a sí misma con imágenes de ascendencia gongorina: «Cisne redondo en el río, / ojo de las catedrales, / alba fingida en las hojas / soy»... No vale argüir que el monólogo de la Luna cuenta con el hábito de la tradición por ostentar la forma del romance. No se trata en este caso del típico romance narrativo (utilizado por Lorca en otras piezas: *La zapatera prodigiosa, Mariana Pineda, Doña Rosita la Soltera),* o de su evocación estilizada, la del *Romancero gitano;* éste es un romance lírico —aunque en él prevalezca, como explico después, la emoción «dramática»—, caracterizado por la factura metafórica que se aprecia en los citados primeros versos.

A esta presencia y a este lenguaje «desconcertantes», se añade de inmediato la de otro misterioso personaje que «no figura en el reparto». Se trata de la Muerte bajo el disfraz de Mendiga, cuya imprevista participación en la acción de la pieza constituye ya de por sí otra metáfora, metáfora de la fragilidad de la vida, mediante la cual el destino de los protagonistas del drama se contempla con universal perspectiva. La aparición de esta figura introduce otro, leve, cambio de lenguaje, más bien cambio de ritmo o de metro, porque el tono de las imágenes es el mismo: primero, vendrá un monólogo de la Mendiga en endecasílabos y, al reaparecer la Luna, se entablará un diálogo entre los dos personajes en alejandrinos. Hay que reconocer que el amenazante discurso alternado de la Muerte y la Luna encuentra un buen medio expresivo en sus graves alejandrinos. Pero a continuación ocurre aquello a lo que con buenas razones se opone Eliot: cuando ya se iba estableciendo la norma de la versificación, se recae en la prosa en las dos escenas que siguen —una entre el Novio y uno de los mozos que lo acompañan, y la otra entre aquél y la Mendiga—. No es difícil ver, por lo demás, que el verso —asociado ya con las figuras sobrenaturales que en este cuadro se introducen—, habría coadyuvado al reajuste del espectador a un nuevo giro de la acción: el de la intersección del mundo de la «realidad» y el del mito, en este punto en que el *deus ex machina* se manifiesta al personaje de «carne y hueso». Y, sobre todo, si se considera que se vuelve al verso en seguida hasta el final del cuadro, con la escena brevísima de los leñadores, primero, y, después, con la de Leonardo y la Novia, obligando así al espectador a otra «sacudida».

El diálogo en romance de la escena final lleva, por otra parte, el ímpetu metafórico ya aludido a alturas (u honduras) aún mayores, pues por su extensión permite un más amplio juego de las imágenes. Cito algunos versos que ejemplifican bien lo que señalo:

Estas manos que son tuyas
pero que al verte quisieran
quebrar las ramas azules
y el murmullo de tus venas.

———

... y cuando te vi de lejos
me eché en los ojos arena...
(1257)

———

... con alfileres de plata
mi sangre se puso negra...

Pájaros de la mañana
por los árboles se quiebran.
La noche se está muriendo
en el filo de la piedra.

(1258)

... Clavos de luna nos funden
mi cintura y tus caderas.

(1260)

¡Ay, qué lamento, qué fuego
me sube por la cabeza!
¡Qué vidrios se me clavan en la lengua!

(1256 y 1257)

(Los últimos versos citados sirven, como se recordará, de *leitmotiv,* en el sentido musical y dramático, de la escena, carácter que destaca el endecasílabo, único del pasaje.)

Ahora bien, cabe preguntarse aquí si al espectador no le resultará «chocante» escuchar a estos dos personajes expresarse también con esa elocuencia metafórica, y en verso, cuando aún guardará en la memoria la tensa prosa del diálogo desarrollado entre ellos en el acto previo [39]. La respues-

[39] Transcribo algunos bocadillos para facilitar la comparación:

NOVIA: ¿Por qué preguntas si trajeron el azahar?
LEONARDO: Ninguna. ¿Qué intención iba a tener? *(Acercándose.)* Tú, que me conoces, sabes que no la llevo. Dímelo. ¿Quién he sido yo para

ta habrá de ser afirmativa, pero, por otra parte, se debe aclarar que el «choque» será, de acuerdo con la total concepción de esta escena por parte de Lorca, menor de lo que a simple vista parece. Y otro tanto podría decirse del contraste que, a todas luces, ofrece el tercer acto con respecto a los anteriores. Y no se vea autocontradicción en lo que ahora sostengo. Paso a explicarme. Para ello he de detenerme en el aspecto de lo teatral puro, o de la «poesía de teatro» de que hablaba Cocteau, tantas veces referida, omnipresente en este acto, aunque, por cierta delicada reticencia de Lorca —respeto, tal vez excesivo, a la sensibilidad del artista de teatro encargado de hacerla manifiesta—, aquélla no se evidencie en las acotaciones. Presentaré primero, desde este punto de vista, el cuadro que vengo considerando, para luego proceder al examen del último cuadro como logro de «poesía de teatro», pero también, según ya he anticipado, como replanteamiento del problema que analizo.

Para llevar a cabo su propósito de «sublimación» o «universalización», Lorca depende de la «poesía de teatro» —sugerida por el texto mismo, con ayuda de alguna que otra indicación— tanto como del nuevo ritmo verbal que introduce en este tercer acto; lo que podríamos llamar acción dialéctica de los dos primeros actos, se sustituye aquí por una

---

ti? Abre y refresca tu recuerdo. Pero dos bueyes y una mala choza son casi nada. Esa es la espina.

NOVIA: ¿A qué vienes?

LEONARDO: A ver tu casamiento.

NOVIA: ¡También yo vi el tuyo!

LEONARDO: Amarrado por ti, hecho con tus dos manos. A mí me pueden matar, pero no me pueden escupir. Y la plata, que brilla tanto, escupe algunas veces.

NOVIA: ¡Mentira!

LEONARDO: No quiero hablar, porque soy hombre de sangre, y no quiero que todos estos cerros oigan mis voces.

NOVIA: Las mías serían más fuertes (1212-1213).

acción de orden físico, serie de imágenes, creadas por medio del movimiento de los personajes, que traducen o revelan *en concreto* la abstracción o sentido ideal de los temas fundamentales de la obra. El director que sepa ser fiel al espíritu de la escena que me ocupa entre Leonardo y la Novia, guiado, como antecedente, por el vivo interés de Lorca en la danza, y en la danza como medio de expresión simbólica en el teatro —recuérdese el intento de *El maleficio de la mariposa* (recuérdese, de paso, que en la danza encuentra Cocteau el instrumento principal para la elaboración de la «poesía de teatro» en la época en que la define, la de *Les mariés de la Tour Eiffel* y *Parade)*—, tendrá que servirse de un movimiento coreográfico estilizado [40]. Más, la escena debe ejecutarse sobre la base de un sensual baile flamenco (Lorca recordaría de algún modo, al «visualizar» esta escena, *El amor brujo* de Falla). Lo que voy diciendo está, además, apoyado por la forma en que Lorca concibe una escena de intención semejante: la del Macho y la Hembra en *Yerma*. Se trata allí de una «danza», indicada así simplemente, sin otra descripción de movimiento o ritmo. La única acotación de Lorca en esta escena de *Bodas de sangre* hay que entenderla, pues, en ese contexto de «poesía teatral»: «Toda esta escena es violenta, llena de gran sensualidad». ¿Cabría superponer a las metafóricas tiradas en verso de los amantes, los movimientos sensuales que en la realidad, la prosaica realidad, serían los normales? Los personajes aparecen aquí, si se considera

---

40 Comenta Lorca en una ocasión, a propósito del «fin de fiesta» añadido a *La zapatera prodigiosa* durante las presentaciones de la obra en Buenos Aires:

«Ya verán ustedes todo el espectáculo. En él se valoriza el cuerpo humano, tan olvidado en el teatro. Hay que presentar la fiesta del cuerpo desde la punta de los pies, en danza, hasta la punta de los cabellos, todo presidido por la mirada, intérprete de lo que va por dentro» *(O. C.*, p. 1746).

propiamente la cuestión, transfigurados; en verdad, no son los mismos de los actos anteriores, ahora son como emanaciones de ese bosque encantado donde todo es diferente; se han convertido, por decirlo así, en pura «representación»: la de sus pasiones. En el segundo acto los personajes confiesan su lucha contra la pasión que los domina: el conflicto de cada uno se revela allí como el de la voluntaria represión de una fuerza —fatal, natural— que instintivamente busca realizarse o liberarse:

> NOVIA: Un hombre con su caballo sabe mucho y puede mucho para poder estrujar a una muchacha metida en un desierto. Pero yo tengo orgullo. Por eso me caso. Y me encerraré con mi marido, a quien tengo que querer por encima de todo.
>
> LEONARDO: El orgullo no te servirá de nada. *(Se acerca.)*
>
> NOVIA: ¡No te acerques!
>
> LEONARDO: Callar y quemarse es el castigo más grande que nos podemos echar encima. ¿De qué me sirvió a mí el orgullo y el no mirarte y el dejarte despierta noches y noches? ¡De nada! ¡Sirvió para echarme fuego encima! Porque tú crees que el tiempo cura y que las paredes tapan, y no es verdad, no es verdad. ¡Cuando las cosas llegan a los centros, no hay quien las arranque!
>
> NOVIA: *(Temblando.)* No puedo oírte. No puedo oír tu voz. Es como si me bebiera una botella de anís y me durmiera en una colcha de rosas. Y me arrastra y sé que me ahogo, pero voy detrás (1214-1215).

Conflicto entre represión y liberación (que, en el caso de la novia, conlleva también el de la pureza y la deshonra), entre el deber y la «inclinación» (o «camino de la sangre») de que hablan los leñadores. Es esta lucha la que ahora, mediante la voz y el cuerpo de los actores, impresionará la imaginación del espectador como una avasalladora presencia rítmica. Este verso de la Novia señala el «centro emocional» de la escena: «¡Te quiero! ¡Te quiero! ¡Aparta!». No sugiero —no se me entienda mal—, que la escena haya de interpretarse como simple estampa de baile. Se trata de algo más complejo, del uso marcado y medido de brazos y piernas, en conjunción con exactas flexiones del torso y posiciones de la cabeza, acentuación rítmica de ademanes expresivos espontáneos, como el que concebimos de modo automático de los brazos en alto con las manos a los lados de la cabeza, en los versos: «¡Ay, qué lamento, qué fuego / me sube por la cabeza!», para dar sólo un ejemplo de lo más obvio. Son muchas las variantes posibles en un diseño de movimiento de esta escena, y no es éste el lugar para proponer un modelo particular; además, como ya hemos visto, Lorca prefiere dejar al director en libertad en cuanto a movimientos específicos: la indicación de la violencia y sensualidad de la escena le parece suficiente para el artista entendedor.

A ese mismo principio obedece el movimiento de las otras figuras simbólicas del cuadro. Lorca indica en alguna ocasión movimientos dirigidos a crear imágenes visuales muy precisas. Recuérdese la acotación del final del cuadro: la Mendiga, de espaldas al público, «Abre el manto y queda en el centro, como un gran pájaro de alas inmensas» (1261). Esa imagen de cuervo agorero, de ave de rapiña, constituye una clave para el diseño general de movimiento y actitudes de este personaje. En cuanto a la Luna, una lectura atenta de su monólogo permite detectar parecidas sugerencias respecto a los ademanes correspondientes.

La Luna aparece en la obra como un ser de contradicciones: es un joven leñador, aunque la tradición occidental más corriente otorgue a la luna carácter femenino; es, en cierto modo, un compuesto hermafrodita [41], entidad fría que

[41] Sobre el carácter masculino (o hermafrodita) de esta luna de *Bodas de sangre*, me refiero a las puntualizaciones de Julián Palley,

anhela llenarse de calor, pasiva redondez que aspira a prolongarse en dinámico rayo de luna. Mujer-hombre, ceniza fría-pasión de fuego, círculo-recta penetrante, definen, en síntesis, la figura de esta Luna. Dichas oposiciones son equivalencias simbólicas de la pasión que une a la Novia y Leonardo, caracterizada, como hemos visto, por el conflicto entre la quietud – fría castidad – y el movimiento – «llama» del instinto amoroso («Se abrasa lumbre con lumbre. / La misma llama pequeña / mata dos espigas juntas» (1259), dirá Leonardo en el momento de sucumbir los dos amantes a la atracción sensual contra la cual han estado en vano luchando). El monólogo de la Luna se puede dividir en tres secciones, de las cuales las dos primeras reflejan, cada una, alternadamente, las tendencias polares a que me he referido, en una suerte de ritmo «espasmódico». Cito el monólogo en su totalidad para facilitar la comprensión de lo que sostengo (numero, para mayor conveniencia, los versos):

1 Cisne redondo en el río,
2 ojo de las catedrales,
3 alba fingida en las hojas
4 soy; ¡no podrán escaparse!
5 ¿Quién se oculta? ¿Quién solloza
6 por la maleza del valle?
7 La luna deja un cuchillo
8 abandonado en el aire,
9 que siendo acecho de plomo
10 quiere ser dolor de sangre.
11 ¡Dejadme entrar! ¡Vengo helada
12 por paredes y cristales!
13 ¡Abrid tejados y pechos
14 donde pueda calentarme!

«Archetypal Symbols in 'Bodas de sangre'», *Hispania,* vol. L, núm. 1, 1967, pp. 74-79; Ángel Álvarez de Miranda, *La metáfora y el mito,* Madrid: Taurus, 1963; y Allen, *op. cit.,* pp. 184-203.

15 ¡Tengo frío! Mis cenizas
16 de soñolientos metales
17 buscan la cresta del fuego
18 por los montes y las calles.
19 Pero me lleva la nieve
20 sobre su espalda de jaspe,
21 y me anega, dura y fría,
22 el agua de los estanques.
23 Pues esta noche tendrán
24 mis mejillas roja sangre,
25 y los juncos agrupados
26 en los anchos pies del aire.
27 ¡No haya sombra ni emboscada,
28 que no puedan escaparse!
29 ¡Que quiero entrar en un pecho
30 para poder calentarme!
31 ¡Un corazón para mí!
32 ¡Caliente!, que se derrame
33 por los montes de mi pecho;
34 dejadme entrar, ¡ay, dejadme!

(a las ramas)

35 No quiero sombras. Mis rayos
36 han de entrar en todas partes,
37 y haya en los troncos oscuros
38 un rumor de claridades,
39 para que esta noche tengan
40 mis mejillas dulce sangre,
41 y los juncos agrupados
42 en los anchos pies del aire.
43 ¿Quién se oculta? ¡Afuera digo!
44 ¡No! ¡No podrán escaparse!
45 Yo haré lucir al caballo
46 una fiebre de diamante (1249-1250).

La primera sección (v. 1-14) se inicia con una visión de pasividad y circularidad («cisne redondo», «ojo»), que los brazos del intérprete, en arco alrededor de la cabeza, su «fría» expresión facial y el tono plano o blanco de su voz posiblemente aguda —voz de adolescente— habrán de transmitir. Una brusca transición que es emocionado grito («¡no podrán escaparse!») introduce la otra actitud, a la que uno o los dos brazos extendidos y rígidos como un cuchillo, podría muy bien servir de ademán básico, actitud que culmina en las tres «fogosas» intimaciones para que se le dé entrada en «tejados y *pechos*».

La segunda sección (v. 15-34), a la cual «¡Tengo frío!» sirve de adecuado puente, vuelve a las imágenes del reposo y la frialdad; pero a partir del verso 23 («Pues esta noche tendrán»...), la agitación reaparece, para aumentar progresivamente hasta un nuevo «paroxismo», en el cual las exclamaciones se vuelven más urgentes, más conminatorias, son como el signo exterior de la ciega crueldad del instinto.

La última sección (v. 35-46) muestra el tono más templado de la convicción, es como un «sostenido» de la pasión segura de haber alcanzado su objeto, en clara correspondencia con el desenlace de la escena final de este primer cuadro. A la rotundidad que tiene la negación al posible escape de los amantes (v. 44), siguen esos dos versos (45-46) que concluyen el monólogo con el aire de serena exultación propia del triunfo ya cierto. El ademán amplio de los brazos, la expansión del pecho, la altivez de la cabeza —gestos de plenitud y poder— expresarán justamente la «tesitura» de esta tercera fase del monólogo.

En suma, en la proyección física de su personaje, el actor que interprete la Luna habrá de subrayar cuidadosamente estas encontradas actitudes o disposiciones anímicas: el lenguaje de los gestos, complemento del texto verbal, comunicará así, de manera sensible —metáfora creada por el cuerpo del intérprete— el carácter contradictorio de la pasión de los protagonistas. Se alcanza así una fuerte cohesión en todo el cuadro, al enlazarse estrechamente esta aparición «sobrenatural» de su comienzo con el *motivo* que habrá de dominar en él —triunfo de la sangre como emblema del instinto, de la atracción natural—; la intervención primera de la Luna sirve, en este sentido, dicho de otro modo, de preparación o anuncio a la alternancia rechazo-entrega de Leonardo y la Novia en el ritmo expresivo de la larga escena de pasión con que termina este primer cuadro.

El cuadro último es como el desarrollo o consecuencia de la estilización que he analizado en el anterior. El escenario es una habitación simple y blanca (aun el suelo será «de un blanco reluciente»), con detalles de arcos y escaleras, «que tendrá un sentido monumental de iglesia». Este espacio indefinido —con aire de nave de templo— contribuirá de modo especial a eso que Lorca llamaría alguna vez «desrealizar la escena» [42]: toda noción de inmediata realidad se hace imposible a la vista de este ambiente «blanco» y «monumental», que sugiere una emoción religiosa. La acción del cuadro está concebida, en verdad, como recreación de un ritual patético, cuyo clímax es la liturgia funeral con que concluye la obra. El lenguaje apropiado, aún más tal vez que en el cuadro previo, será, pues, el métrico. En verso se expresarán no sólo las figuras simbólicas con las cuales se abre el cuadro —las dos muchachas de azul oscuro que devanan la madeja roja (hilo de la sangre-destino) y la Niña, figuras

---

42 Ha dicho Lorca, con ocasión del estreno de *La zapatera prodigiosa* en Buenos Aires en 1933: «Lo más característico de esta simple farsa es el ritmo de la escena, ligado y vivo, y la intervención de la música, que me sirve para desrealizar la escena y quitar a la gente la idea de que 'aquello está pasando de veras', así como también para elevar el plano poético con el mismo sentido que hacían nuestros clásicos». «El estreno de *La zapatera prodigiosa*», *La Nación*, Buenos Aires, 30 de noviembre de 1933. Cito por Marie Laffranque, *op. cit.*, p. 274, n. 53.

evocadoras de cierto Maeterlinck y de cierto D'Annunzio—, sino también la Suegra y la Mujer de Leonardo, que a continuación aparecen y que dialogan con aquéllas. Lorca se atiene así, en este pasaje, a un estricto principio de coherencia expresiva, evitando con tino la «caída» y «elevación» abruptas que implicaría emplear la prosa en la escena con la Suegra y la Mujer; sobre todo si se considera que, al salir ellas, entra a escena la Mendiga para dar cuenta de su obra destructora, y el verso se impone —necesidad artística fácilmente perceptible en este punto— como adecuado ritmo de su diálogo con las Muchachas y la Niña. Todavía más: debe tenerse presente que, al desaparecer la Mendiga, aquellas tres figuras entonan un breve treno, preludio, a su vez, del gran planto coral del fin del acto (la última indicación de Lorca, aquí, sobre el movimiento de los personajes, sirve como de rúbrica al tono y «tempo» —de solemne cadencia— establecidos en todo el discurso anterior por el rítmico fluir del verso: «Las Muchachas inclinan la cabeza y *rítmicamente* van saliendo»)[43].

Por esta razón, las escenas que siguen, en prosa, de la Madre y la Vecina y, especialmente, de la Madre y la Novia, producen tan fuerte impresión de incongruencia. Se nos sitúa de nuevo en un plano de realidad que hasta ahora el tercer acto ha insistido en dejar atrás, por medio de una sistemática estilización o «desrealización». La Madre, cosa que acentúa la sensación de incongruencia, entra en aquel ámbito irreal y «sacramental», y se refiere al lugar como su casa. Casi de inmediato, irrumpe allí la Novia y entre las dos mujeres se desarrolla una violenta escena que se resuelve en el desprecio de la Madre por todo lo que no sea su dolor, dolor que se expresa ahora purificado mediante una especie

[43] Subrayado mío.

de sobria plegaria (la prosa de este parlamento de la Madre, alcanza, por otra parte, notable carácter rítmico con sus tres resignadas invocaciones finales, hermosa letanía trágica): «Pero, ¿qué me importa a mí tu honradez? ¿Qué me importa tu muerte? ¿Qué me importa a mí nada de nada? Benditos sean los trigos, porque mis hijos están debajo de ellos; bendita sea la lluvia, porque moja la cara de los muertos. Bendito sea Dios, que nos tiende juntos para descansar» (1270). Lorca seguramente sintió que debía rematar con esta escena hilos temáticos que hasta aquí habían quedado «sueltos»: la Madre ante su destino, o el de su linaje y, como ya he sugerido, el del honor con respecto al personaje de la Novia. Pero, al hacerlo, contraría a la vez el estilo de intensa «desrealización» que ha planeado para el tercer acto. No es fácil tampoco, a pesar del logrado efectismo dramático —en su sentido más elemental— de la escena, aceptar como plausibles las protestas de honra y castidad de la Novia, ni aun, francamente, el que aparezca allí, impune y desafiante, frente a la Madre, dadas las normas tradicionales aplicables al caso; en el contexto de la realidad social, que la obra aquí vuelve claramente a evocar, esta intervención de la Novia es, en efecto, inadmisible.

Ángel del Río opina que la pieza debió terminar con el parlamento de la Madre arriba transcrito. «Lorca —escribe—, cayendo en la tentación de cerrarla con unas escenas típicas lírico-musicales-simbólicas, añade un coro en el que se habla de girasoles, adelfas amargas, dulces clavos y cuchillos que malogran en gran medida el aliento trágico de la escena final» [44]. Desde el punto de vista del drama que se desarrollaba en los dos primeros actos, tiene razón: dicho parla-

---

[44] Ángel del Río, *Vida y obras de Federico García Lorca*, Zaragoza: ed. «Heraldo de Aragón», 1952, pp. 135-136.

mento viene a ser el desenlace de aquél. Pero, en cuanto a la línea de estilización simbólica que sigue el tercer acto, el coro final es su «natural» corolario: la «monumentalidad de iglesia» del decorado requería, puede decirse, ese orquestado himno de lamentos para que su función se cumpliera cabalmente. Del Río habla de ciertas presiones, «circunstancias de orden teatral», que «le hicieron añadir, por una complacencia suya, este coro final»[45]; tal vez fue así, pero también es verdad que Lorca prefirió conservar esta escena cuando se publicó el texto por primera vez *(Cruz y Raya,* 1933). Tal preferencia indica, a mi juicio, que esa «solución» a la pieza sería para Lorca la más idónea. Creo haber mostrado suficientemente las razones de orden artístico («teatral», en un sentido distinto al que parece darle Del Río de «complacer» a los intérpretes de la pieza) que prescriben el añadido de ese coro final.

Como pura «poesía de teatro» —imágenes que son ritmo, ritmo doble del gesto simbólico y de la palabra puesta en metro— concibió, pues, Lorca el tercer acto de *Bodas de sangre.* Esto, si no resuelve completamente el conflicto de estilos planteado por los dos planos —«realidad» y «fantasía»— que forman la obra, y por el paso siempre arduo de la prosa al verso (y al contrario), es un intento en buena medida exitoso de allanarlo. A los intérpretes corresponde, en última instancia, desde luego, dar forma al espíritu que anima la pieza, y no pocas traiciones se suelen cometer en el proceso de llevarla a escena[46]. Justo es reconocer, asimismo,

---

45 *Op. cit.*, p. 136, n. 20.

46 En las presentaciones que he visto de la obra, especialmente fuera del mundo hispánico, he recibido casi siempre la impresión de estar viendo otra pieza después del segundo acto. En los Estados Unidos el contraste suele ser muy marcado, por interpretarse la «realidad española» con un falso concepto de «pasión latina» y luego actuarse el acto final con extrema contención y estatismo. En el mundo hispánico,

las enormes exigencias de la obra para el actor, quien ha de apelar a los más variados recursos de su arte para «plasmar» su personaje (pienso en particular en los de Leonardo y la Novia, por los cambios de modalidad expresiva que suponen, aunque también en las figuras simbólicas del tercer acto): proyección psicológica, modulaciones rítmicas de la entonación, danza o movimiento gimnástico. Ello nos llevará a comprender, si no a disculpar, algunas de las mencionadas traiciones.

Obra difícil, en fin, *Bodas de sangre* —difícil como concepción teatral, difícil para su ejecución escénica, en virtud de la disparidad de su lenguaje— como lo son, por motivos semejantes, *Yerma* y *Doña Rosita la soltera.* En principio hay que dar la razón a T. S. Eliot en cuanto al problema creado por la combinación de prosa y verso en la pieza, si bien otros recursos de «poesía de teatro» lo resuelven en parte considerable; esos recursos, que tan bien manejaba Lorca, no parece haberlos comprendido nunca bien, por otro lado, Eliot [47]. *La casa de Bernarda Alba,* donde «la prosa li-

---

por otra parte, se peca a veces por exceso coreográfico en el tercer acto, y, aún más, en pasajes donde apenas se necesita el movimiento —escenas de los leñadores, por ejemplo—: recuerdos de representaciones vistas en Cuba. El colmo del estatismo en cuanto al personaje de la Luna lo presencié en una representación en La Habana, donde el actor que lo interpretaba aparecía en posición de un Cristo crucificado tal como lo concebiría algún pintor surrealista. Una interesante discusión del teatro de Lorca con la perspectiva del realizador escénico es el trabajo de William I. Oliver —aclaro que disiento de algunas de sus ideas— «The Trouble with Lorca», *Modern Drama,* vol. 7, núm. 1 (May) 1964, pp. 2-15.

47 Ha dicho García Lorca, con gran visión: ...«El verso no quiere decir poesía en el teatro. Don Carlos Arniches es más poeta que casi todos los que escriben teatro en verso actualmente. No puede haber teatro sin ambiente poético, sin invención»... *(O. C.,* p. 1775).

Sobre la limitación de Eliot en cuanto a su concepto del drama poético, véanse las referencias de Francis Fergusson a aquél en compara-

bre y dura» alcanza «altas jerarquías expresivas», sirviendo como vehículo oral exclusivo de la «poesía de teatro», parece el resultado de una reconsideración del asunto por Lorca, tras la cual la balanza acabó por inclinarse del lado de la prosa, en su visión del drama «poético». Porque la indicación que da allí Lorca al comienzo: «El poeta advierte que estos tres actos tienen la intención de un documental fotográfico», no se puede tomar al pie de la letra; baste apuntar que las mujeres de luto que, «de dos en dos», van llenando la escena —la «habitación blanquísima» de la casa de Bernarda—, apenas empezado el primer acto, constituyen, sin duda, una «composición» simbólica —variación, a mi juicio, del planto final de *Bodas de sangre*— que impresionará al espectador como algo más, o algo menos, de lo que el supuestamente puntual interior de familia rica «en los pueblos de España» parecía sugerir en las acotaciones iniciales [48].

---

ción, precisamente, con Lorca, en «Don Perlimplín: Lorca's Theater-Poetry», parte de *The Human Image in Dramatic Literature,* New York: Doubleday, 1957, pp. 85-97. Y lo que en la misma obra escribe acerca del ensayo de Eliot sobre el drama («T. S. Eliot's *Poetry and Drama*», pp. 98-104).

[48] Escribe Fergusson: «But it would be a mistake to take its realism too straight: the label «photograph», like the label «alleluya» on *Don Perlimplín,* indicates the very self-conscious style, which alludes to a whole context of meaning... The blankness of the photograph is part of the composition which includes the severe character of Bernarda herself, and the deathly white walls within which she strives to hold her myopic vision steady» *(The Human Image...,* p. 95). Véase también el penetrante análisis de la pieza, desde este punto de vista, que hace J. Rubia Barcia en «El realismo mágico de 'La casa de Bernarda Alba'», incluido en *Federico García Lorca,* ed. de Ildefonso-Manuel Gil, Madrid: Taurus, Serie «El escritor y la crítica», 1973, pp. 301-321, y originalmente publicado en *RHM,* vol. XXXI, 1965.

BORGES Y NUESTRO TIEMPO: UNA FICCIÓN CON MORALEJA

Es común calificar a Jorge Luis Borges, o su obra —en forma de más o menos violenta censura—, de insensible a ciertas realidades contemporáneas, concretamente ciertas realidades políticas de esta época nuestra de campañas humanitarias y luchas de «liberación nacional» [1]. Las explicaciones

---

[1] Los mayores ataques son de críticos argentinos, que le reprochan su aislamiento, su querer ignorar cuestiones humanas inmediatas, especialmente las nacionales. Poco ha cambiado la perspectiva de estos ataques desde que se iniciaron por los años cincuenta con los libros de A. Prieto *(Borges y la nueva generación,* Buenos Aires: Letras Universitarias, 1954), y del peronista J. A. Ramos *(Crisis y resurrección de la literatura argentina,* Buenos Aires I: Ed. Coyoacán, 1954). Véase, por ejemplo, *Jorge Luis Borges o el juego trascendente* (Buenos Aires: A. Peña Lillo, ed., 1971), de Blas Matamoro, donde se llega a calificar a Borges de «gendarme intelectual» de Inglaterra y los Estados Unidos. Ernesto Sábato muestra una curiosa ambivalencia: «Al lado del Borges que no retrocede ante el oropel y el barroquismo más externo —dice—, existe el gran poeta que en memorables versos de sencilla belleza nos ha conversado de los patios de infancia, de los melancólicos barrios porteños, de la pampa antepasada; el poeta que en sus mejores cuentos, los más austeros, nos ha logrado transmitir la nostalgia por el infinito, la tristeza de la vejez y la muerte, el culto del coraje y la amistad. ¿No debería ser este Borges desprovisto de vanidad y juego, de preciosismo y de literatura, el que festejáramos?» «En torno a Borges», *Casa de las Américas,* III, núms. 17-18, marzo-junio 1963, p. 11. Un buen panorama de las actitudes de escritores ar-

a la índole de la obra de Borges resultan, por otra parte, evidentes (más, inevitables, suficientes) para un buen número de sus lectores, en quienes domina la admiración: el arraigado escepticismo del escritor y su pasión intelectual o libresca determinan esa visión suya del hombre (y del universo) como abstracto juego de conceptos y símbolos. Ahora bien, los reproches, las explicaciones y aun las vindicaciones [2] coinciden, desde distintos puntos de vista, en la desatención a alguna postura moral muy definida en la literatura de Borges, como aquella de la cual he de ocuparme aquí a propósito de «Deutsches Requiem» [3]. Este estudio intenta precisamente iluminar ese aspecto moral —insólito, sin duda, pero por ello mismo de señalada significación— del escritor argentino.

La fisonomía de «Deutsches Requiem», en efecto, al término de cualquier otra reflexión sobre el relato, se impone como la del estremecido testimonio o «versión» (para usar una palabra cara a Borges) de la que bien puede considerarse

gentinos de generaciones posteriores frente a Borges y otros de sus contemporáneos se encuentra en *El juicio de los parricidas. La nueva generación argentina y sus maestros* (Buenos Aires: Ed. Deucalión, 1956), de Emir Rodríguez Monegal. Inventario de mayor alcance constituye el libro reciente de María Luisa Bastos, *Borges ante la crítica argentina*, 1923-1960 (Buenos Aires: Ediciones Hispamérica, 1974).

2 Me refiero a aquellos críticos que destacan el «humanismo» de Borges. El paradigma es la obra de José Luis Ríos Patrón, *Jorge Luis Borges* (Buenos Aires: La Mandrágora, 1955). Una defensa desde este punto de vista es la de Miguel Enguídanos en su artículo «Imagination and Escape in Short Stories of Jorge Luis Borges», *Texas Quarterly*, IV, Winter 1961, pp. 118-127. En una línea semejante habría que situar el reciente estudio de Ariel Dorfman, «Borges y la violencia americana» (en *Imaginación y violencia en América*, Santiago de Chile: Editorial Universitaria, 1970, pp. 38-63), donde el crítico chileno desarrolla el argumento de que toda la obra de Borges es, en verdad, reflejo del «mundo americano».

3 El mismo criterio cabría aplicar, en mi opinión, a otros relatos, por ejemplo a «Emma Zunz», o al reciente «El Evangelio según Marcos», incluido en *El informe de Brodie*.

la más honda crisis de conciencia del mundo moderno. Después de todo, algún rasgo moral como éste en la obra de Borges —reflejo, en última instancia, del fondo ético de su pregonado escepticismo— será lo que permanezca, por haberse hecho sustancia de su arte, y no las sobrepuestas «políticas» transitorias de la persona (o personaje) Borges.

En una de sus conversaciones con Richard Burgin [4], Borges ha expuesto en detalle cómo concibió «Deutsches Requiem». Citaré primero aquella de sus explicaciones que podría parecer más deshumanizada, más «chocante» para el lector propenso a la indignación por cuestión de «principios»:

> ...y entonces pensé, bien, ahora Alemania ha perdido, ahora los Estados Unidos nos han salvado de esta pesadilla, pero ya que nadie podía dudar de qué parte estaba yo, me puse a ver qué podía hacer desde un punto de vista literario a favor de los nazis. Y entonces creé aquel nazi ideal [5].

Tal vez lo que más «choca» en esta expresa intención suya de escribir «a favor de los nazis» es la frase «desde un punto de vista literario», que parece poner el relato por encima de toda cuestión moral, convirtiéndolo en aséptico ejercicio de escritura. A lo sumo, sólo cierta admiración intelectual por Alemania habría entrado en juego en la motivación a escribirlo, si nos atenemos a las declaraciones que preceden a la transcrita:

> Escribí aquello después de la Segunda Guerra Mundial porque pensé que, después de todo, nadie tenía palabras que dedicar a la tragedia de Alemania. Una nación tan importante.

---

4 *Conversations with Jorge Luis Borges*, New York: Holt, Rinehart and Winston, 1969. Empleo para este trabajo la versión española de Manuel R. Coronado, revisada por Roberto Yahni, *Conversaciones con Jorge Luis Borges*, Madrid: Taurus, 1974.

5 Burgin, p. 55.

> La nación de Schopenhauer y Brahms y de tantos poetas y filósofos, y que aun así cayó víctima de una ideología tan torpe [6].

La simpatía por Alemania, por lo que Alemania ha representado en el «mundo de la cultura» fue, pues, algo decisivo en la composición del relato, según dice aquí Borges; el nazismo, acorde con ese sentimiento, es tildado de «ideología torpe», de la cual Alemania fue «víctima». Y, sin embargo, Borges insiste, antes y después de esta efusión germanófila, en algunas «virtudes» nazis que merecen también admiración:

> La idea era que yo me había encontrado a unos nazis argentinos. Y entonces pensé que podría decir algo a su favor. Que si realmente mantenían ese código de crueldad, de valentía, entonces podían ser, desde luego, unos locos, pero también había algo épico en ellos, ¿no?
>
> Pero, después de todo, Alemania luchó de forma espléndida al comienzo de la guerra. Quiero decir, si admiramos a Napoleón, o a Cromwell, o si admiramos cualquier manifestación violenta, ¿por qué no admirar a Hitler, que hizo lo mismo que ellos? [7]

Estos últimos comentarios, en apariencia sofísticos, apuntan, en realidad, a algo esencial o, más bien, a lo esencial de «Deutsches Requiem»; ellos resumen la actitud de Borges hacia los nazis (o el nazi de su cuento), visión contradictoria [8] de la cual se origina el estilo paradójico de la narración que exploro en este trabajo para fijar su exacto sentido. De momento, señalo que detrás de esta admiración por la violencia

[6] Burgin, p. 54.

[7] Burgin, pp. 53-54.

[8] Ha dicho Borges de su personaje: ...«es una especie de santo, pero desagradable y tonto, un santo cuya misión es repugnante... Practica una especie de ética de la infamia... es patético en su monstruosidad». (Véase la entrevista con James Irby, en James Irby, Napoleón Murat, Carlos Peralta, *Encuentro con Borges,* Buenos Aires: Editorial Galerna, 1968, p. 30).

está la siempre presente ironía de Borges. La humanidad —nos viene a decir Borges— acaba por mitificar a sus grandes guerreros, olvidada de las causas por que peleaban, de la naturaleza de sus ideologías, y de los sufrimientos que infligieron: el tiempo suele lavar ciertos actos infames con la misma eficacia del Leteo. Se rinde, en fin, un culto supersticioso al valor en el uso de la fuerza, y los monumentos de todas las ciudades, por pequeñas que sean, dan testimonio de ello. Por otra parte, los argumentos de Borges se encuentran justificados por circunstancias actuales: el renovado interés, en cierto modo movimiento reivindicador, por Hitler y el nazismo en Alemania, y la discreta reverencia que se observa en Italia por Mussolini (y aún se puede añadir el respeto universal de que goza el implacable código de honor militar japonés). En suma, que la violencia persiste en el mundo acompañada de una proporcional admiración por la violencia.

La noción de hacer algo por los nazis «desde el punto de vista literario» como objeto de «Deutsches Requiem» tiene, según vamos viendo, alcances que su mera enunciación no permite suponer. Cito, por último, algunas observaciones de Borges acerca de su nazi ideal; las juzgo reveladoras por la intención «ejemplar» que implícitamente asignan al relato:

> Y pensé, bien, intentaré imaginarme a un verdadero nazi, no a un nazi del que se pueda tener lástima, sino a un nazi que crea que un mundo violento es mejor que un mundo pacífico, que no le importe la victoria, que esté preocupado principalmente por el hecho de luchar. Entonces a ese nazi no le importaría que Alemania fuese derrotada porque, después de todo, si fueran derrotados, significaría que los otros eran mejores guerreros. Lo importante es que la violencia deba existir. Y entonces imaginé aquel nazi y escribí la historia. Porque había tanta gente en Buenos Aires que estaba al lado de Hitler [9].

[9] Burgin, p. 54.

Sólo un examen pormenorizado de «Deutsches Requiem» [10] mostrará, desde luego, cómo ejecuta Borges su «idea» para configurar con ella lo que me parece un extraordinario «ejemplo» sobre la violencia, y en especial la de nuestro tiempo.

El nazi de esta ficción, Otto Dietrich zur Linde [11] —que constituye, según Borges, no hay que olvidarlo, «la idea platónica de un nazi» [12]— comienza su autobiografía-justificación con un esbozo genealógico donde se registran hazañas guerreras de sus antepasados. El «editor» (el autor Borges así disfrazado) aclara en nota, sin embargo, que el personaje-narrador ha omitido su «antepasado más ilustre», «el teólogo y hebraísta Johannes Forkel (1799-1846) que aplicó la dialéctica de Hegel a la cristología», considerando esa omisión *significativa.* La nota del editor pone así de manifiesto el criterio selectivo —acomodado al espíritu de prédica y profecía («de evangelio») que las preside— de estas confesiones. El reconocimiento de la importancia de Forkel, el *teólogo,* entre sus ancestros, debilitaría, sin duda, el argumento central de Otto, el de una Alemania cuyo carácter por excelencia militar tiene en él su paradigma. Ahora bien, y he aquí la primera notable contradicción de Otto, su relato re-

---

10 Cito por el texto incluido en *El Aleph,* Buenos Aires: Emecé Editores, 1957 (vol. VII de las *Obras Completas).* Entre paréntesis, al final de cada cita, anoto el correspondiente número de página.

11 Otto zur Linde se llamaba un hoy casi olvidado poeta alemán (1873-1938), cuya obra debió de conocer el joven Borges durante su estancia en Suiza. Tal vez, al darle este nombre al personaje, Borges se dejó llevar simplemente por la «fácil» sonoridad germánica del apelativo, pero pudo haber influido en la selección el «misticismo teutónico» que caracterizaba a Otto zur Linde y otros poetas reunidos a principios de siglo alrededor de la revista *Charon.* Varios de los poetas de dicho círculo, por cierto —consecuencia casi natural de su ideario—, formaron en las filas del nazismo, hecho que no ignoraría Borges.

12 Burgin, p. 54.

sulta, en verdad, una aplicación de «la dialéctica de Hegel» a su particular «cristología» —Otto persigue la antítesis de toda cristiana virtud—, viniendo a ser un tributo tácito al ignorado Forkel. Es más, la historia de Otto —historia de «conversión» y «sacrificio»— sigue, como pronto se verá, con «diabólica» fidelidad, los lineamientos de las de Pablo, Agustín o Jesús mismo, para formar una parábola de ironía a la que he aludido arriba al hablar del «estilo paradójico» del relato.

«Nací en Marienburg, en 1908. Dos pasiones, ahora casi olvidadas, me permitieron afrontar con valor y aun con felicidad muchos años infaustos: la música y la metafísica», son los primeros datos que de su vida nos ofrece Otto. «No puedo mencionar a todos mis bienhechores, pero hay dos nombres que no me resigno a omitir: el de Brahms y el de Schopenhauer. También frecuenté la poesía; a esos nombres quiero juntar otro vasto nombre germánico, William Shakespeare» (p. 82). Descartemos por ahora el entusiasmo pangermánico de Otto —obvia afectación militante— y observemos lo que realmente importa: su *pasión* por la música, la filosofía y la poesía, punto de referencia esencial para comprender el sentido del relato. Claro que también, dentro de la «dialéctica», o «paradójica», exposición del personaje, las figuras mencionadas han contribuido a engendrar ese «reverso» de toda preocupación espiritual que Otto pretende haber llegado a ser. Y así:

> Antes, la teología me interesó, pero de esa fantástica disciplina (y de la fe cristiana) me desvió para siempre Schopenhauer, con razones directas; Shakespeare y Brahms, con la infinita variedad de su mundo (p. 82).

Repárese, no obstante, en la contradicción que cierra este breve inventario de deudas de «gratitud» (ese detenerse «maravillado», con su acompañamiento de «ternura») en el fragmento que a continuación transcribo:

> Sepa quien se detiene maravillado, trémulo de ternura y de gratitud, ante cualquier lugar de la obra de esos felices, que yo también me detuve ahí, yo el abominable (p. 82).

Casi es una ofensa para el lector de este estudio subrayar, además, la paradoja de haber tenido Otto, el *destructor*, por «bienhechores» a dos artistas, dos *creadores* cuya obras se caracterizan por el espíritu cordial con que abarcan el «drama» humano en su diversidad [13]; el personaje mismo señala el contraste, a su manera, al hablar de «la infinita variedad de su mundo» con referencia a Shakespeare y Brahms y al establecer finalmente una distinción cualitativa entre *esos felices* y *yo, el abominable.* Otro tanto ocurre con Schopenhauer, que en el goce estético ve un escape a la tiranía de la indistinta voluntad de vivir y en la renunciación del asceta la única libertad posible, la paz, el *summum bonum.* La ética de Schopenhauer, asimismo, fundada en la conciencia del sufrimiento común y, por tanto, dirigida hacia la empatía, la *caritas,* es justamente aquello que Otto rechazará (esto es, que procurará arrancar de sí) con más vehemencia.

Pero continuemos con el «índice» de los autores que Otto cita como decisivos en su formación, esto es, en la formación de su carácter e ideología. «Hacia 1927 —dice— entraron en mi vida Nietzsche y Spengler» (p. 82). No creo necesario añadir nada a esta mención de Nietzsche, porque la apropiación y deformación que de su filosofía hizo el nazismo resulta obligado (por no decir fácil) contexto del relato. La relación

[13] Otto, por su parte, aspira a que se le considere con el mismo magnánimo espíritu, pues pretende nada más y nada menos que «ser comprendido» (p. 82). Pero luego se entenderá el profundo sentido de esta ironía.

con Spengler sí me parece de particular significación. Cito el pasaje:

> Observa un escritor del siglo XVIII que nadie quiere deber nada a sus contemporáneos; yo, para libertarme de una influencia que presentí opresora, escribí un artículo titulado *Abrechnung mit Spengler,* en el que hacía notar que el monumento más inequívoco de los rasgos que el autor llama fáusticos no es el misceláneo drama de Goethe sino un poema redactado hace veinte siglos, el *De rerum natura.* Rendí justicia, empero, a la sinceridad del filósofo de la historia, a su espíritu radicalmente alemán *(kerndeutsch),* militar. En 1929 entré en el Partido (pp. 82-83).

Se hallan de nuevo aquí, en el discurrir de Otto, tortuosidades que me apresuro a señalar. El personaje confiesa primero que el temor a sufrir la influencia de Spengler (a la que, por cierto, califica de «opresora») lo lleva a «corregirlo» en cierto punto: el de considerar «el misceláneo drama de Goethe» como «el monumento más inequívoco de los rasgos que el autor llama fáusticos». Otto opone a aquél «un poema redactado hace veinte siglos, el *De rerum natura*». Ahora bien, un lector medianamente familiarizado con la obra de Spengler verá en esta «corrección» una característica esencialmente spengleriana: esas correspondencias (y antinomias) que Spengler encuentra entre situaciones, obras y figuras de distintos ciclos históricos para ejemplificar ciertas notas comunes o típicas.

Un ejemplo que viene muy bien aquí es el de la asimilación efectuada por Spengler de Alejandro y Napoleón, en virtud de su carácter «romántico», por oposición al carácter «pragmático» de César en lo que respecta al tipo del conquistador. Spengler establece así, precisamente, una equivalencia entre la antigüedad y los tiempos modernos semejante a la aproximación que sugiere Otto entre Lucrecio y Goethe, aunque en nota al pie de página aclare que, si bien Goethe representa la «comprensión ecuménica» de Alemania, no ve «en él al hombre fáustico de la tesis de Spengler» (nota 1, p. 83). Lo que trato de destacar es que la influencia de Spengler sobre Otto va más allá del respeto por «la sinceridad del filósofo de la historia» o por su «espíritu radicalmente alemán *(kerndeutsch)*, militar»[14]. Una idea dominante de *La decadencia de Occidente*, la del «destino» como concepto histórico —«lógica del tiempo»— es, en realidad, lo que ha contagiado a Otto, lo que se transparenta en este relato de su «vida, pasión y muerte». Y no sólo en la noción del «destino» de Alemania expuesta por él, sino en la forma de concebir su vida, también, como «símbolo» de una civilización en un momento crítico de su historia vienen a la mente otra vez las consideraciones de Spengler sobre la conciencia que tiene Napoleón de ser parte de un destino superior a su acción individual. Véase, como ilustración de lo que vengo diciendo, el párrafo que sigue a la «discusión» de Spengler, comienzo de la sistemática confusión del destino individual con el colectivo que constituye la «trama» del relato:

> Poco diré de mis años de aprendizaje. Fueron más duros para mí que para muchos otros, ya que a pesar de no carecer de

---

[14] Ciertas ideas de Spengler sobre las razas «fuertes» y el papel que les corresponde en la «salvación» de Occidente no sólo se reflejan en este juicio de Otto, sino que también informan su visión del destino de Alemania. Borges parece haber tenido en mente, de modo especial, opiniones de Spengler expuestas en el último capítulo («La revolución mundial 'de color'») de *La hora decisiva*. Véanse algunas muestras (traduzco de la versión inglesa, *The Hour of Decision*, New York: Alfred A. Knopf, 1934): «Precisamente en la raza germánica, la más voluntariosa que jamás ha existido, yacen grandes posibilidades durmientes» (p. 219)... «Barbarie es lo que llamo raza fuerte, lo eterno guerrero del hombre animal-de-presa» (p. 225)... «Queda sólo como poder formativo el espíritu guerrero, prusiano —en todas partes, y no en Alemania solamente» (p. 230).

> valor, me falta toda vocación de violencia. Comprendí, sin embargo, que estábamos al borde de un tiempo nuevo y que ese tiempo, comparable a las épocas iniciales del Islam o del Cristianismo, exigía hombres nuevos. Individualmente, mis camaradas me eran odiosos; en vano procuré razonar que para el alto fin que nos congregaba, no éramos individuos (p. 83).

Otto lucha contra su debilidad («me falta toda vocación de violencia»), y contra el sentimiento de repulsión que despiertan en él sus «camaradas», con el arma de su «comprensión» del «tiempo nuevo» que acaba de empezar, «comparable —dice, en buena perspectiva spengleriana— a las épocas iniciales del Islam o del Cristianismo». Nótese, de paso, que su consecuente razonar acerca de la absorción del individuo en el ideal colectivo no tiene eficacia práctica, lo cual queda señalado por el *en vano* que lo modifica; ello da la medida de la inutilidad de su lucha en este punto, por la enorme distancia que aún existe entre el credo que ha adoptado y su temperamento personal. La cuestión para Otto, como veremos, radica en vencer esa distancia, en dejar de ser como individuo para encarnar aquel ideal «histórico».

Esa concepción spengleriana de la historia —donde se otorga al hecho individual valor de signo y donde la proyección hacia el futuro tiene cierto carácter de profecía— es, por otra parte, en Otto, la forma razonada de otra afinidad más profunda, la afinidad con los argumentos teológicos y específicamente con los libros sagrados de la tradición judeocristiana, todo aquello de lo cual ha querido desprenderse, y que confiere a su narración, a la postre, el sentido figurado —y, en cierto modo, según ya he sugerido, el tono— de un apólogo bíblico [15]. Otto evita nombrar a su antepasado

---

[15] La incorporación al texto de Otto, hacia el final del relato, de un verdadero apólogo bíblico es un rasgo cargado de significación, como en adelante se observará: «...somos comparables al hechicero

el teólogo Forkel, afirma que ha perdido el interés por la teología y, sin embargo o, quizás, por eso mismo, el «viejo hombre», esa otra parte suya que se resiste al «hombre nuevo» del «nuevo orden», asoma para introducir, sugiriendo su significado, el relato del suceso crítico de su vida:

> Aseveran los teólogos que si la atención del Señor se desviara un solo segundo de mi derecha mano que escribe, ésta recaería en la nada, como si la fulminara un fuego sin luz. Nadie puede ser, digo yo, nadie puede probar una copa de agua o partir un trozo de pan, sin justificación. Para cada hombre, esa justificación es distinta; yo esperaba la guerra inexorable que probaría nuestra fe. Me bastaba saber que yo sería un soldado de sus batallas. Alguna vez temí que nos defraudaran la cobardía de Inglaterra y de Rusia (p. 83).

La relación que sigue de dicho acontecimiento es, a mi juicio, de capital importancia temática y estilística; los rasgos que he venido señalando se combinan en síntesis representativa en este pasaje, del que cito dos fragmentos (doy entre corchetes la imprescindible «nota del editor»):

> El azar, o el destino, tejió de otra manera mi porvenir: el primero de marzo de 1939, al oscurecer, hubo disturbios en Tilsit que los diarios no registraron; en la calle detrás de la sinagoga, dos balas me atravesaron la pierna, que fue necesario amputar. [Se murmura que las consecuencias de esa herida fueron muy graves.] Días después, entraban en Bohemia nuestros ejércitos; cuando las sirenas lo proclamaron, yo estaba en el sedentario hospital, tratando de perderme y de olvidarme en los libros de Schopenhauer. Símbolo de mi vano destino, dormía en el reborde de la ventana un gato enorme y fofo.
>
> ....

---

que teje un laberinto y que se ve forzado a errar en él hasta el fin de sus días o a David que juzga a un desconocido y lo condena a muerte y oye después la revelación: *Tú eres aquel hombre*» (pp. 88-89).

> ¿Qué ignorado propósito (cavilé) me hizo buscar ese atardecer, esas balas y esa mutilación? No el temor de la guerra, yo lo sabía; algo más profundo. Al fin creí entender. Morir por una religión es más simple que vivirla con plenitud; batallar en Éfeso contra las fieras es menos duro (miles de mártires oscuros lo hicieron) que ser Pablo, siervo de Jesucristo; un acto es menos que todas las horas de un hombre (pp. 83-84).

Es en este pasaje donde la idea del destino individual comienza a entretejerse consistentemente con la realidad histórica y donde se precipita la «tragedia» de Otto (no hablo de lo accidental, lo momentáneo, las «dos balas» de Tilsit, sino de su desgarramiento interior, la batalla entre su original manera de ser y la «fe» abrazada). La mutilación, más «grave» de lo que confiesa el personaje, viene a ser símbolo de este punto decisivo, símbolo cuya imagen vemos en ese «gato enorme y fofo» —gato castrado— dormido junto a Otto en el hospital. Es obvio que Otto siente que, con la capacidad generadora, ha perdido también la voluntad, fuerza viril por excelencia (de ahí que haya acudido, para consolarse, a la obra de Schopenhauer). Pero Otto, persistiendo en su visión de un designio superior del cual él es mera pieza, o, a lo sumo, instrumento —he aquí algo irónico: inspirado en un pasaje de Schopenhauer [16]— concibe su amputación como un anuncio o revelación: esa mutilación, que en términos convencionales habría significado la desaparición del instinto agresivo, prefigura para él, por el contrario, el doloroso triunfo de la causa de la violencia sobre su innata blandura, es emblema paradójico del «despojarse» del antiguo hombre efusivo para dar nacimiento al feroz. También se habrá ad-

[16] Esto me parece doblemente irónico, pues en su discusión del libre albedrío y la predestinación, Schopenhauer ve en el destino personal la obra del invariable «carácter» de cada hombre. Otto está en realidad forjándose un destino *contra* su carácter.

vertido otra ironía: el paralelo entre el accidente (las «dos balas») a partir del cual su vida será abnegada devoción a la causa y las circunstancias igualmente «milagrosas» de las conversiones de San Pablo y San Agustín —la caída del caballo, las voces que ordenan leer la Escritura—, sobre todo la del primero.

La amputación física equivale, por lo demás, casi es innecesario subrayarlo, en el plano de ironía en que sitúa Borges el relato, a la amputación moral que sufre Otto[17]. Así, nos dice el personaje, después de consignar su nombramiento como subdirector del campo de concentración de Tarnowitz:

> El ejercicio de ese cargo no me fue grato; pero no pequé nunca de negligencia. El cobarde se prueba entre las espadas; el misericordioso, el piadoso, busca el examen de las cárceles y del dolor ajeno. El nazismo, intrínsecamente, es un hecho moral, un despojarse del viejo hombre, que está viciado, para vestir el nuevo (p. 85).

El patente lenguaje evangélico de la última parte no sorprende a estas alturas. Y menos aún tras la explícita relación de semejanza que entre él y San Pablo acaba de establecer Otto para mejor explicarse y explicar el «llamado» de su fe.

Pero hay aún mucho más en el orden de las connotaciones evangélicas por lo que se refiere a la «misión» de Otto. Éstas forman algo así como un subtexto o palimpsesto cuya presencia se sugiere mediante claves que una lectura atenta revelará a quienes puedan o quieran comprender. Juego discreto de Otto —de Borges—, que una vez descubierto enri-

---

[17] «Quise sugerir —ha explicado Borges— que había quedado impotente como consecuencia de su herida; de ahí la mención del gato enorme y fofo que él ve como símbolo de su 'vano destino'... Como el Minotauro, zur Linde está solo; no hay amor, ni amistad, ni comunión en su vida». Irby, *op. cit.*, p. 30.

quece, adensa la lectura, convirtiéndola en exégesis de texto cifrado, en operación «cabalística» (la pasión de Borges por la cábala se manifiesta en las ocasiones más inesperadas en su obra)[18]. Las fechas tienen en el relato una precisa función simbólica, como se verá con más detalle después. Por lo pronto, debe observarse que el personaje es nombrado subdirector del campo de concentración en 1941, a los 33 años (ha nacido en 1908). No hace falta añadir nada al tópico de la «edad de Cristo», también madurez de Otto para su gran «sacrificio». Sacrificio que es, desde luego, imagen inversa del de Jesús: supone, como he venido apuntando, la lucha contra la tentación de la «insidiosa piedad» (p. 85) que parece asaltar a Otto con la misma obstinación que el placer carnal al penitente en el yermo.

La fuerza de esa tentación aparece simbolizada para Otto, simbolizada en el relato, en la figura del «insigne poeta David Jerusalem». En una nota, el «editor» nos aclara que no parece haber existido este personaje. Y se adelanta esta explicación: «'David Jerusalem' es tal vez un símbolo de varios individuos» (p. 86). Se busca así restar importancia a la efectiva existencia de David Jerusalem, cuyo solo nombre es ya una cifra y que resulta, en definitiva, símbolo de aquella

---

[18] Sobre esta cualidad de la obra de Borges, me remito al interesante artículo de Jaime Alazraki «Kabbalistic Traits in Borges' Narration», *Studies in Short Fiction*, vol. VIII, núm. 1, 1971, pp. 78-92. Con relación a lo que aquí desarrollo, véanse estas palabras suyas: «The Kabbalistic texture of his narrative adds to their manifold complexity and to their richness of meaning. Borges challenges the reader to activate all his resources, to become himself a Kabbalist. He seems to be saying: If man, powerless to solve the labyrinths of the gods, is left with the choice of weaving and deciphering his own, let us —at least— devise them as close as possible to the divine model, let us write a secular text in the manner that the Holy one was fashioned» (p. 92).

parte de sí mismo que Otto está tratando de destruir, conocido *motivo,* además, de la literatura de Borges:

> Ignoro si Jerusalem comprendió que si yo lo destruí, fue para destruir mi piedad. Ante mis ojos, no era un hombre, ni siquiera un judío; se había transformado en el símbolo de una detestada zona de mi alma. Yo agonicé con él, yo morí con él, yo de algún modo me he perdido con él; por eso, fui implacable (pp. 86-87).

La duda sobre la realidad de David Jerusalem sorprende, sin embargo, si se tiene en cuenta que Otto ha ofrecido toda suerte de pormenores sobre su obra y su persona. Conviene detenerse en esto un poco, porque, según vamos viendo, cada sección del relato (casi se podría decir, cada frase) está cargada de sentido, refuerza la unidad del conjunto. David Jerusalem, «...perseguido, negado, vituperado, había consagrado su genio a cantar la felicidad» (p. 85). El paralelo entre Jerusalem y Whitman, propuesto, según Otto, por el crítico Albert Soergel, es refutado así: «Whitman celebra el universo de un modo previo, general, casi indiferente; Jerusalem se alegra de cada cosa con minucioso amor» (p. 85). Recuerda también Otto entre las obras de Jerusalem, «el soliloquio *Rosencrantz habla con el Angel,* en el que un prestamista londinense del siglo XVI vanamente trata, al morir, de vindicar sus culpas, sin sospechar que la secreta justificación de su vida es haber inspirado a uno de sus clientes (que lo ha visto una sola vez y a quien no recuerda) el carácter de Shylock» (pp. 85-86). En cuanto a su físico... «David Jerusalem era el prototipo del judío sefardí, si bien pertenecía a los aborrecidos Ashkenazim» (p. 86). Vemos de nuevo, pues, el *motivo* de la creación feliz, del artista admirado en cuya obra queda justificado el universo en todos sus aspectos (Whitman, Shakespeare, Jerusalem). Jerusalem, además, es «el prototipo del judío sefardí» (aunque en verdad no lo sea), lo cual —en la trivial dicotomía propagada en primer lugar por los sefardíes mismos— es índice de grandeza espiritual por oposición a los materiales afanes de «los depravados y aborrecidos Ashkenazim» (aun en su programático odio a los judíos, en fin, distingue Otto, mostrando un relativo respeto por los «espirituales»). Todo esto destaca el hecho de que lo repudiado por Otto no es únicamente la piedad, puro sentimiento humanitario, sino su afición por las cosas del espíritu, su reverencia por la obra de creación: reconoce que el fundamento de todo arte, de toda genuina filosofía es una demasiado humana comprensión del mundo, y necesita combatir, principalmente, aquella inclinación suya. Otto será, pues, en particular, «torturador y asesino» (p. 81) de artistas e intelectuales: en la nota arriba citada se aclara que «fueron torturados en Tarnowitz muchos intelectuales judíos, entre ellos la pianista Emma Rosenzweig» (p. 86). La tensión de la «gratitud» primero expresada hacia Brahms, Schopenhauer y Shakespeare puede verse ahora mejor en el contexto de esta guerra librada por Otto dentro y fuera de sí mismo contra el imperio de la inteligencia y la sensibilidad.

Esa lucha de Otto contra Jerusalem, del hombre bárbaro contra el hombre de espíritu constituye su *via crucis*, es, en fin, una «agonía» —con el significado de contradicción íntima que a esta palabra da Unamuno—, evocadora de la de Cristo. El paralelo está, otra vez, cifrado en fechas. La declaración de Otto sobre la fecha de la muerte de Jerusalem —nuevo rasgo de ironía: es un suicidio, un voluntario inmolarse—, «el primero de marzo de 1943», viene calzada con este comentario en la nota del «editor»: «Nos dicen que murió el primero de marzo de 1943; el primero de marzo de 1939, el narrador fue herido en Tilsit» (p. 86). El hecho de subrayarse la coincidencia, despertará la curiosidad del lector; el dato queda como clave de algo que aquél deberá hallar

por su cuenta: nada más se añade al respecto. Como en una adivinanza, tendremos que considerar los términos propuestos para desentrañar el sentido oculto. El mismo día (*primero* del mes) y el mismo mes (*tercero* del año), separado por un plazo de *cuatro* años, han ocurrido los balazos de Tilsit y el suicidio de Jerusalem. Los números 1, 3 y 4 sugieren de inmediato su valor simbólico en la tradición religiosa judeocristiana: el Dios uno con el misterio de la Trinidad, las tres palabras mágicas del festín de Baltasar, las tríadas del Nuevo Testamento (Sagrada Familia, Magos, cruces del Gólgota, Resurrección al tercer día), el tetragrámaton (sobre el que ha construido Borges uno de sus relatos más felices, *La muerte y la brújula)*, las figuras cuádruples de algunas profecías —Ezequiel, Apocalipsis—, los cuatro evangelios y el signo redentor de la cruz. (El personaje da la impresión de estar atrapado en uno de los típicos laberintos de Borges, aquí un laberinto de emblemas teológicos.) Los cuatro años exactos de la «pasión» de Otto hasta la muerte de la simbólica persona de Jerusalem componen, sobre todo, su cruz, cruz de espiritual sufrimiento cuya correspondencia material será la cruz gamada de la insignia nazi, en la cual o por la cual consuma el personaje su sacrificio. Y el sacrificio, cuya verdadera víctima es David Jerusalem, ¿no implica acaso, en esta ya apenas disimulada «cristología», la resurrección de aquél? Ésta es la lección definitiva que parece proponernos Otto (o Borges) con su relato, cuestión sobre la que muy pronto he de volver.

Fiel, por lo demás, a su idea de destino, del carácter trascendente de las acciones humanas —cruce de mesiánica teleología y especulación spengleriana [19]— Otto cree hallar el

[19] En la última parte del relato, percibimos trazos muy precisos de ciertas generalizaciones históricas de Spengler: «También la historia de los pueblos registra una continuidad secreta. Arminio, cuando

sentido verdadero y final de la derrota del Tercer Reich mientras busca explicaciones a la «felicidad» que aquélla le produce. La destrucción de Alemania ha sido, como la muerte de Cristo para la difusión de su fe, sacrificio necesario «para edificar el nuevo orden» (p. 89). Su conclusión es la siguiente:

> Se cierne ahora sobre el mundo una época implacable. Nosotros la forjamos, nosotros que ya somos su víctima. ¿Qué importa que Inglaterra sea el martillo y nosotros el yunque? Lo importante es que rija la violencia, no las serviles timideces cristianas. Si la victoria y la injusticia y la felicidad no son para Alemania, que sean para otras naciones. Que el cielo exista, aunque nuestro lugar sea el infierno.

Un último toque de humor viene dado por esa «injusticia» intercalada entre «victoria» y «felicidad» (incongruente trinomio), que denuncia la persistente conciencia moral de Otto, algo subrayado también por la frase con que el personaje resume su interpretación de la derrota alemana, esa imagen de contraste cielo-infierno propia del repertorio de un predicador. Pero esto no es todo. El «don» del relato viene a ser, al cabo, «orbicular y perfecto», como quiere Otto que sea el de Alemania (p. 89), pues tras leer las líneas con que concluye la narración —«Miro mi cara en el espejo para saber quién soy, para saber cómo me portaré dentro de unas horas, cuando me enfrente con el fin. Mi carne puede tener miedo; yo, no» (p. 89)— nos sentimos de algún modo forzados a dar la vuelta al principio, atraídos por la resonancia, en este punto ya algo vaga, de su epígrafe. Y comprobamos que se trata de un versículo del Libro de Job, de devota su-

---

degolló en una ciénaga las legiones de Varo, no se sabía precursor de un Imperio Alemán; Lutero, traductor de la Biblia, no sospechaba que su fin era forjar un pueblo que destruyera para siempre la Biblia»... (p. 88).

misión a la voluntad divina: «Aunque él me quitare la vida, en él confiaré». La ironía completa así su curso, la paradoja del relato se puede ver ahora como una revolución terminada, como un círculo que se cierra. La tesis histórica de Spengler ha sido utilizada por Otto para sustentar su argumento de un designio superior a su acción personal, de un destino colectivo del cual él es símbolo ejemplar. Por otra parte, su empleo constante, de manera más o menos obvia, de la Sagrada Escritura como fundamento de su visión y aun como estilo de su discurso, revela irónicamente lo contrario de lo que a primera vista pretende; su desesperado afán de negar la tradición judeocristiana en la cual ha crecido y creído y de justificar su opuesto «traiciona», en otras palabras, su firme apego a ella. Lo que se percibe ahora, por efecto precisamente de la cita bíblica del epígrafe, es el oculto o más profundo sentido de la «versión» que de su «vida y milagros» ha presentado Otto; el sentido que ha buscado disfrazar, pero al cual ha estado, al mismo tiempo, aludiendo por medio de un juego de metáforas o enigmas, invitación a abandonar la superficie, la «literalidad» y a descubrir la verdad escondida. La definitiva convicción acerca de su «destino» la da a conocer Otto, pues, en esta forma indirecta: es la de comprender su misión como la de un elegido por la impenetrable voluntad de Dios para interpretar en este «drama» el infame papel que ha desempeñado. Este tema de la «justificación» de acuerdo con el plan de alguna divina providencia es, como se sabe, favorito de Borges. Aparece en el relato, según vimos, entre las argumentaciones de Otto, con evidente función de «clave», cosa que se aprecia ahora desde esta perspectiva final (la «justificación» de Shylock, en el poema de Jerusalem que recuerda Otto, es variación, refuerzo de dicho tema). En «Tres versiones de Judas», Borges lo desarrolla de un modo, que, por analogía, sirve de explicación a «Deutsches Requiem». Recuérdense las tesis del teólogo Nils Runeberg, en aquel relato, sobre «el enigma de Judas», con su última consideración de Judas como el verdadero Redentor, Dios hecho «hombre hasta la infamia, hombre hasta la reprobación y el abismo» [20]. La «misión» de Otto (o de la Alemania nazi) alcanza, desde dicha perspectiva «teológica», igual valor de trágico misterio, mostrando, en fin, su elemental condición purgadora, de catarsis. Otto induce a contemplar su «sacrificio» como el más abyecto «ejemplo» de abominación, idea absoluta («platónica») del mal, que, por ello mismo, reviste carácter de necesario exorcismo, de «ejemplo», a fin de cuentas, redentor [21].

Hemos visto cómo procede la ironía dentro del relato, que termina por revelar su «estilo paradójico». Queda por ver cuál es su significación moral, o, mejor cómo en esta paradoja se «cifra» el juicio de Borges sobre el fenómeno del nazismo, en el fondo, juicio sobre todo uso programático de la fuerza.

Lo primero que se deduce de la conclusión a que llega el narrador sobre la misión de Alemania es que la «violencia» e «injusticia» que el nazismo ha predicado y practicado es alegoría, «ideal» representación de una constante de la conducta humana: la «justificación» del impulso agresivo como «sacrificio» por una causa. La ironía del relato, que se funda, sobre todo, en la perversión de lecciones de piedad cris-

---

20 *Ficciones*, Buenos Aires: Emecé Editores (Col. Piragua), 1966, p. 168.

21 Ríos Patrón apunta, a propósito de «Deutsches Requiem», algo que se aproxima a lo que acabo de afirmar: ...«Y quizás para lograr el definitivo bien fuera necesario provocar la totalidad del mal, como afirmaban los jansenistas» *(op. cit.*, p. 105). Y Borges mismo: «También, al final, hay el espejo en el que se mira zur Linde para saber quién es, que insinúa la idea de una imagen inversa, opuesta» (Irby..., p. 31).

tiana, apunta a la «violencia» e «injusticia» de ciertas cruzadas, religiosas tanto como políticas o patrióticas, con sus respectivas inquisiciones y masacres en nombre del «amor» o la «felicidad»: «Había en el aire que respirábamos —dice Otto, hablando de los años de la guerra, en una de sus más patentes paradojas— un sentimiento parecido al amor» (p. 81).

La segunda deducción que cabe hacer a partir del pasaje mencionado se refiere concretamente a la exaltación del ejercicio de la fuerza, celebración del heroísmo militar, que ha caracterizado siempre a nuestras sociedades. El nazismo —como indica Borges en declaraciones que he comentado al comienzo de este estudio— ha sido, en este sentido, arquetípico, pues su «código de crueldad, de valentía» fomentaba, como principio, la acción guerrera.

La realidad de la disciplina militar se presenta así al desnudo, con su genuino carácter de bárbara desmesura contra las formas o normas de la convivencia universal, esto es, contra la civilidad. Naturalmente, de esto se sigue que lo que en esencia representa Alemania —el poder de la organización armada— no se podría destruir simplemente por su derrota. Por el contrario —como afirma Otto, como advierte Borges mediante la profecía del personaje— la Alemania nazi dejaría su legado en la forma de la acelerada difusión de métodos de exterminio (y su consecuente aceptación, cada vez más fácil) desde el fin de la segunda guerra mundial. Las palabras de Otto a comienzos del relato: «Quienes sepan oírme, comprenderán la historia de Alemania y la futura historia del mundo... soy un símbolo de las generaciones del porvenir» (p. 82), se han cumplido hasta los más insospechados extremos (insospechados, sin duda, para el Borges que eso escribía antes de 1950). No hay que olvidar, en primer término, que los defensores de la vida y dignidad humana en aquella contienda perpetraron, supuestamente en nombre de lo defendido, las hecatombes de Hiroshima y Nagasaki. En sus conversaciones con Burgin, Borges hace algunas consideraciones, precisamente, en torno a Hiroshima. A primera vista, parecen cínicas (lo son en cierto modo); sin embargo, pronto comprendemos la intención irónica. Sus palabras revelan, al fin, el horror que siente por la supresión de la vida humana. La preocupación de Borges por la progresiva insensibilidad frente a medios de destrucción cada día más atroces aparece teñida, además, por una melancolía que no atenúan la referencia erudita (esto, en el caso de Borges, más bien la acentúa) ni el temple escéptico dominante:

> No puedo pensar que Hiroshima sea peor que cualquier otra batalla... Hizo que terminara la guerra en un día. Y el hecho de que muriera mucha gente es el mismo hecho de que muera uno. Porque cada hombre muere su propia muerte y ese hombre hubiera muerto de todas maneras. Y luego, en fin claro, es difícil saber toda la gente que murió en Hiroshima. Después de todo, el Japón estaba a favor de la violencia, del imperio, de la lucha, de la crueldad; no eran cristianos primitivos ni nada que se pareciese. La verdad es que si hubieran tenido la bomba hubieran hecho lo mismo con los Estados Unidos. Espere un momento, sé que no debería decir estas cosas porque me hacen parecer un miserable. Pero de alguna forma, nunca he podido sentir de otra manera respecto a Hiroshima. Tal vez la humanidad vaya ahora por otros caminos pero creo que si se acepta la guerra, en fin, debo decir esto, si se acepta la guerra se debe aceptar la crueldad... Quiero decir que en Hiroshima toda la tragedia, todo el horror va unido y se puede comprobarlo vívidamente. Pero el simple hecho de un hombre que crece, que cae enfermo, que muere, es como una extensión de Hiroshima... Pero lo que yo pienso es esto: Pienso que todas las armas son horribles, horrorosas. Más o menos nos han acostumbrado, nos han insensibilizado durante siglos y siglos, y aceptamos la espada. O aceptamos una bayoneta o una flecha y aceptamos las armas de fuego, pero cualquier arma nueva nos parece espe-

> cialmente atroz, y, sin embargo, si te va a matar poco importa que sea con una bomba o de un golpe en la cabeza o de una cuchillada... Claro, siempre se puede decir que la guerra es esencialmente horrorosa o que el matar es esencialmente horroroso o que el morir es esencialmente horroroso. Pero nos han insensibilizado y cuando aparece un arma nueva pensamos que es especialmente diabólica. ¿Recuerda que Milton hace que sea el Demonio quien invente la pólvora y la artillería? Porque en aquellos días la artillería era lo suficientemente nueva como para parecer horrorosa. Y tal vez llegará el día en que la gente aceptará la bomba atómica y nos estremezcamos por otra invención más perfeccionada [22].

Detrás del pesimismo, no obstante —y he aquí la deducción final que se deriva del conjunto de «Deutsches Requiem»—, alienta la esperanza —desesperada esperanza, paradoja que es, para muchos, el signo de nuestro tiempo— de Borges el humanista. El fervoroso del pensamiento, del diálogo de la inteligencia, el «clásico» Borges siente la hostilidad hacia las manifestaciones del espíritu como un atentado (a fin de cuentas, acto suicida) contra la esencial condición humana (pues se es hombre realmente en virtud de esa vida del espíritu). El «ejemplo» de Otto es la objetivación dramá-

---

[22] Burgin, pp. 152-153. Es notable la coincidencia de Borges y otro gran artista solitario de nuestro tiempo, Ionesco, en la manera de sentir el hecho de la muerte y de la violencia «justificada» por una ideología. Dicho sentimiento, esencial en la obra de Ionesco, aparece explícitamente formulado a lo largo de sus *Notes et contre-notes*, Paris: Gallimard, 1962. Cito dos breves fragmentos:

«...Nous sommes faits pour vivre ensemble et nous nous entre-déchirons; nous ne voulons pas mourir; c'est donc que nous sommes faits pour être immortels mais, nous mourons. C'est horrible et ce n'est pas sérieux. Quel crédit puis-je accorder à ce monde qui n'a aucune solidité, qui fiche le camp?» (p. 92).

«On a l'impression que, de tout temps, les religions, les idéologies, les systèmes de pensée de toutes sortes ont eu pour but unique de donner aux hommes les meilleures raisons de se mépriser réciproquement et de s'entre-tuer» (p. 216).

tica de ese sentimiento; por ello el personaje es, para Borges, «patético en su monstruosidad» (v. nota 8), inspirándole a la par repugnancia y compasiva admiración, ese género de admiración —hecha de horror y piedad— que se suele experimentar ante las grandes aberraciones.

«Deutsches Requiem» es, en resumen, canto elegíaco —el título de Brahms que lleva es significativo en diversos planos— por esa muerte, simbolizada en Otto, de la facultad de amar (es decir, de comprender y «alegrarse» a la manera de David Jerusalem), pero también «canto de esperanza» por su previsible —tenaz prestigio del Nuevo Testamento— resurrección.

ADOLFO BIOY CASARES O LA AVENTURA DE NARRAR

En su prólogo a *La invención de Morel*[1], de Adolfo Bioy Casares, reproducido siempre en las ediciones del relato, define Borges la novela «de peripecias», por oposición a la «psicológica», de esta manera:

> La novela de aventuras, en cambio, no se propone como una transcripción de la realidad: es un objeto artificial que no sufre ninguna parte injustificada. El temor de incurrir en la mera variedad sucesiva del *Asno de Oro,* de los siete viajes de *Simbad* o del *Quijote,* le impone un riguroso argumento[2].

Borges afirma allí, por otra parte, que «si alguna primacía tiene este siglo sobre los anteriores, esa primacía es la de las tramas» (p. 13). De este modo contradice categóricamente el aserto de Ortega y Gasset, en *La deshumanización del arte,* de «que es muy difícil que hoy quepa inventar una aventura capaz de interesar a nuestra sensibilidad superior». Para sustentar su opinión, Borges menciona, junto a la novela de Bioy Casares que presenta, otras de nuestra época a las cuales

---

[1] Sigo el texto de Emecé Editores, Buenos Aires, sucesivas impresiones a partir de 1953 (manejo la quinta, de 1972). Todas las citas proceden de esta edición.

[2] *La invención de Morel,* p. 12. En adelante doy entre paréntesis, en el texto, las referencias de páginas.

aquélla se iguala por su «admirable argumento»: *The Turn of the Screw, Der Prozess, Le voyageur sur la terre.*

Trama, aventura, fábula, argumento son las palabras-clave de las consideraciones de Borges. Esas palabras aluden una y otra vez al rasgo esencial de un tipo de ficción que podríamos llamar *pura,* asociada por Borges al «rigor» con que la narración desarrolla el plan argumental que el escritor se ha propuesto o planteado (Borges le asigna con acierto un aire problemático que exige una ejecución «razonada»).

La posición magisterial de Borges en su larga amistad con Bioy (de la que surgen varias colaboraciones) nos lleva a ver en su prólogo una declaración de estética a la que Bioy se adhiere o que, más bien, ha puesto en práctica en la novela prologada. Toda la obra madura de Bioy, la que él reedita, la conocida hoy por un público amplio, responde sin duda a estos postulados. Sus «ficciones» cortas y largas son modelos de trama rigurosa [3], de argumentos donde el incidente a primera vista gratuito acaba por revelarse como necesario, tal vez fundamental, a semejanza de lo que ocurre en las tramas policiales. La máquina de Morel puede utilizarse, precisamente, como metáfora para las elaboraciones «fabulosas» de Bioy [4]. Sus cuentos y novelas (éstas siempre

---

[3] *La trama celeste,* título de un cuento y de la colección donde figura, parece —y aun en sus diversos matices de significado, por la «maniobra» de aviación aludida— cifra de esta cualidad esencial de su obra.

[4] Algo semejante dice Alfred J. MacAdam, a propósito de *La invención de Morel:* ...«Bioy Casares estudia el proceso de transformación, precisamente la transformación del hombre en artista, del artista en arte. Lo hace empleando una estructura metafórica en que lo fantástico está al servicio de la estética». En «Narrativa y metáfora: una lectura de *La invención de Morel*», *Otros mundos, otros fuegos; Fantasía y realismo mágico en Iberoamérica (Memoria del XVI Congreso Internacional de Literatura Iberoamericana),* Latin American Studies Center of Michigan State University, 1975, pp. 310-311.

de extensión mediana, limitación impuesta por las premisas de su arte) forman engranajes más o menos complejos, cuyas piezas se corresponden de manera inalterable para el funcionamiento del conjunto. Orden estrictamente reglado, que el *métier* se encarga de disimular, sería, pues, la mejor definición de la obra de Bioy. Por este orden, en fin, aboga Borges en su prólogo. Así, al condenar a su modo la «novela característica», «psicológica» o «realista», con referencia especial a la novela rusa y sus emuladoras, escribe: «Esa libertad plena acaba por equivaler al pleno desorden». En el fragmento reproducido arriba establece Borges, también, el punto de partida de lo que él denomina «novela de aventuras»: «...no se propone como una transcripción de la realidad»... O, dicho en otras palabras, cuenta algo extraordinario (quizás imposible o inverosímil en el contexto de la realidad cotidiana), lo cual supone para el narrador un doble desafío: a su imaginación, para concebir el caso «maravilloso», y a su pericia o habilidad, para convertirlo, al menos el tiempo que dure la lectura, en convincente sucedáneo de la acostumbrada, inmediata realidad del lector [5]. Para lograr esto último, el escritor debe desplegar (como sugiere Borges) una extrema lucidez, ha de apelar a una lógica que dé sentido a cada parte de su invención para justificar así (o hacer plausible), paso a paso, el en principio improbable *todo*. Pero aunque Borges no lo señale, tal vez por estimarlo sobreentendido, esta lógica ha de fundarse sobre alguna o algunas pasiones de las más comunes, sobre ciertos comportamientos típicos del hombre. Lo prodigioso del asunto y el rigor de la

---

[5] *Sine qua non* que Coleridge formuló de modo inolvidable al hablar de «un interés humano y una semblanza de verdad suficientes para procurar a estas sombras de la imaginación esa voluntaria y momentánea suspensión del descreimiento que constituye la fe poética» (en *Biographia Literaria,* XIV).

construcción argumental corren el riesgo de caer en lo mecánico o en pura aridez intelectual si no incluyen conflictos vitales que sirvan de motivación, de resorte profundo a la acción de los personajes. Es algo que no falta en las más «razonadas» elaboraciones del mismo Borges; algo que ha comprendido también Bioy Casares y que en más de una ocasión lo lleva a comentar: «Por las digresiones entra en los escritos la vida» [6].

El arte de Bioy (como el de Borges) contiene otro ingrediente que le es sustancial —que es sustancial, en definitiva, a la zona más importante del arte moderno—: esa ironía que incide con frecuencia en el humorismo o, llevada al extremo, en lo cómico-destructivo. Ahora bien, en el caso de Bioy, cuyas narraciones suelen exponer un misterio (exponer simplemente, pues no se trata en ellas de elucidar el misterio desde el punto de vista «positivo»), la ironía representa otra dificultad de ejecución. La integración de este aspecto al cuerpo de sus relatos ofrece un peligro que Bioy sortea con admirable pericia: el peligro de desinteresar al lector al hacerse demasiado patente el artificio de su «invención».

La obra de Bioy en general es, para resumir, buen ejemplo de cierta modalidad narrativa que contempla la narración como un problema a resolver en sí mismo, como una carrera de obstáculos que se impone el narrador, pero cuya última finalidad es producir el efecto de una coherente realidad, probable dentro de sus fronteras. Para estudiar los caracteres de dicha modalidad y, de paso, las del arte de Bioy Casa-

---

[6] La cita proviene de *Guirnalda con amores*, Buenos Aires: Emecé Editores, 1959, p. 86. Igualmente en *La otra aventura* (Buenos Aires: Editorial Galerna, 1968): «Si cabe postular dos ideales de perfección, uno para autores nuevos, que tolera únicamente lo indispensable, y otro para maestros, que acoge lo superfluo y la digresión (por donde entra la vida en los escritos), bajo el signo del segundo hay que poner esta obrita memorable» («David Garnett y el amor», p. 118).

res, me concentraré en *La invención de Morel.* Su análisis pormenorizado me permitirá ilustrar lo hasta aquí considerado y trazar sus relaciones con obras semejantes para comprender con más amplia proyección el linaje de esta especie narrativa.

El relato de *La invención de Morel* está construido alrededor de la original o extraordinaria máquina de fotografiar, invento del personaje del título. Sin embargo, el autor del invento no es el protagonista. El protagonista es el narrador innominado (y relator tardío de «la invención de Morel»), cuyos infortunios y angustias, pasados y presentes, componen el diseño argumental de la obra. Justamente, además, el efecto de la «invención de Morel» sobre este personaje constituye la dimensión «vital» del relato. Su curiosidad, sus recuerdos y temores, su pasión amorosa, su necesidad de explicarse los extraños fenómenos que descubre en la isla de su escondite son el medio por el cual se transmite al lector, en forma dramática, el fundamento e historia del invento de Morel y su fútil resultado (otorgar precaria inmortalidad a algunos de sus amigos y servidores).

El núcleo, la matriz de la obra es, desde luego, el invento, la máquina de «retención» (lo ha utilizado Bioy otra vez para el argumento de una narración breve)[7]. El plan argumental puede ser descrito como el movimiento (del narrador-protagonista, de la acción y, a la postre, del lector intrigado) hacia ese núcleo, que no se evidenciará sino al término de las dos terceras partes del relato, con la exposición de los principios y resultados del invento[8]. Desde ese punto, la acción del pro-

---

[7] «Los afanes», incluida en *El lado de la sombra.*

[8] Cf. Alfonso Reyes: «El mayor encanto de esta fantasía reside en que el personaje principal —que habla en primera persona— no conoce de antemano la situación, la descubre penosamente a través de extrañas experiencias, y en vano intenta trasladarse al mundo de aquellas

tagonista depende enteramente del invento, y sus lucubraciones y decisiones son la consecuencia de dicha exposición. El asunto del invento, que pudo haber constituido por sí solo un pequeño relato, es usado por Bioy como la crisis o *turning point* de la novela. Cómo consigue mantener vivo el interés en tan dilatado espacio o, más bien, qué recursos sostienen «justificadamente» la trama hasta allí, será el objeto principal de mi examen.

«Hoy, en esta isla, ha ocurrido un milagro», comienza escribiendo en su crónica el narrador (p. 17). Y a continuación: «El verano se adelantó». El «milagro» ocurrido, con el inconveniente que acarrea —la presencia de otra gente en el «museo» hallado por él—, obliga al personaje a buscar refugio en «los bajos del sur», el «lugar menos habitable de la isla», donde ha de sufrir, desesperado, los efectos del «milagro». «Escribo esto —aclara— para dejar testimonio del adverso milagro». El *milagro* le es, en primer término, *adverso.* Dos son las amenazas mortales que ha provocado: «Si en pocos días no muero ahogado o luchando por mi libertad...». Una muerte accidental en esta zona pantanosa «que el mar suprime una vez por semana» o la inútil resistencia frente a sus presuntos perseguidores son las únicas alternativas que ahora se le presentan a su condición de prófugo en una isla que creía abandonada. Un poco más allá nos enteramos de otro posible peligro que el personaje enfrentaba, a sabiendas, al escoger la isla para ocultarse. Así lo explica el mercader italiano que le sugiere el plan y lo ayuda a llevarlo a cabo:

---

sombras corpóreas, movientes y parlantes (que naturalmente pasan junto a él sin advertirlo), porque ha acabado por enamorarse de una de ellas» *(El deslinde. Apuntes para la teoría literaria,* en *Obras Completas,* t. 15, México: Fondo de Cultura Económica, 1955-1958, p. 136).

—Ni los piratas chinos, ni el barco pintado de blanco del Instituto Rockefeller la tocan. Es el foco de una enfermedad, aún misteriosa, que mata de afuera para adentro. Caen las uñas, el pelo, se mueren la piel y las córneas de los ojos, y el cuerpo vive ocho, quince días. Los tripulantes de un vapor que había fondeado en la isla estaban despellejados, calvos, sin uñas —todos muertos—, cuando los encontró el crucero japonés *Namura.* El vapor fue hundido a cañonazos (pp. 18-19).

«Pero era tan horrible mi vida que resolví partir», declara el personaje (p. 19). De esa manera quedan bosquejados en las primeras páginas sus móviles y la súbita alteración de sus proyectos: vivir aislado, aunque a riesgo de su salud, en la isla a que lo reduce su destino de perseguido y componer allí las obras a las que su azarosa existencia no le ha dejado tiempo para dedicarse *(Defensa ante sobrevivientes, Elogio de Malthus).*

El «milagro» del adelanto del verano y la presencia de estos veraneantes salidos de quién sabe dónde («estoy seguro de que no ha llegado ningún barco, ningún aeroplano, ningún dirigible» [p. 19]), que lo despiertan al amanecer con su música y sus gritos, se convierten, a la vez, en estímulo a su curiosidad. Lo absorbe la contemplación de estos visitantes, en los cuales nota algo raro: «Están vestidos con trajes iguales a los que se llevaban hace pocos años» (p. 20). Concibe una hipótesis sobre esta peculiaridad indumentaria (más adelante descubriremos que es falsa): «...revela (me parece) una consumada frivolidad...». Pero este tratar de explicarse los hechos o de razonar acerca de los modos y dichos de los «abominables intrusos» determina el más señalado rasgo de su estilo, del estilo de su *(la)* narración, la suya y también la de otro reflexivo, el inventor Morel: en el fondo, ya lo sabemos, «razona» el propio Bioy. Estos razonamientos, erróneos o veraces, constituyen el molde «lógico» dentro del cual, por la manera de presentación de los hechos, se sitúa desde el comienzo del relato al lector. La ordenación de la materia argumental, como ya he indicado, corresponde a la sucesiva percepción de ciertos fenómenos o «datos» que en la conciencia del narrador van encontrando provisorias apreciaciones y reacciones, hasta que por el sostenido esfuerzo (y el hallazgo del manuscrito de Morel) el personaje llega a las resoluciones finales. Pues bien, el recurso de la enumeración o lista de razones subraya de modo constante el carácter de método inductivo-deductivo de la narración. Las razones que se oponen ahora a que el personaje vigile sin cesar a esta gente ilustran el procedimiento:

> Exagero: miro con alguna fascinación —hace tanto que no veo gente— a estos abominables intrusos; pero sería imposible mirarlos a todas horas:
>
> Primero: porque tengo mucho trabajo: el sitio es capaz de matar al isleño más hábil; acabo de llegar; estoy sin herramientas.
>
> Segundo: por el peligro de que me sorprendan mirándolos o en la primer visita que hagan a esta zona; si quiero evitarlo debo construir guaridas ocultas en los matorrales. Finalmente: porque hay dificultad material para verlos: están en lo alto de la colina y para quien los espía desde aquí son como gigantes fugaces; puedo verlos cuando se acercan a las barrancas (p. 21).

Veremos reaparecer otras, pormenorizadas de forma semejante, en diversos pasajes y circunstancias [9].

Me interesa ahora destacar, ya entrando en lo temático en sentido más estricto, dos *motivos* —comienzo de relaciones desarrolladas en el curso del relato— que se introducen también en las páginas iniciales. Se trata, por un lado, del amor del protagonista por Faustine, una de aquellas figuras que han aparecido en la isla y, por otro, de la idea de inmor-

[9] Remito al lector a las siguientes páginas de la novela: 24, 43, 50-51, 69, 80, 83, 85, 125-126, 138, 144-150.

talidad (asociada a la vez con el miedo, un miedo, en el caso del personaje, inmediato, a la muerte). Amor y deseo de inmortalidad van en adelante a combinarse para formar el «precipitado emocional» del relato, el aspecto de la pasión o debilidad humana en su trama. En cuanto a la noción de inmortalidad, se presenta apenas principiada la novela, en medio de la descripción del «museo» de la isla:

> Recorrí los estantes buscando ayuda para ciertas investigaciones que el proceso interrumpió y que en la soledad de la isla traté de continuar (creo que perdemos la inmortalidad porque la resistencia a la muerte no ha evolucionado; sus perfeccionamientos insisten en la primera idea, rudimentaria: retener vivo todo el cuerpo. Sólo habría que buscar la conservación de lo que interesa a la conciencia) (pp. 25-26).

Unas páginas más adelante nos ofrece el narrador las primeras impresiones de Faustine. En ellas se muestra Bioy buen «psicólogo», sacando partido de ciertas leyes de la atracción amorosa: observación atenta del objeto del deseo, voluntario rebajamiento de sus cualidades visibles como salvaguardia contra el naciente movimiento de sumisión —o, más bien, en el fondo, temor al rechazo— y, por último, esperanza de compañía, de «socorro», que acaba por sobreponerse a los temores y conduce a la acción o declaración. El deseo es aquí, también, espoleado por los obstáculos que impiden al personaje acercarse al ser amado; uno de ellos, por añadidura, da pronto pie a sus celos. Cito los fragmentos referidos:

> En las rocas hay una mujer mirando las puestas de sol, todas las tardes. Tiene un pañuelo de colores atado en la cabeza; las manos juntas, sobre una rodilla; soles prenatales han de haber dorado su piel; por los ojos, el pelo negro, el busto, parece una de esas bohemias o españolas de los cuadros más detestables (p. 32).

La mujer, con la sensualidad de cíngara y con el pañuelo de colores demasiado grande, me parece ridícula. Sin embargo siento, quizá un poco en broma, que si pudiera ser mirado un instante, hablado un instante por ella, afluiría juntamente el socorro que tiene el hombre en los amigos, en las novias y en los que están en su misma sangre.

Mi esperanza puede ser obra de los pescadores y del tenista barbudo. Hoy me irritó encontrarla con ese falso tenista... (p. 33).

Ahora, invadido por suciedad y pelos que no puedo extirpar, un poco viejo, crío la esperanza de la cercanía benigna de esta mujer indudablemente hermosa.

Confío en que mi enorme dificutad sea instantánea: pasar la primera impresión. Ese falso impostor no me vencerá (p. 34).

De modo previsible, la situación creada desemboca en las siguientes consideraciones:

Ahora la mujer del pañuelo me resulta imprescindible. Tal vez toda esa higiene de no esperar sea un poco ridícula. No esperar de la vida, para no arriesgarla; darse por muerto, para no morir. De pronto esto me ha parecido un letargo espantoso, inquietísimo; quiero que se acabe. Después de la fuga, después de haber vivido no atendiendo a un cansancio que me destruía, logré la calma; mis decisiones tal vez me devuelvan a ese pasado o a los jueces; los prefiero a este largo purgatorio.

Ha empezado hace ocho días. Entonces registré el milagro de la aparición de estas personas; a la tarde temblé cerca de las rocas del oeste. Me dije que todo era vulgar: el tipo bohemio de la mujer y mi enamoramiento propio de solitario acumulado. Volví dos tardes más: la mujer estaba; empecé a encontrar que lo único milagroso era esto... (p. 40).

La impasibilidad de Faustine, que el narrador cree deliberada actitud frente a él, no hace sino aumentar su pasión y agudizar su ingenio para declararla del tal modo que merezca ser aceptado. Y en este punto se inserta de nuevo la visión de la posible inmortalidad. El personaje proyecta como homenaje a Faustine un jardincito donde, trazados con flores, figuren él y ella en posturas alegóricas (ella contemplando la puesta de sol, él arrodillado junto a ella). Una inscripción, también hecha con flores, había de completar el conjunto. La redacción de aquélla vuelve sobre el *motivo* de la inmortalidad:

> He modificado la inscripción. La primera me salió demasiado larga para hacerla con flores. La convertí en ésta:
>
> Mi muerte en esta isla has desvelado.
>
> Me alegraba ser un muerto insomne. Por este placer descuidé la cortesía; en la frase podía haber un reproche implícito. Volví, sin embargo, a esa idea. Creo que me cegaban: la afición a presentarme como un exmuerto; el descubrimiento literario o cursi de que la muerte era imposible al lado de esa mujer. Dentro de su monotonía, las aberraciones eran casi monstruosas:
>
> Un muerto en esta isla has desvelado.

O:

> Yo no estoy muerto: estoy enamorado (pp. 51-52).

La explicación del origen de la máquina de Morel conlleva además una importante revelación: la del amor desesperado de Morel por Faustine (pp. 101-102). Morel pone en práctica su invento precisamente para quedar «inmortalizado» junto a ella. Y esa revelación nos retrotrae a los deseos semejantes (amor, forma de inmortalidad junto a Faustine) del narrador, destacando de paso el proceso (o progreso) del relato desde el frustrado intento del protagonista de «sobrevivirse» en la compañía de Faustine hasta la complicada maquinaria con que Morel había logrado ya ese propósito. La grabación (eternización) de su propia imagen por parte del narrador es, pues, la consecuencia «lógica» derivada de su descubrimiento del aparato de Morel («lógica», en esta ocasión, del sentimiento, a fin de cuentas; el corazón tiene razones que la razón desconoce). El resultado, como se sabe, es incompleto; el personaje, a menos que ocurra otro «milagro», conseguirá solamente eternizar su esperanza:

> Al hombre que, basándose en este informe invente una máquina capaz de reunir las presencias disgregadas, haré una súplica. Búsquenos a Faustine y a mí, hágame entrar en el cielo de la conciencia de Faustine. Será un acto piadoso (p. 155).

Al alcanzar esa otra existencia que otorga el invento de Morel, sin embargo, el personaje vence los terrores de la que abandona, sobre todo el de la justicia que lo persigue y la consecuente sentencia de muerte. Con entusiasmo, pues causa la destrucción de su cuerpo, condición inherente al cambio o proceso de inmortalización. Gana, en fin, otra forma de vida sensible que lo libra para siempre de la «angustia metafísica» y las especulaciones de ella surgidas: «el viaje al cielo, infierno o purgatorio acordado» concebido en algún momento por el personaje (p. 82).

Lo ocurrido, entonces, en la «realidad» del narrador, es como la ampliación —con sinuosidades que le otorgan densidad vital y mantienen la «suspensión» del lector— de la historia, expuesta brevemente hacia el final, de Morel y su invento. La historia en cuestión tiene claro carácter silogístico. Dados una inmortalidad alcanzable, «científica» y un amor no correspondido, se deduce (y produce) la eternización de la vida junto al ser amado. Por estar sujeto a las mismas circunstancias, el narrador puede explicar la auténtica motivación de Morel para poner en práctica el experimento de la isla:

> Quiero explicarme la conducta de Morel.
>
> Faustine evitaba su compañía; él, entonces, tramó la semana, la muerte de todos sus amigos, para lograr la inmortalidad con

> Faustine. Con esto compensaba la renuncia a las posibilidades que hay en la vida. Entendió que, para los otros, la muerte no sería una evolución perjudicial; en cambio de un plazo de vida incierto, les daría la inmortalidad con sus amigos preferidos. También dispuso de la vida de Faustine.
>
> Pero la misma indignación que siento, me pone en guardia: quizá atribuya a Morel un infierno que es mío. Yo soy el enamorado de Faustine; el capaz de matar y de matarse; yo soy el monstruo. Quizá Morel nunca se haya referido a Faustine en el discurso; quizá estuviera enamorado de Irene, de Dora o de la vieja.
>
> Estoy exaltado, soy necio. Morel ignora esas favoritas. Quería a la inaccesible Faustine. ¡Por eso la mató, se mató con todos sus amigos, inventó la inmortalidad!
>
> La hermosura de Faustine merece estas locuras, estos homenajes, estos crímenes. Yo la he negado, por celos o defendiéndome, para no admitir la pasión.
>
> Ahora veo el acto de Morel como un justo ditirambo (pp. 148-149).

(La duda momentánea aquí expresada sirve, en realidad, para reforzar con apasionada «lógica» su explicación.)

Todo el relato aparece en este punto, a nuestros ojos, como la elucidación por etapas, entre desmayos, errores y contradicciones (propios de la condición humana, representada aquí por el narrador) del «adverso milagro» de que se nos da cuenta en su primera página. Resulta, por tanto, inevitable que la fase final de dicha elucidación se presente como un detallado sumario de los hechos antes inexplicados o explicados de modo erróneo, con la correspondiente explicación correcta; este pasaje viene a ser, así, como la definitiva enumeración de razones que caracteriza el estilo de relato. Transcribo los distintos apartados en su orden:

> *Las mareas; Apariciones y desapariciones; Los dos soles y las dos lunas; La llave de la luz, los pasadores atrancados; Cortinas*

inamovibles; La persona que apaga la luz; Charlie; Fantasmas imperfectos; Los españoles que vi en el antecomedor; Cámara subterránea; Biombo de espejos; Los versos declamados por Stoever (pp. 144-148).

Estas explicaciones pseudocientíficas, el estricto método «razonador» aplicado, a lo largo de la narración, a un asunto del género «fantástico» (lo llamo así por oposición al «realista» como lo define Borges en su prólogo), dan la medida del arte de Bioy en esta obra. *Ostinato rigore,* la divisa de Leonardo que el personaje-narrador hace suya, podría muy bien compendiar el principal propósito de Bioy al novelar. Si el estilo, como afirma elocuentemente Marcel Proust, no es cuestión de técnica, sino de visión, se comprenderán ahora cumplidamente los supuestos de la visión de Bioy, visión que he esbozado al comienzo de este estudio.

Pero, antes de pasar a otras cuestiones sobre este tipo de arte o visión novelesca, me parece imprescindible indicar por qué vías interviene en *La invención de Morel,* constante cuanto velada, la ya mencionada ironía del autor. Es, en principio, la mayor ironía, la manera como se desarrolla el relato, con exactitud de «informe para una academia», para usar el título que da Kafka a su obra de presentación semejante sobre la «evolución» del mono expositor. Lo extraordinario del asunto, una vez terminada la lectura del que se nos ofrece como testimonio científico, resalta aún más por el contraste (hecho inconcebible, exposición documental). En otras palabras, acabamos por sonreír ante este «aparato» de ingenio, que nos ha hecho creer en la probabilidad de lo increíble mientras nos dejábamos conducir por sus «mecanismos». Esta sonrisa es tal vez el mejor homenaje que podemos rendir a la obra.

Claro que dicha ironía como efecto «total» ha sido condicionada, preparada por juegos-participaciones del autor que, de modo subrepticio, van minando el laborioso relato. Uno de los recursos irónicos más señalados es el de las notas al pie de página, que, al corregir, comentar o contradecir, con deliberada ramplonería erudita, algo de lo expresado por el narrador, ocasionalmente nos recuerda que leemos un «texto» curioso, al cual el «editor» o redactor de las notas no parece conceder mayor interés del que merece una edición «literaria» cualquiera. (La invención de Morel resulta ser, pues, nada más que un texto dentro de otro texto enmarcado por los textos de un editor, cuyo conjunto se publica con el título *La invención de Morel,* bajo la firma de Adolfo Bioy Casares y con prólogo de Borges)[10]. A un rasgo semejante de ironía corresponde la grotesca desigualdad en la importancia de los hechos que el narrador se cree obligado a explicar (ver la enumeración citada arriba). Esta nota «cómica» próxima al final de la narración se ve apenas atenuada por la «dramática» resolución y consiguientes angustias del personaje-narrador. Antes bien, se refuerza así el lado ridículo de su patetismo, rasgo de humor de Bioy que se ha acentuado, por cierto, en su obra de los últimos tiempos.

Por último, no debe pasarse por alto que la relación entre el narrador-protagonista, Morel y Faustine es la del clásico triángulo amoroso, con la diferencia, y aquí asoma otro matiz de ironía, de que dos de sus miembros existen sólo como proyecciones de un portentoso equipo de cine. El destino del protagonista es pasar a ese universo fijo, espectral perpetuación del triángulo sin desenlace posible.

De todo lo expuesto, puede concluirse, con Borges, que en su trama «perfecta» (p. 15) y «las muchas y delicadas sabidurías de la ejecución» (p. 14), *La invención de Morel*

---

[10] Cf. MacAdam: ...«concebir el texto de Bioy Casares sin el prólogo de Borges es imposible» *(loc. cit.).*

funda su razón de ser: pura narración, puro artificio (término que uso sin la menor intención peyorativa). «Despliega una Odisea de prodigios que no parecen admitir otra clave que la alucinación o que el símbolo, y plenamente los descifra mediante un solo postulado fantástico pero no sobrenatural», proclama Borges con su lucidez acostumbrada (p. 14). Y, sin embargo, cuando nos fijamos en las obras afines que ha citado (recuérdese: *The Turn of the Screw, Der Prozess, Le voyageur sur la terre)*, percibimos cierta incongruencia. ¿No contienen estas novelas, precisamente, una «clave» de «alucinación» y de «símbolo»? Sus argumentos son, en fin, inseparables de los contextos morales y aun religiosos —¿cómo trazar la línea divisoria entre el hecho narrado y la teología católica en Julien Green?— esenciales a los temas de dichas obras. Es innecesario insistir en algo tan de sobra conocido como el efecto de una fuerza maligna —poderosa cuanto desencarnada— sobre la naturaleza infantil, eje del relato de Henry James, o en el carácter alucinatorio y simbólico de toda la obra de Franz Kafka. Sólo, pues, con muchas reservas me parece admisible el acercamiento.

Borges, por otra parte, aleja de modo definitivo *La invención de Morel* de un género con el cual guarda bastante semejanza: el del relato policial. (Aunque el solo hecho de traerlo a colación indica, paradójicamente, que la asociación es inevitable). Borges señala que el género policial «no puede inventar argumentos», pero, al describir el esquema típico de estas ficciones, revela una importante fuente del procedimiento adoptado por la novela de Bioy: ...«refieren hechos misteriosos que luego justifica e ilustra un hecho razonable»... (p. 14). Pasa entonces a la distinción, afirmando que «Adolfo Bioy Casares, en estas páginas, resuelve con felicidad un problema acaso más difícil» para ofrecer en seguida la visión sintética del argumento que he transcrito arriba («Despliega»..., etc.). La atracción que Borges y Bioy han sentido por el relato policial y el empleo ocasional que han hecho de él, en serio o en broma («La muerte y la brújula» o las caricaturas de «Bustos Domecq»), constituyen prueba más que suficiente de lo que afirmo. Habría que citar aquí de modo especial las ficciones de corte policial de Chesterton, que casi resulta «sospechoso» no ver mencionadas en el prólogo de Borges.

Chesterton me sirve de punto de arranque para otras indagaciones en la narrativa de lengua inglesa. Ya me parece escuchar al lector de este trabajo adelantando con impaciencia el nombre de Poe, en quien creo encontrar la raíz del tipo de relato representado por *La invención de Morel*. *The Narrative of Arthur Gordon Pym* es, en mi opinión, germen y paradigma del género. Allí, bajo el pretexto de «la aventura y la exploración», se oculta la realidad de otra aventura, la de la narración en sí misma. Sin desatender el aspecto «ambiental» del periplo del narrador-protagonista —lo cual lleva a Poe a copiar, con fastidioso lujo de detalles, manuales y diarios de navegación—, el relato presenta un conjunto de imágenes extrañas pero tan rigurosamente relacionadas entre sí, que las delirantes claves finales sobre la índole de la isla explorada en la segunda parte vienen a resolver para el lector (lo resuelven sin resolverlo, por el placer del absurdo razonar) el enigma de la narración «inconclusa». Más aún, el «terror a lo blanco» precisado en ese último pasaje permite ver en retrospectiva el contrapunto, a lo largo del relato, de lo blanco y lo oscuro, al cual ofrece tan sorprendente como deleitable solución la referida «Nota» final.

Antecedentes notables de *La invención de Morel* son también los relatos largos de Stevenson; pienso especialmente en *Dr. Jekill and Mr. Hyde,* donde la visión maniquea de la naturaleza humana es más bien pretexto que fin de una «razonada» fantasía. Dentro de esta categoría habría que colocar otras narraciones inglesas contemporáneas, como *Lady Into Fox,* de David Garnett o *Zuleika Dobson,* de Max Beerbohm. *Lady Into Fox* es un *tour de force* del género, pues, al presentar la transformación de Mrs. Tebrick en zorra desde las primeras páginas, descansa para el desarrollo del asunto en la invariable pasión de Mr. Tebrick por su esposa: el argumento se compone de su adaptación o adaptaciones a las cambiantes circunstancias de la nueva vida de ella. El mayor encanto de *Zuleika Dobson* —versión cómica del mito de la encantadora y la sirena— reside en observar cómo el autor justifica parte por parte los extraños acontecimientos que llevan al suicidio de la muchachada de Oxford; Beerbohm, por cierto, no se oculta, sino que oportunamente se introduce para dar nuevos impulsos al relato. La obra de Beerbohm, en lo que tiene de reelaboración de leyenda, muestra afinidad con varios cuentos de Bioy que proceden de igual manera: «Clave para un amor» (epifanía moderna de Baco), «Moscas y arañas» (también con una hechicera de protagonista), «Las vísperas de Fausto», «Un viaje o El mago inmortal» (nuevo avatar de Merlín).

En años recientes (si no por la fecha de publicación, sí por la de difusión) cabe mencionar algunas novelas de Vladimir Nabokov, aquéllas cuya imaginativa construcción es el recurso artístico central, como si se tratara de complejos juegos de ajedrez: *The Real Life of Sebastian Knight, Laughter in the Dark (Camera Obscura), Pale Fire. La promesa* y *El juez y su verdugo,* de Friedrich Dürrenmatt —las dos con armazón policial— o *Il visconte dimezzato,* de Italo Calvino —con el juego de la mitad buena y mala, trasunto de Stevenson— se podrían añadir a la lista.

Como se ve, si bien no he pretendido ser exhaustivo, la producción del género examinado no es abundante [11]. Tal vez porque sus límites «lógicos» se oponen en principio a la pura imaginación, que gusta de deambular y expandirse siguiendo normas menos estrictas. Particulares exigencias (de concepción y ejecución) o su rareza, en la doble acepción de la palabra, son, en fin, las notas de bulto de esta especie de literatura. Me he acercado a uno de sus textos para analizarlo en sus detalles; no sé si los resultados de mi trabajo podrían elevarse a la condición de leyes generales. En todo caso, mi aspiración ha sido mucho más modesta: ofrecer algunas observaciones sobre *La invención de Morel* en cuanto a su índole y estirpe, que espero sean de utilidad para el estudio comprensivo de la obra de Bioy Casares, aún no intentado y tan necesario.

---

11 En las letras hispánicas sólo puedo mencionar los relatos de José Bianco *(Las ratas, Sombras suele vestir)* y *Aura* de Carlos Fuentes, aunque tal vez se puedan añadir otros títulos importantes que olvido o desconozco.

LECCIÓN MORAL DE JULIO CORTÁZAR

La crítica ha mencionado con frecuencia el carácter de rebelión (contra la rutina, las categorías fáciles, el lugar común «burgués») de la obra de Cortázar [1]. Julio Ortega, cuya opinión me interesa particularmente por su estrecha relación con lo que sostengo en este trabajo, llega, por cierto, a afirmar que *Rayuela* a cierto nivel «se convierte también en una novela moral» [2]. Sin embargo, no creo que se haya estudiado con detenimiento cómo la postura moral de Cortázar determina el tema y, a veces, aun el desarrollo argumental de muchos de sus cuentos; lo moral constituye un centro alrededor o en función del cual se percibe el sentido «total» de la narración.

No es mi intención establecer interpretaciones de los cuentos que examino desde un punto de vista externo, con-

[1] Por ejemplo, Jorge Alberto Sáez resume así la intención de la literatura de Cortázar: «Desde *Los reyes* hasta *La vuelta al día en ochenta mundos*, su acción creadora no tiene (salvo algunos cuentos de *Bestiario* o de *Final del juego*, de raíz puramente estetizante) otro propósito que el de socavar las instituciones de la comodidad y de la costumbre, la obesidad intelectual, la poltrona, la solemnidad, la modorra, esos narcóticos que han matado el estado de gracia, la curiosidad y el disconformismo» («Alrededor del hombre en ochenta mundos y tres Julios», *Sur*, núm. 311, Buenos Aires, 3-4, 1968, p. 86).

[2] Julio Ortega, *La contemplación y la fiesta* (Caracas: Monte Ávila, 1969), p. 46.

siderándolos sólo, como han hecho varios críticos, en cuanto específicas alusiones a otras «realidades» (histórica, social, psicológica, estética), aunque no niego que estas interpretaciones puedan ser válidas. Lo que aquí me propongo es diferente. Se trata de revelar ciertos supuestos —normas y formas de justicia moral— implícitos en estas ficciones, cuya «ejemplaridad» es, según creo, una de sus características sobresalientes. En otras palabras, intento poner de relieve aspectos morales de la «visión del universo» de Cortázar que aparecen de manera dominante en algunos de sus relatos. No quiere decir esto que Cortázar, el narrador, sea moralista en el sentido más estrecho del término. Ciertamente no se encuentran en su obra de creación, como tampoco en las *Novelas ejemplares* de Cervantes, aludidas al pasar un poco más arriba, obvia prédica o doctrina (aunque algo de moraleja tiene algún que otro texto suyo reciente)[3]: lo que se observa a menudo en su arte es la apelación a determinadas instancias éticas —a la larga, también vitales— que podrían

[3] Y conste que no aludo a los expresos alegatos políticos. En «Relaciones sospechosas», trabajo incluido en *La vuelta al día en ochenta mundos*, el tono humorístico no impide (creo que más bien facilita) la proposición moral sentada por Cortázar. A la reina Victoria o a lo que caracterizaba su reinado («el desempleo, la miseria, el despotismo social» y, como consecuencia, el alto índice de prostitución), Cortázar opone como más justificados o comprensibles los crímenes de Jack el Destripador. Cortázar concluye, dirigiéndose a la hipotética señora en quien suele encarnar los prejuicios de la «mentalidad burguesa» (recuérdese a la señora de Cinamomo de las últimas novelas): «Así, señora, por muy horribles que fueran los crímenes del Ripper, parecen obras de beneficencia frente a este hipócrita genocidio que en tantas partes del mundo está lejos de haber cesado; y por eso, en mi mundo figurado Jack sigue ahí para destripar a la reina Victoria, y el poema que puse como epígrafe es irónicamente cierto y Jack es un pilar de la sociedad» (*La vuelta al día*..., Buenos Aires-México: Siglo XXI, varias ediciones a partir de 1967. Cito por la quinta edición, México, 1969, p. 166).

calificarse, con una palabra grata a Cortázar, de «arquetípicas» [4].

La famosa toma de conciencia política de Cortázar, por otra parte, no ha sido sino concreta formulación de una preexistente conciencia moral, para él, a la vez, modalidad de la conciencia poética [5]. Así, en la «Carta» a Roberto Fernández Retamar, donde Cortázar documenta el proceso de su evolución política, escribe:

---

[4] *Arquetipo, arquetípico,* son expresiones que usa frecuentemente Cortázar. Hablando de sus cuentos, en un ensayo de los últimos años, dice Cortázar: «Si algunos se salvan del olvido es porque he sido capaz de recibir y transmitir sin demasiadas pérdidas esas latencias de una psiquis profunda, y el resto es una cierta veteranía para no falsear el misterio, conservarlo lo más cerca posible de su fuente, con su temblor original, su balbuceo arquetípico» («Del cuento breve y sus alrededores», en *Último round* [México: Siglo XXI, 1969], p. 42). Es justamente este «balbuceo arquetípico» lo que pretendo iluminar en cada caso, a riesgo de caer en razonamientos demasiado rígidos. Evitaré en lo posible los excesos del raciocinio pero no debe olvidarse que, en el fondo, son razones las que señalo, aun cuando sean de aquellas «que la razón no conoce». Aclaro que, aunque algo de ello rezume aquí, no hago una interpretación rigurosa de arquetipos genéricos, a la manera de Northrop Frye en su ya clásico *Anatomy of Criticism.* Una aplicación metódica de la teoría de Frye a los cuentos de Cortázar se halla en *El individuo y el otro (crítica a los cuentos de Julio Cortázar),* de Alfred MacAdam (Buenos Aires-New York: Ediciones La Librería, 1971).

[5] Un criterio ligeramente distinto mantiene Néstor García Canclini, tal vez bajo la influencia de ciertas discutibles opiniones emitidas por Cortázar sobre sus primeros libros. García Canclini escribe: «Si bien coincidimos con su nota de *Final del juego,* que duda de las rígidas clasificaciones en períodos, nos parece legítimo señalar en su evolución una apertura hacia el prójimo, una progresiva afirmación de la posibilidad de encuentro entre los hombres» *(Cortázar, una antropología poética,* Buenos Aires: Ediciones Nova, 1968, p. 74). Cortázar había comentado: «*Bestiario* es el libro de un hombre que no problematiza más allá de la literatura. Sus relatos son estructuras cerradas, y los cuentos de *Final del juego* pertenecen todavía al mismo ciclo» («Julio Cortázar o la cachetada metafísica», en *Los nuestros,* de Luis Harss, Buenos Aires: Editorial Sudamericana, 1966, p. 273).

...mi problema sigue siendo, como debiste sentirlo al leer Rayuela, un problema metafísico, un desgarramiento continuo entre el monstruoso error de ser lo que somos como individuos y como pueblos en este siglo, y la entrevisión de un futuro en el que la sociedad humana culminaría por fin en ese arquetipo del que el socialismo nos da una visión práctica y la poesía una visión espiritual [6].

A Cortázar se le pueden aplicar sin reservas las siguientes observaciones de Maurice Blanchot sobre el escritor en el mundo de hoy:

C'est pourquoi, parlant de politique, c'est déjà d'autre chose qu'il parle: d'éthique; parlant d'éthique, c'est d'ontologie; d'ontologie, c'est de poésie; parlant enfin de littérature, «son unique passion», c'est pour en revenir à la politique, «son unique passion» [7].

En cuanto a los relatos que he seleccionado para este trabajo, mi tratamiento será más o menos extenso según dicte la necesidad en cada caso. A veces me bastará señalar sucintamente las premisas morales sobre las que estimo están fundados; en ocasiones tendré que presentar mis apreciaciones con mayor amplitud, para no incurrir en vaguedad o parecer demasiado superficial; a algún que otro cuento, cuyo

---

[6] *Casa de las Américas,* La Habana, núm. 45, diciembre de 1967. En «Algunos aspectos del cuento» se transparentaba algo de esta idea: «Lo que está antes es el escritor, con su carga de valores humanos y literarios, con su voluntad de hacer una obra que tenga un sentido; lo que está después es el tratamiento literario del tema, la forma en que el cuentista, frente a su tema, lo ataca y sitúa verbalmente y estilísticamente, lo estructura en forma de cuento, y lo proyecta en último término hacia algo que excede el cuento mismo» *(Casa de las Américas,* La Habana, núms. 15-16, 1962-1963, p. 9). Consideraciones semejantes, en cuanto a la función de la poesía, se descubren ya en una lectura atenta de «Para una poética», *La Torre,* año II, núm. 7, 1954).

[7] *Le livre à venir* (Paris: Gallimard, 1969), p. 302.

desarrollo resulta más complejo, dedicaré un análisis pormenorizado [8].

Ya en relatos tempranos, como «Bestiario» (que da título al primer libro de cuentos de Cortázar) y «Casa tomada», el planteamiento básico es de orden moral, por encima, o por debajo, de las interpretaciones más o menos concretas que se han hecho de los dos, sobre todo del segundo.

El tema de «Bestiario» se puede resumir, de manera muy sencilla, al igual que el de otros relatos, como la lucha, triunfante en este caso, de la inocencia contra las fuerzas del mal, representadas aquí por la doble imagen del tigre y el Nene Funes. Ruego al lector que tenga un poco de paciencia y que no se adelante a acusarme de simplicidad, o lo que es peor, de simpleza. Al fin y al cabo, entre simples arquetipos anda el juego. Y es que, bien mirado, Isabel, la niña protagonista —narradora a ratos y conciencia mediante la cual el relato se «dramatiza», o, según diría Cortázar, se sostiene en «intensidad»— resulta un personaje demasiado familiar, con dos largas tradiciones por fondo. En primer lugar, es ese niño (niña) de los cuentos infantiles que habiendo caído en poder del ogro o de la bruja, logra, con su ingenio, engañarlos y hacerlos víctimas de su propia maldad. Pero también puede asociarse al héroe o heroína de las leyendas que refieren la doma y destrucción de un monstruo por obra de la virtud o de la pureza de aquéllos. Baste recordar el mito medieval de la doncella y el unicornio y la leyenda piadosa, del Sur de Francia, de Santa Marta y el dragón (el Tarascón que da nombre a la villa), ambos asuntos últimamente relacionados

[8] Utilizo para este trabajo la compilación titulada *Relatos* (Buenos Aires: Editorial Sudamericana, 1970), que incluye todo el material de los cuatro libros de cuentos aparecidos hasta entonces (*Bestiario, Final del juego, Las armas secretas* y *Todos los fuegos el fuego*). Las citas se hacen por esta edición; van en paréntesis, dentro del texto, las referencias de páginas.

con el arquetipo de la Virgen victoriosa sobre la serpiente. Isabel, como Marta, vence al «leviatán» guiándolo a una destrucción cuya crueldad es consecuencia de la que él mismo practica [9].

En «Bestiario», el tigre circula por la casa de los Funes como la presencia siempre amenazante del mal. La vida de la familia está sometida a los caprichos del tigre, por el respeto temeroso que deben todos guardar ante sus imprevisibles desplazamientos. Pero su contrapartida, su *alter ego,* es el Nene, que hostiliza a sus hermanos y sobrino con insólita «fiereza». El Nene se burla del contemplativo Luis, «ataca» a Rema, golpea brutalmente a Nino, es, en fin, una fuerza salvaje que, como el tigre, altera el orden espiritual de los otros y los mantiene a la merced de sus instintos («bajos» o bestiales). El contraste bondad-maldad es subrayado por Cortázar al caracterizar a los personajes: Rema «con su tersa bondad» (p. 24); Luis «que es muy bueno» (según Isabel, p. 33), el Nene, que inspira miedo en los niños por «sus rabias» (p. 25) o a quien alude Luis mediante la frase «Es un miserable, un miserable» (p. 33). Dos escenas en particular permiten ver la perversidad del Nene. Una es la de su agresión a Rema, donde la intención incestuosa se hace aún más chocante por su actitud burlona frente a la turbación de ella. Así la evoca Isabel:

> Se acordó antes de dormirse, a la hora de las caras en la oscuridad, lo vio otra vez al Nene saliendo a fumar al porche, delgado y canturreando, a Rema que le llevaba el café y él que tomaba la taza equivocándose, tan torpe que apretó los dedos de Rema al tomar la taza, Isabel había visto desde el comedor que Rema tiraba la mano atrás y el Nene salvaba apenas la taza de caerse, y se reía con la confusión (pp. 26-27).

[9] Para una deliciosa versión de la leyenda de Santa Marta, véase *La leyenda áurea,* de Jacobo de Vorágine.

El otro momento significativo, el de la zurra que propina el Nene a Nino, es presentado también por medio de la nítida reconstrucción de Isabel en su recuerdo:

> Vio a Nino llorando, a su madre y a Inés con los guantes que ahora eran gorros violeta que les giraban y giraban en la cabeza, a Nino con ojos enormes y huecos —tal vez por haber llorado tanto— y previó que ahora vería a Rema y a Luis, deseaba verlos y no al Nene, pero vio al Nene sin los anteojos, con la misma cara contraída que tenía cuando empezó a pegarle a Nino y Nino se iba echando atrás hasta quedar contra la pared y lo miraba como esperando que eso concluyera, y el Nene volvía a cruzarle la cara con un bofetón suelto y blando que sonaba a mojado, hasta que Rema se puso delante y él se rió con la cara casi tocando la de Rema, y entonces se oyó volver a Luis y decir desde lejos que ya podían ir al comedor de adentro (p. 30).

El cuadro arquetípico está casi completo. Isabel, por un azar desgraciado que se volverá feliz, ha llegado a la casa de los Funes, el laberinto que guarece al monstruo. Allí padece con los que sufren cautiverio. Sólo le falta poner en juego sus «armas secretas» y asumir el papel de redentora. El desenlace del cuento, la muerte del Nene destrozado por el tigre (¿el mal que termina devorándose a sí mismo?), obra de Isabel al anunciar en forma deliberadamente errónea el sitio donde está la fiera, se presenta, así, con aire de liberación heroica en las imágenes finales: «...o era la mano de Rema que le tomaba el hombro, le hacía alzar la cabeza para mirarla, para estarla mirando una eternidad, rota por su llanto feroz contra la pollera de Rema, su alterada alegría, y Rema pasándole la mano por el pelo, calmándola con un suave apretar de dedos y un murmullo contra su oído, un balbuceo como de gratitud, de innominable aquiescencia» (p. 39). La sensación de alivio introducida nos lleva a imaginar que, extirpada la causa del mal, el tigre se alejará ahora para siempre de casa de los Funes. La Bestia, en fin, ha sido derrotada.

Es evidente, pues, que Cortázar construye la historia sobre la noción arquetípica (que el género «romancesco» ha perpetuado hasta hoy) de la dicotomía del Bien y del Mal. No existe en el relato, por otra parte, sermoneo o consciente comentario moral. Lo que sucede, verdaderamente, es que el «balbuceo arquetípico» *(v. supra,* n. 4) se ha traducido en el relato con bastante pureza, que el hombre del fondo (prístino, si se prefiere) ha dictado, con sus terrores y deseos, la división escueta, el requerimiento del exorcismo y las reglas de su rito. Mi punto de vista, por otra parte, queda reforzado por un pasaje del artículo «Relaciones sospechosas», de *La vuelta al día en ochenta mundos,* antes citado *(supra,* n. 3), donde Cortázar narra un «encuentro con el Mal» en realidad, encuentro con su encarnación en un pavoroso viajero de un ómnibus de París. La anécdota da pie a Cortázar para un impromptu sobre la «sospechosa» relación que suele existir entre asesinos y víctimas (o especial fascinación de estas últimas con respecto a sus victimarios); los rasgos físicos de ciertos criminales, para Cortázar, reflejan de algún modo su naturaleza maligna y a este propósito recuerda la descripción del asesino Williams por DeQuincey. Téngase también en cuenta que en «Las babas del diablo» Cortázar traza una imagen del Mal siguiendo estos lineamientos; de ella me ocuparé en el lugar correspondiente. (Esta tendencia «maniquea» se hace patente, además, en algunas apasionadas declaraciones políticas, en prosa y en verso, de los últimos tiempos.)

«Casa tomada» ha sido objeto de un trabajo excelente de Jean L. Andreu [10], donde el autor examina diversas interpre-

---

10 «Pour une lecture de 'Casa tomada' de Julio Cortázar», *Cahiers*

taciones y añade la suya, destacando, de paso, la esencial ambigüedad del relato. Sin embargo, cabe señalar aquí que en las interpretaciones que él considera (las de Juan José Sebreli, Aníbal Ford, Emma Susana Speratti-Piñero, Luis Harss, Antón Arrufat, y hay que añadir la del propio Andreu), se da una constante: la de entender la expulsión de los solitarios hermanos como una necesidad moral. Poco importa que la interpretación adopte carácter político o social, con referencia específica a la realidad argentina (Sebreli, Aníbal Ford), o que estime que la existencia de los hermanos es una forma vegetativa, incompleta, de vida humana (Speratti-Piñero y, en cierto modo, Harss y Arrufat) o que subraye la latente relación incestuosa, resuelta de un modo u otro al salir los personajes de la casa-claustro materno (Andreu). En todo caso, el asunto del cuento puede formularse brevemente como la presión que los extraños invasores de la casa ejercen para desbaratar el *modus vivendi* de los hermanos. Al completarse la conquista, al instaurarse en la casa el desorden (¿o nuevo orden?), los protagonistas han de abandonar no sólo el mundo de sus pertenencias y memorias familiares, sino el sistema que regula sus estériles actividades. Por otra parte, la huida precipitada los enfrenta a una situación desconocida, con la que deberán entendérselas ahora sin la cómoda protección que la casa les ofrecía mientras quedaba en ella un rincón «no tomado». ¿Castigo, liberación, inconsciente rebelión? La determinación exacta de valor es imposible, dadas las ambigüedades del cuento. Pero la intención «ejemplar» me parece que no deja lugar a dudas. No faltan observaciones del «narrador», manejadas con ironía por el «autor»; a la postre, reflejan juicios poco favorables del

---

du Monde Hispanique et Luso-Brésilien, (Caravelle), Université de Toulouse-Le Mirail, 10, 1968, pp. 49-66.

«autor» sobre sus personajes: «Nos habituamos Irene y yo a persistir solos en ella, lo que era una locura pues en esa casa podían vivir ocho personas sin estorbarse» (p. 413)... «Yo aprovechaba esas salidas para dar una vuelta por las librerías y preguntar vanamente si había novedades en literatura francesa. Desde 1939 no llegaba nada valioso a la Argentina» (p. 414)... «No necesitábamos ganarnos la vida, todos los meses llegaba la plata de los campos y el dinero aumentaba» (p. 414)... «A veces llegábamos a creer que era ella (la casa) la que no nos dejó casarnos» (p. 413)... «Estábamos bien, y poco a poco empezábamos a no pensar. Se puede vivir sin pensar» (p. 418). Es fácil, por lo demás, comprender esta actitud (de tácito rechazo) si se la relaciona con el polo positivo que la complementa, o, mejor, la genera: esto es, la actitud defensora de la «ruptura» —búsqueda poética de absolutos, exaltación de la potencia creadora del hombre—, de clara raíz romántica [11], asumida por Cortázar desde muy temprano.

---

[11] Uso la expresión «romántica» en un sentido amplio, para designar la modalidad opuesta a «clásica» según la distinción que establece implícitamente el propio Cortázar: «Yo me moriré sin haber perdido la esperanza de que alguna mañana el sol salga por el oeste. Me exaspera su pertinacia y su obediencia, cosa que a un escritor clásico no ha de parecerle tan mal» (Luis Harss, *op. cit.*, p. 297). La exasperación «romántica» de Cortázar es rasgo fundamental que lo aleja de Borges, a quien se le suele asociar por darse en ambos cultivo semejante del género «fantástico». Borges, escéptico y conservador, baraja soluciones metafísicas con el mismo alejamiento estético que un escritor «clásico» sus referencias mitológicas. Cortázar, por el contrario, se entrega a «la esperanza», se compromete en el juego. Para documentar posturas tempranas de Cortázar sobre la necesidad de integrar a nuestra vida lo irracional como un aspecto más de la naturaleza humana, véanse sus notas «Muerte de Antonin Artaud» *(Sur,* Buenos Aires, núm. 163, 1948, pp. 80-82), donde define el surrealismo (y su posición con respecto a él) e «Irracionalismo y eficacia» *(Realidad,* Buenos Aires, núm. 15, vol. V, 1949, pp. 250-259), donde vindica un irracionalismo de «signo positivo».

«La puerta condenada» y «No se culpe a nadie» siguen muy de cerca el diseño de «Casa tomada» o de «Bestiario» en cuanto suponen o se derivan de principios morales semejantes. Petrone, el protagonista de «La puerta condenada», constituye, con su egoísta, sórdida existencia de hombre de negocios, otra versión de los parasitarios hermanos de «Casa tomada». El llanto del niño y los mimos de la madre que trata de acallarlo escuchados por Petrone a través de la puerta de un hotel de Montevideo, son como el «mensaje» enviado por un mundo ajeno a él, una «zona» que contiene formas imprevistas de sufrimiento y ternura, donde lo humano significa mucho más que la lectura pasiva del diario (o la novela policial) y la firma de ventajosos contratos comerciales a que parece estar reducida la vida del personaje. (La relación de Oliveira con la Maga y el niño Rocamadour en *Rayuela* —con sus iluminaciones sobre el gozo y *pathos* de la vida profunda y generadora— viene aquí forzosamente a la memoria.) «No se culpe a nadie», bajo la apariencia de prolijos pormenores sobre las acciones del protagonista al ponerse un pulóver, desnuda otra vez la vaciedad, el sinsentido de hábitos sociales aceptados como normal programa de vida. A ese sinsentido, el autor opone otro, más misterioso en su arbitrariedad y que, en contraste, aparece menos absurdo: la súbita urgencia de entregarnos sin reservas al «juego», de dar el salto mortal y revelador —el del volatinero de Nietzsche desde la cuerda floja, el vicario de Oliveira sobre el tablón o el «real» que da al final de *Rayuela*—, todo o nada (¿nada y todo?). En suma, una parte colérica o «demónica» del personaje —esa garra de uñas negras que, saliendo por una manga del pulóver, apunta a sus ojos— se subleva frente a la costra de inocuas obligaciones a las que vive atado: ...«a las seis y media su mujer lo espera en una tienda para elegir un regalo de casamiento... hace fresco, hay que ponerse el pulóver azul, cualquiera cosa que vaya bien con el traje gris»... (p. 284). El suicidio viene a ser el acto límite que, en su impulso de aniquilamiento, conlleva la pasión, el estremecimiento vital que le faltaba. Más que justicia poética hay aquí el resarcimiento compensatorio —intuida ley natural— que proviene de ese «otro lado» irracional de la vida humana cuya represión da lugar a sus más terribles asaltos [12].

«La salud de los enfermos», «La autopista del sur» y «Reunión» ejemplifican, en situaciones diferentes, la posible solidaridad entre los hombres, como ya ha apuntado Néstor García Canclini. «La salud de los enfermos» desarrolla el tema del heroísmo *a lo grotesco* —con notas de humorismo cordial que recuerdan a Cervantes— en el escenario de un hogar de clase media; el esfuerzo de toda la familia por ocultar a una madre gravemente enferma la muerte de su hijo (y, después, de una hermana), posee el cómico patetismo que caracteriza el mundo del *Quijote*. No es difícil detectar aquí la admiración de Cortázar por el noble, si ridículo, esfuerzo de sus criaturas, como sucede a Cervantes con su Quijote [13]. Notable, sobre todo, en este sentido, es la lúcida ironía del

[12] Cf. «Creo que son otras las fuerzas que contuvieron a Artaud en la orilla misma del gran salto; creo que esas fuerzas moraban en él, como en todo hombre todavía realista a pesar de su voluntad de sobrerrealizarse; sospecho que su locura —sí, profesores, calma: estaba lo-co— es un testimonio de la lucha entre el homo sapiens milenario (¿eh, Sören Kierkegaard?) y ese otro que balbucea más adentro, se agarra con uñas nocturnas desde abajo, trepa y se debate, buscando con derecho coexistir y colindar hasta la fusión total. Artaud fue su propia amarga batalla, su carnicería de medio siglo; su ir y venir del *Je* al *Autre* que Rimbaud, profeta mayor y no en el sentido que pretendía el siniestro Claudel, vociferó en su día vertiginoso» («Muerte de Antonin Artaud», p. 82).

[13] Sobre la presencia de Cervantes en Cortázar —aunque limitándose a *Rayuela*— es interesante el artículo de Edna Coll «Aspectos cervantinos en Julio Cortázar», en *Revista Hispánica Moderna*, año XXXIV, núms. 3-4, vol. II, 1968, pp. 596-604.

final, cuando los personajes todos comprenden que la comedia ha sido inútil, porque la madre se ha dejado engañar a sabiendas: ... «sabían ya que María Laura tenía razón; sabían lo que de alguna manera habían sabido siempre» (p. 131). «Ahora podrán descansar... Ya no les daremos más trabajo», son las últimas palabras de la madre. Pero justamente por su gratuidad, el sentimiento piadoso que los ha unido se percibe como lo único importante y se convierte, a fin de cuentas, en móvil ejemplar.

«La autopista del sur» no requiere abundante comentario, ya que ha sido objeto de sendos trabajos de Federico Peltzer [14] y Roberto González Echevarría [15], donde los autores ponen de relieve extensamente lo que se puede llamar «contexto moral» en los cuentos de Cortázar. Tan obvia es la intención de Cortázar que González Echevarría se ve obligado a tratar en detalle el mencionado aspecto antes de descartar la interpretación del relato en este plano y pasar a otras de sus implicaciones como más dignas de atención. González Echevarría resume así su pensamiento al promediar el ensayo:

«Se podría muy bien concluir, pues, particularmente en vista del final algo melodramático, que Cortázar ofrece en «La autopista del sur» una alternativa a la civilización moderna; que el cuento es una acusación contra la vida moderna. En breve, que la doble exposición crea una dialéctica entre el mundo moderno y el primitivo presentes en las dos imágenes. Sin embargo, aunque esta interpretación pueda ser válida y justificable, me parece que la «topicalidad» del

---

[14] «'La autopista del sur', de Julio Cortázar», *Lugones*, Córdoba (Argentina), año 1, núm. 1, jul.-sept. 1968, pp. 77-88.

[15] «'La autopista del sur' and the Secret Weapons of Julio Cortázar's Short Narrative», *Studies in Short Fiction*, Newberry, South Carolina, vol. VIII, 1, Winter 1971, pp. 130-140.

cuento oculta una reflexión más profunda, no directamente acerca de la condición humana, sino acerca de la narrativa» [16].

Sin embargo, a pesar de sus atinadas consideraciones posteriores, el tema del relato tal como él lo ha formulado primero, se impone de manera irresistible. Sin duda, la riqueza de la narración da para muchas especulaciones, pero la armazón del cuento, lo que lo sostiene, es su visión utópica de «alternativa» al mundo contemporáneo, forma de protesta de Cortázar, en última instancia, contra la deshumanización mecánica reinante. No es necesario insistir tampoco sobre «Reunión», donde lo ético adopta forma de compromiso político (con la revolución cubana por marco y Che Guevara como personaje central) dentro del cuadro que presento aquí; García Canclini caracteriza el relato con acierto como testimonio «de la lucha para reivindicar los derechos de todos» [17].

Me referiré también brevemente a otros relatos, limitándome a señalar el fundamento ideológico en que se apoyan sus diseños. El tema de «Lejana» consiste, en esencia, en la inversión de términos de una relación donde uno de los partícipes se ha estado beneficiando en detrimento de otro. Se argüirá que Alina Reyes y la mendiga de Budapest son, en realidad, *dos en una,* en el fondo la misma persona; pero no es menos cierto que, en cuanto partes de una doble «figu-

---

16 «It could very well be concluded then, particularly in view of the slightly melodramatic ending, that Cortázar offers in «La autopista del sur» an alternative to modern civilization; that the story is an indictment against modern life. In short, that the double exposure creates a dialectic between the modern and primitive worlds present in the two images. Yet, while this interpretation may be valid and justifiable, it seems to me that the «topicality» of the story conceals a more profound reflection, not directly about man's condition, but about fiction» *(loc. cit.,* p. 137).

17 García Canclini, *op. cit.,* p. 74.

ra»[18] anímica, cada una, aun cuando presienta a la otra, conserva el sitio o papel que le ha tocado hasta que se produce el intercambio o «pasaje»[19] final. Este «pasaje» opera como una, justa, redistribución de funciones en la estructura previa. A la mendiga le tocará en satisfacción de su largo sufrimiento, el *confort* y la feliz despreocupación de Alina, y a ésta, el sacrificio de la mendiga, que tiene algo de punitivo (o purgativo) para Alina. El cambio parece ya, por otra parte, irreversible.

El hecho de que el cuento esté narrado siempre desde el punto de vista de Alina, elimina la posibilidad de que, tras el abrazo-fusión de las dos mujeres en el significativo puente, las reacciones finales se atribuyan a la mendiga. El sujeto referido continúa siendo Alina, en su nueva situación, que por serlo le resulta intolerablemente dolorosa:

---

[18] Vale la pena registrar aquí la idea que de «figuras» tiene Cortázar. En sus propios términos: «Persio es la visión metafísica de esa realidad corriente. Persio ve las cosas desde lo alto como las ven las gaviotas. Es decir, es una especie de visión total y unificadora. Allí tuve por primera vez una intuición que me sigue persiguiendo, de la que se habla en *Rayuela* y que yo quisiera poder desarrollar ahora a fondo en un libro. Es la noción de lo que yo llamo las figuras. Es como el sentimiento —que muchos tenemos, sin duda, pero que yo sufro de una manera muy intensa— de que aparte de nuestros destinos individuales somos parte de figuras que desconocemos. Pienso que todos nosotros componemos figuras. Por ejemplo, en este momento podemos estar formando parte de una estructura que se continúa quizás a doscientos metros de aquí donde a lo mejor hay otras tantas personas que no nos conocen como nosotros no las conocemos. Siento continuamente la posibilidad de ligazones, de circuitos que se cierran y que nos interrelacionan al margen de toda explicación racional y de toda relación humana». (Harss, *op. cit.*, pp. 277-278). Es la idea que ha desarrollado «a fondo», según anuncia en el texto transcrito, en *62. Modelo para armar.*

[19] «Pasajes» titula Cortázar, significativamente, la sección de *Relatos* que comprende entre otros, «Axolotl», «Lejana» y «Una flor amarilla».

> Le pareció que dulcemente una de las dos lloraba. Debía ser ella porque sintió mojadas las mejillas, y el pómulo mismo doliéndole como si tuviera allí un golpe. También el cuello, y de pronto los hombros, agobiados por fatigas incontables. Al abrir los ojos (tal vez gritaba ya) vio que se habían separado. Ahora sí gritó. De frío, porque la nieve le estaba entrando por los zapatos rotos, porque yéndose camino de la plaza iba Alina Reyes lindísima en su sastre gris, el pelo un poco suelto contra el viento, sin dar vuelta la cara y yéndose (p. 438).

No creo que sea muy distinto este «pasaje» del que se produce en «Axolotl», donde la compasión del narrador lo lleva a participar realmente, dentro de un axolotl, del sufrimiento que intuye en estos animales. «Sufrían —dice—, cada fibra de mi cuerpo alcanzaba ese sufrimiento amordazado, esa tortura rígida en el fondo del agua. Espiaban algo, un remoto señorío aniquilado, un tiempo de libertad en que el mundo había sido de los axolotl. No era posible que una expresión tan terrible que alcanzaba a vencer la inexpresividad forzada de sus rostros de piedra, no portara un mensaje de dolor, la prueba *de esa condena eterna, de ese infierno líquido que padecían*» (p. 426)[20]. En conclusión, la libertad proporcionada al axolotl mediante su «transmigración», exige el correspondiente sacrificio del hombre, que pasará al «infierno» de los axolotl. Conviene retener esta idea presente en «Lejana» y «Axolotl» —sacrificio en favor de otro, de su libertad o felicidad— pues se repetirá en sus líneas generales en «Las babas del diablo», que analizaré un poco más adelante. «Una flor amarilla» utiliza la noción de que «somos inmortales» para comunicar la creencia del autor en la esencial belleza de la vida, o en la necesidad eterna del disfrute de la belleza que, a contrapelo de dolores y fracasos, parece constituir para Cortázar una de las principales razones de

20 El subrayado es mío.

ser del hombre (¿tal vez *la cosa en sí?*). Después que el protagonista confiesa haber matado al joven Luc, a quien ha creído su encarnación futura, realiza el descubrimiento, atormentador por tardío, de esta verdad: ... «Usted sabe, cualquiera lo siente, eso que llaman la belleza. Justamente eso, la flor era bella, era una lindísima flor. Y yo estaba condenado, yo me iba a morir un día para siempre. La flor era hermosa, siempre habría flores para los hombres futuros. De golpe comprendí la nada, eso que había creído la paz, el término de la cadena. Yo me iba a morir y Luc ya estaba muerto, no habría nunca más una flor para alguien como nosotros, no habría nada, absolutamente nada, y la nada era eso, que no hubiera nunca una flor» (pp. 452-453). En «La noche boca arriba» no creo que se haya observado la coincidencia de circunstancias injustas que prevalecen en los tiempos simultáneos entre los cuales se reparte la existencia del protagonista, ciclista en una ciudad moderna e indio «moteca» en el período de esplendor de la cultura azteca. Las imágenes del cuchillo de obsidiana del sacerdote azteca y el bisturí del cirujano representan la casi inevitable consecuencia de organizaciones sociales en lo básico similares: de un lado, la de la casta religioso-militar de los aztecas, que hostiliza a los grupos más débiles sujetos a su dominio para satisfacer a sus crueles divinidades (consiguiendo así, al mismo tiempo, sus fines políticos); del otro, la sociedad contemporánea tecnocrática, donde el hombre, sometido a un frío maquinismo, es también víctima expiatoria de los frecuentes desajustes del engranaje. El sacrificio impuesto al protagonista, por condiciones «inhumanas» en ambos casos, es el punto de contacto entre los dos mundos, el acontecimiento que los relaciona. «Cartas de mamá» y «Las armas secretas» son, por otra parte, historias de culpa y de castigo (y subyacente cargo de conciencia). En la primera, el «fantasma» de Nico

—traicionado en Buenos Aires antes de su muerte por su hermano Luis y por Laura, su antigua novia— se presenta para hacer mayor el remordimiento que ensombrece la vida de casados de Luis y Laura en París. Lo que ha empezado como una posible confusión mental de la madre de Luis (el anuncio en sus cartas del inminente viaje de Nico a París), termina por convertirse en implacable realidad para Luis y Laura. La «aparición» de Nico, en visión compartida por ambos, en la estación de trenes, es el símbolo en donde se concentra de modo ya agobiador, al fin del relato, el drama de conciencia de los personajes. «Las armas secretas» desarrolla una idea moral más compleja, pero, en el fondo, su esquema es semejante. El soldado alemán que ha abusado de Michèle durante la ocupación «regresa» mediante la «posesión» de Pierre, el novio de la muchacha, para vengar en ella su asesinato, cometido por Roland y Babette, viejos amigos de ella. Si bien es cierto que la violación de Michèle, entonces casi una niña, engendra en sus amigos miembros de la resistencia el deseo de hacer justicia, no es menos cierto que ésta se ejecuta de manera poco escrupulosa, se convierte más bien en sañuda represalia. El diálogo que cierra el relato entre Roland y Babette, evocador de la muerte del alemán, es de especial significación. Tiene un aire defensivo en exceso, con esas justificaciones que suelen aducirse cuando no se está muy seguro de haber actuado rectamente (de acuerdo con el código de conducta al que se obedece). La necesidad de alcohol que manifiesta Roland al final indica, aún más elocuentemente que todas las palabras previas, la desazón causada por este recuerdo. Cito la última parte:

> —Sí, era un cochino —dice Roland—. El ario puro, como lo entendían ellos en ese tiempo. Pidió un cigarrillo, naturalmente, la ceremonia completa. También quiso saber por qué íbamos a liquidarlo, y se lo explicamos, vaya si se lo explicamos. Cuan-

do sueño con él es sobre todo en ese momento, su aire de sorpresa desdeñosa, su manera casi elegante de tartamudear. Me acuerdo de cómo cayó, con la cara hecha pedazos entre las hojas secas.

—No sigas, por favor —dice Babette.

—Se lo merecía, aparte de que no teníamos otras armas. Un cartucho de caza bien usado... ¿Es a la izquierda, allá en el fondo?

—Sí, a la izquierda.

—Espero que haya coñac —dice Roland, empezando a frenar (pp. 518-519).

Cortázar, sin duda, condena la acción del soldado alemán, pero al mismo tiempo tiene en cuenta la atrocidad de su muerte, que sitúa a estos *maquis* en un plano semejante de indignidad, cuando la actitud moral opuesta debía haber prevalecido. Al cabo, no han hecho sino perpetuar un mal, que ahora resurge con el mismo espíritu vindicativo que los movió a ellos.

He reservado para el final «Las babas del diablo», por parecerme un caso notable de relato «ejemplar», que exige tratamiento más extenso. El *motivo* de «Las babas del diablo», tan rico en alusiones (no es un capricho que sirva de título al cuento) aparece como el punto de confluencia de la acción, o, si se prefiere, su crisis o *turning point*. Es el momento en que el chico se escapa, «perdiéndose como un hilo de la Virgen en el aire de la mañana»; inmediatamente el narrador comenta: «Pero los hilos de la Virgen se llaman también babas del diablo y Michel tuvo que aguantar minuciosas imprecaciones»... (p. 531).

Pero vayamos por partes. Hasta el momento en que el chico huye, Michel, el protagonista, contempla, con creciente comprensión de lo que sucede, los movimientos de una pareja en un parque. Tras la primera impresión (una pareja de amantes), Michel nota la gran diferencia de edades: «Lo que había tomado por una pareja se parecía más a un chico con su madre, aunque al mismo tiempo me daba cuenta de que no era un chico con su madre, de que era una pareja en el sentido que damos siempre a las parejas cuando las vemos apoyadas en los parapetos o abrazadas en los bancos de las plazas» (p. 124). En seguida, advierte que se trata de una escena de seducción. La descripción de la mujer, un poco más adelante, predispone el ánimo del lector con respecto a ella:

> Todo el viento de esa mañana (ahora soplaba apenas, y no hacía frío) le había pasado por el pelo rubio que recortaba su cara blanca y sombría —dos palabras injustas— y dejaba al mundo de pie y horriblemente solo delante de sus ojos negros, sus ojos que caían sobre las cosas como dos águilas, dos saltos al vacío, dos ráfagas de fango verde. No describo nada, trato más bien de entender. Y he dicho dos ráfagas de fango verde (p. 526).

La imagen de la mujer termina por concentrarse en los ojos que son descritos por Michel como dos aves de presa o, insistentemente, como *dos ráfagas de fango verde.* El carácter que esta imagen tiene de figuración simbólica o, una vez más, arquetípica, se refuerza en la oración puente: «No describo nada, trato más bien de *entender*» [21]. Lo que Michel no puede entender es percibido por el lector del relato de manera más o menos expresa (la distancia del lector en relación con lo que ve Michel ayuda a crear esa complicidad con el autor afín a la «ironía dramática»). La mujer —considero casi innecesario señalar, por obvias, las connotaciones— es el monstruo mítico a la vez terrible y fascinador: hada mediadora del mal, sirena o maga (Lorelei y Circe). Pronto aparecerá su complemento. Es «el hombre del som-

---

21 El subrayado es mío.

brero gris» que, al parecer, leía indiferente el diario en su auto, pero que interviene cuando la mujer insulta a Michel por haber fotografiado la escena y, queda sobreentendido, por haber provocado la huida del chico. Ahora bien, lo que llama aquí la atención es que el *motivo* de «Las babas del diablo» precede a, o prepara, la intervención de este personaje. La descripción que hace Michel del hombre apunta también a lo arquetípico:

> Empezó a caminar hacia nosotros llevando en la mano el diario que había pretendido leer. De lo que mejor me acuerdo es de la mueca que le ladeaba la boca, le cubría la cara de arrugas, algo cambiaba de lugar y forma porque la boca le temblaba y la mueca iba de un lado a otro de los labios como una cosa independiente y viva, ajena a la voluntad. Pero todo el resto era fijo, payaso enharinado u hombre sin sangre, con la piel apagada y seca, los ojos metidos en lo hondo y los agujeros de la nariz negros y visibles, más negros que las cejas o el pelo o la corbata negra. Caminaba cautelosamente, como si el pavimento le lastimara los pies; le vi zapatos de charol, de suela tan delgada que debía acusar cada aspereza de la calle (pp. 531-532).

Este *payaso enharinado u hombre sin sangre* es demasiado clownesco de un lado y demasiado horrible del otro («los ojos metidos en lo hondo y los agujeros de la nariz negros y visibles...») como para que su «extrañeza» no sea tenida en cuenta. Es significativo, sobre todo, su modo de caminar «cautelosamente, como si el pavimento le lastimara los pies». ¿No tenemos aquí una concreción metafórica del mal absoluto, o, más precisamente, una nueva versión de su paradigma, «el diablo en persona»? En esta versión, por cierto, no falta un rasgo típico: el de las patas de cabra, sugerido en el difícil andar (los zapatos le resultan incómodos). Recuérdese, más que el ya convencional Mefistófeles de la leyenda medieval (según la visión fijada por Marlowe y Goethe), en la recreación de esta «entidad» por Thomas Mann en *Doctor Faustus,* y más que en la escena de la tentación de Adrián, en algunos personajes que la anticipan, como el de Schleppfuss. Cosa de «arte diabólica» parece también la animación de la foto, donde se le revelará a Michel la verdadera participación del payaso espectral en el asunto. Claro que Michel no percibe o no puede percibir esta cualidad; su función en cuanto narrador-protagonista es, a pesar de su «ceguera», comunicar dicho contenido. (Buena muestra de la pericia narrativa de Cortázar, pues la dimensión simbólica del relato se logra admirablemente por vía indirecta, con una mínima interposición del autor-narrador objetivo.)

De cualquier modo, ya desde su primera intuición, Michel se siente satisfecho por haber prevenido la seducción del chico: «Lo importante, lo verdaderamente importante era haber ayudado al chico a escapar a tiempo (esto en caso de que mis teorías fueran exactas, lo que no estaba suficientemente probado, pero la fuga en sí parecía demostrarlo)» [p. 534]. El autor-narrador no quiere dejar lugar a dudas sobre el resorte que ha movido a Michel a realizar aquel acto, y explica: ... «Michel es puritano a ratos, *cree que no se debe corromper por la fuerza.* En el fondo, aquella foto había sido una *buena acción*» (p. 534) [22].

La reafirmación del carácter moral, salvador, de su acción ocurre en otro plano, en el de la fantasía, irrealidad, trasmundo o como quiera llamársele. Curiosamente, Michel se refiere a todo lo que ha venido haciendo (fijar la ampliación de la pared, contemplarla constantemente) como «actos fatales» (p. 534). Las imágenes de la foto empiezan a moverse: y todo se repetirá, a continuación, con ese aura de fatalidad que adquieren las películas ya vistas, o las historias y

---

22 Subrayados míos.

mitos conocidos. Lo que él frustró o dejó inconcluso, va a desarrollarse por fin frente a él, impotente ahora, en principio, para actuar. Michel ve lo que exactamente debía suceder: ... «esa mujer no estaba ahí por ella misma, no acariciaba ni proponía ni alentaba para su placer, para llevarse al ángel despeinado y jugar con su temor y su gracia deseosa. El verdadero amo esperaba, sonriendo petulante, seguro ya de la obra; no era el primero que mandaba a una mujer a la vanguardia, a traerle los prisioneros maniatados con flores» (p. 536). Cuando Michel imagina los pormenores de lo que aguarda al muchacho, concluye así: ... «el despertar en el infierno» (p. 536). Este «ángel despeinado», que ha huido antes perdiéndose *como un hilo de la Virgen* para ser sustituido por «Las babas del diablo», le parece también «la perfecta víctima que ayuda a la catástrofe» (p. 535), condenado, según lo ve ahora, a «despertar en el infierno». Esta frecuente oposición de lo angélico y lo diabólico en los giros verbales escogidos, intencionado juego pseudoteológico, revela una vez más la estricta dicotomía del Bien y del Mal como la siente, arquetípicamente, Cortázar. Parece inevitable, pues, que al intervenir Michel de nuevo dando un grito que se hace oír «del otro lado», defina así el resultado de su acción: «Por segunda vez se les iba, por segunda vez yo lo ayudaba a escaparse, lo devolvía a su *paraíso* precario» (p. 537)[23].

El desenlace aparece como «fatal» corolario de la «buena acción» de Michel. Ha desafiado al Mal cuando éste iniciaba una gestión «corruptora» y ha de sufrir las consecuencias. Michel no puede combatirlo con armas iguales. Ha de afrontar, indefenso, la airada venganza: ... «de frente estaba el hombre, entreabierta la boca donde veía temblar una lengua negra, y levantaba lentamente las manos, acercándolas

---

[23] Subrayado mío.

al primer plano, un instante aún en perfecto foco, y después todo él un bulto que borraba la isla, el árbol, y yo cerré los ojos y no quise mirar más, y me tapé la cara y rompí a llorar como un idiota» (p. 537). El protagonista se acerca así a un conocido modelo —el héroe de aventura caballeresca que sucumbe al maleficio de un encantador, si no del «Malo» mismo. Su encantamiento, su castigo, es permanecer aprisionado en ese limbo (¿o infierno?) que no aparecía originalmente en el encuadre de la foto: espacio neutro donde sólo suceden nubes y pájaros y monótonos cambios atmosféricos. El precio pagado por su «buena acción» ha sido muy alto; ignoramos si su condena es eterna o si se deshará en algún momento el «hechizo». Pero suponemos que para Michel, como para todo héroe romancesco, la satisfacción moral supera al tormento y el bien conseguido vale el sacrificio. O, al menos, tal parece querer decirnos, quijotescamente, Cortázar, el cruzado contra la pasividad y las medias tintas ante los dilemas morales planteados al hombre, el admirador de los pequeños y los grandes heroísmos, apologista del Che y militante en la revuelta francesa del 68.

Los postulados que creo haber establecido me parecen susceptibles de extenderse a relatos no examinados por mí. No pretendo, desde luego, que todos los relatos de Cortázar puedan ser estudiados a esta luz, pero el número de los que admiten tal interpretación es suficiente como para considerarla de modo destacado entre las exégesis posibles. «Se piensa dos veces antes de calificar a Cortázar de moralista, y él mismo se rehusa a toda fijación, a toda nomenclatura», opina Jean L. Andreu[24]. *Eppur*... Sí, es posible calificar a

---

[24] En «Cortázar cuentista», *Mundo Nuevo*, París, núm. 23, mayo de 1968, p. 90.

Cortázar de moralista, claro que en el mismo amplio sentido en que lo son tantos otros escritores contemporáneos, como Thomas Mann, E. M. Forster o André Gide, por no citar más que tres nombres señeros.

BÉCQUER ENTRE LA POESÍA Y EL TEATRO

PUNTO DE PARTIDA [1]

De 1859 a 1863 se presentan en Madrid cinco piezas líricas cuyos libretos aparecen firmados, unos, por *Adolfo García* y, otros, por *Adolfo Rodríguez,* seudónimos bajo los cuales se ocultan los nombres de Gustavo Adolfo Bécquer y Luis García Luna en el primer caso, y de aquél y Rafael Rodríguez Correa en el segundo. Una comedia en un acto y una zarzuela que no llegó a representarse, ambas bajo el seudónimo mencionado de *Adolfo García,* completan la producción dramática de Bécquer.

En 1856 se estrenó en el teatro de «Variedades» la comedia en un acto de carácter costumbrista y en verso *La novia y el pantalón.* Es éste el comienzo de una colaboración con García Luna que continuará hasta 1860, con los libretos de las zarzuelas *La venta encantada* (1859) —la cual no llegó a la escena—, *Las distracciones* (1859), *Tal para cual* (1860) y

[1] Gracias a Juan Antonio Tamayo contamos hoy con datos precisos y completos sobre la obra dramática de Bécquer y con una cuidada edición de los textos. Ver su estudio preliminar a *Teatro* de Gustavo Adolfo Bécquer (Madrid: Consejo Superior de Investigaciones Científicas, 1949). Todas las citas del teatro de Bécquer en el presente trabajo se hacen por dicha edición.

La cruz del valle (1860). En 1862 y 1863 se estrenan dos zarzuelas en cuyos libros colaboran Bécquer y Rodríguez Correa: *El nuevo Fígaro* y *Clara de Rosemberg.*

Seis zarzuelas, pues, y una comedia breve. Ahora bien, si observamos más atentamente, prescindiendo del carácter musical de las primeras, podremos concluir que se trata de tres comedias de un acto, y cuatro piezas extensas (de tres y dos actos). De estas cuatro últimas, tres son dramas *(La venta encantada*[2], *La cruz del valle* y *Clara de Rosemberg)* y la otra *(El nuevo Fígaro)* pertenece al género cómico. Para los efectos de este estudio, prefiero, sin embargo, la distinción genérica fundamental: el teatro de Bécquer, consta, según este criterio, de cuatro piezas cómicas (tres breves y una de tres actos) y tres dramas (los tres «líricos» o zarzuelas).

Todo inclina a pensar, dados los caracteres más señalados de la poesía de Bécquer, que será en los «dramas líricos» donde se encontrarán acentos peculiares, semejantes a los de muchas rimas. Sobre este punto téngase en cuenta que precisamente entre 1855 y 1859 se produce en Bécquer esa «conversión» hacia la forma de la rima que dice Schneider, y que en 1859 (fecha de publicación de *La venta encantada)* aparece la primera rima en el periódico *El Nene* (la que hoy conocemos con el núm. XIII)[3].

---

[2] Más que de la aventura de Don Quijote y sus posibles ribetes cómicos, *La venta encantada* se ocupa de las vicisitudes amorosas de Cardenio-Luscinda y Dorotea-Fernando.

[3] Franz Schneider, «Gustavo Adolfo as 'poeta' and his knowledge of Heine's 'Lieder'», *Modern Philology,* 19 (1922). Para las citas de las rimas sigo la edición de José Pedro Díaz: Bécquer, *Rimas* (Madrid: Clásicos Castellanos, 1963).

LOS DRAMAS Y LA POESÍA

La venta encantada, quizás la más pulida y ambiciosa en el sentido artístico, no alcanzó, como queda dicho, la puesta en escena: el estreno de una zarzuela de asunto semejante por Ventura de la Vega, *Don Quijote,* fue el obstáculo final al intento de los autores de hacerla representar. Ha señalado Juan Antonio Tamayo [4] cómo en *La venta encantada* se halla la primera rima de Bécquer. Son los siguientes versos que canta Cardenio:

> ¿Ves esa luna que se eleva tímida?
> Blanca es su luz;
> pero aún más blanca que sus rayos trémulos,
> blanca eres tú.

Cita Tamayo también como de «inconfundible sabor becqueriano», el siguiente pasaje de los cantables de dicha zarzuela:

> Reina el silencio en torno;
> nace la luna y sus balcones baña
> de fantástica luz; ella me espera,
> me espera palpitando
> de impaciencia y amor; auras suaves,
> llevad con el perfume
> de las nocturnas flores,
> llevad hasta sus verdes celosías,
> envueltas en suspiros,
> estas canciones mías.

Llevando más lejos la pesquisa, hallamos en su texto otros versos que, aun sin constituir unidades aisladas, ofrecen marcadas características becquerianas [5].

---

[4] *Loc. cit.,* pp. XLIV y XLV.

[5] Paul Patrick Rogers, en «Some pseudonyms and pseudonymous plays», apuntaba que especialmente en *La venta encantada,* «it is pos-

En el acto I, escena IV, dice Cardenio:

> ¿Mas... qué lejana música
> resuena en mis oídos?
> ¿Mas qué visión magnífica
> vagar confusa miro?

En los citados heptasílabos se puede percibir ese mundo de «himnos extraños» y «vagas visiones» que formará parte esencial de muchas rimas. En la misma escena, parte del cantable de Dorotea, se lee:

> Cruza, cruza en blando vuelo
> como peregrina errante.

Vienen a la memoria de inmediato los versos de la Rima II:

> Saeta que voladora
> cruza, arrojada al azar...

Aparte la semejanza de las imágenes (en los primeros versos el personaje se dirige a una tórtola, que es su representación; en los segundos, el poeta se presenta como una saeta voladora), el contenido general de la Rima II concuerda de modo notable con los versos de la zarzuela. La estrofa final de la rima sugiere la misma «peregrinación errante»:

> Ese soy yo, que al acaso
> cruzo el mundo sin pensar
> de dónde vengo ni a dónde
> mis pasos me llevarán.

Es común, además, esa reminiscencia de romance y canción popular (uso del octosílabo en ambos casos y de la aso-

sible to recognize verses that could only be written by the author of such lines as 'Olas gigantes que os rompéis bramando' or 'Nuestra pasión fue un trágico sainete'...», *HR*, 7 (1939), p. 68.

nancia en la Rima II) frecuente en Bécquer. En los versos de la zarzuela verdaderamente parece que escuchamos un cantar popular:

Cruza, cruza en blando vuelo
como peregrina errante;
mas no busques a tu amante,
que tu amante te olvidó.

Sin duda alguna, esta estrofa puede colocarse dentro de aquel género de poesía «natural, breve, seca», a que aludirá con entusiasmo Bécquer dos años después de publicarse *La venta encantada,* en la reseña a *La soledad,* de su amigo Ferrán.

Un poco más adelante (aún dentro de la escena IV y parte también del cantable de Dorotea), se hallan otros versos que revelan de modo tal vez más evidente «la mano» de Bécquer:

Como el relámpago
que cruza súbito,
brillante ráfaga
dejando en pos;
dejando ¡ay! mísera,
triste memoria,
así mi gloria
despareció.

Compárese con el ritmo y estructura de la Rima LXXII (segunda estrofa):

Aura de aplausos, nube radiosa,
ola de envidia que besa el pie,
isla de sueños donde reposa

el alma ansiosa,
¡dulce embriaguez
la gloria es!

Es innegable la semejanza no sólo formal (esa utilización de decasílabos y pentasílabos entre los que ciertos versos agudos marcan un compás especial), sino también del motivo común en relación con las imágenes escogidas. La gloria es «*relámpago* que cruza súbito, *brillante ráfaga* dejando en pos», en el cantable de Dorotea; «es *aura de aplausos,* nube *radiosa*», en la rima, y ambas estrofas, además, despliegan ese típico juego becqueriano de imágenes conceptualmente oscuras que desembocan en un final explicativo[6]: «Así mi gloria / despareció», «¡dulce embriaguez / la gloria es!».

En *La cruz del valle* han sido destacados por Tamayo varios fragmentos atribuibles a Bécquer. Así, el siguiente (Acto III, escena I), del cantable de Adelaida:

Onda de perlas, luz y colores,
alada hermana del rojo sol,
tú das hermosa vida a las flores,
oro a las nubes, calma al dolor.

Vanos fantasmas, nuncios de duelo,
si es vuestra madre la oscuridad,
ved... ya la aurora brilla en el cielo;
desvaneceos... pasad... pasad...

Y estos otros, de la escena V de ese acto III:

Yo atravesaba un páramo
con sed de inmenso amor,
y cuando hallé una fuente,
la fuente se agotó.

....

[6] Ese rasgo de la poesía de Bécquer ha sido admirablemente estudiado por Carlos Bousoño en «Las pluralidades paralelísticas de Bécquer»: *Seis Calas en la expresión literaria española,* de Dámaso Alonso y Bousoño (Madrid: Gredos, 1951).

En el jardín del mundo
la dicha es una flor
que se doblega y muere
al soplo del dolor;

Pero es curioso que haya pasado inadvertido a Tamayo el que transcribo a continuación (Acto II, escena IV, en boca de Luisa):

...nunca la naturaleza
me agrada como en las horas
en que misterioso reina
ese silencio de muerte
que predice la tormenta;
en que la nube se apiña
o en jirones rota ondea,
en que enmudecen los vientos,
en que la atmósfera pesa,
huyen al bosque las aves,
gimen las ondas inquietas,
y del relámpago brilla
a intervalos la luz trémula.

Encontramos en este fragmento: primero, una actitud especial hacia la naturaleza que caracterizará parte de la poesía de Bécquer; segundo, un conjunto de notas estilísticas inconfundibles.

Esa actitud hacia la naturaleza, la que ha llamado José Pedro Díaz *naturaleza en el tiempo* o *natura naturata* [7], tiene en estos versos cabal ejemplo. Ahí está el poeta enmarcado en la naturaleza, manifestando una particular emoción, determinante de su «temporalidad esencial» —para usar palabras del propio Díaz—, es decir, viviendo o reviviendo un instante estrechamente ligado a ciertos acontecimientos natura-

[7] *G. A. Bécquer: Vida y Poesía,* 2.ª ed. (Madrid: Gredos, 1958), pp. 288-293.

les que se repetirán eternamente, en contraste con lo transitorio de la vida del hombre:

> ...nunca la naturaleza
> me agrada como en las horas...

Todo un espectáculo, «aquel denso telón de fondo» de que habla Díaz, se ofrece entonces a nuestros ojos, pero de tal modo relacionado con la evocación personal del poeta, del hombre, que sentimos a éste expresarse dramáticamente en el ambiente presentado.

Por otra parte, ya he adelantado que existen aquí aspectos estilísticos reconocibles a primera vista: ciertas palabras «claves» del lenguaje de Bécquer aparecen en giros acostumbrados por el poeta. Bastará citarlos sin mayor insistencia: 1) *misterioso silencio* de muerte, 2) nube que *ondea* rota en *jirones,* 3) *olas* inquietas que *gimen,* 4) luz *trémula* que *brilla* a *intervalos* (así en el texto; Bécquer favorecería *intérvalos).*

En la escena V del mismo acto II, se lee:

> Al rumor de las hojas
> que el aire mueve,
> pienso en ti noche y día
> junto a la fuente.
> Y con mis lágrimas
> el agua que bebemos
> se vuelve amarga.

Es otro ejemplo de cantar estilizado, que ofrece puntos de contacto con varias rimas, recordando especialmente por su tono y estructura a la Rima LX.

En el acto I, escena VI, canta el príncipe:

> Tú eres perla, que la concha
> guarda fiel como un tesoro,
> y yo soy el rayo de oro
> que chispea sobre el mar.

Si ambicionas luz que vaga
tornasole tu alba frente,
ven a mí ¡ven! que un torrente
de oro y luz te puedo dar.

Ese juego yo-tú, sello distintivo de Bécquer, se ve aquí en medio de tanto conocido elemento de su poesía, que una disección sería agobiadora por innecesaria y hasta disiparía, quizás, el efecto que el conjunto produce. Porque casi podemos afirmar que se trata de otra rima. Recuérdese, sobre todo, el segundo verso de la Rima LXII, que es una versión casi exacta de los versos tercero y cuarto de este fragmento:

raya de inquieta luz que corta el mar

Y aun toda la estrofa primera de dicha rima es como perfeccionado desarrollo del mismo tema:

Primero es un albor trémulo y vago,
raya de inquieta luz que corta el mar,
luego chispea y crece y se dilata
en ardiente explosión de claridad.

Por último, he aquí a Bécquer, llevado seguramente de un arranque humorista, en la versión a lo cómico de una rima (de esta vis cómica suya trataré en breve):

Dime, morena, dime,
dime, alma mía.
Si de tu Dryn te acuerdas
durante el día.
Si cuando roncas,
fugaz pasa en tus sueños
mi aérea sombra.

(Acto II, escena V)

En *Clara de Rosemberg* se observan notas becquerianas en los siguientes versos del cantable de Clara:

> Cual pasada la tormenta
> brilla ufana lumbre pura
> hoy un rayo de ternura
> mi tristeza iluminó.
>
> (Acto I, escena V)

Y en éstos, parte del cantable de Valmor:

> De tu inocencia fúlgido
> el sol torna a brillar;
> al fin podré tus lágrimas
> con besos enjugar.

El fragmento que transcribimos a continuación es un ejemplo del poeta, como ha dicho Cernuda [8], «del amor desesperado»:

> ¿Quién nos dijera a los dos
> cuando inocente, dormías
> de mi regazo al calor,
> cuando al verte tan hermosa,
> presa de extraña ambición,
> soñaba para ti un trono,
> soñaba dicha y amor,
> los goces y los placeres
> que el oro trae de sí en pos;
> ¿quién entonces nos dijera
> que, al cabo, en vértigo atroz,
> convertido este deseo
> con un eterno dolor...

[8] Luis Cernuda, «Bécquer y el romanticismo español», *Cruz y Raya*, Madrid, mayo 1935, p. 65.

Naturalmente, hemos de aislar estos versos de su contexto, en el cual se pierde el carácter apuntado, pues el parlamento termina, acorde con el personaje que habla:

> la realidad compraría
> de mi paterno dolor?
> (Montalván, Acto II, escena VII)

Igualmente los versos que siguen parecen un anuncio del tono de esas rimas amorosas como la XXXI, la XXXVI, la XXXVII, la XLI, la XLIV y la L, donde el poeta dialoga con el ser amado, evocando un pasado de armonía, argumentando, explicando, doliéndose del alejamiento sobrevenido:

> Pero sé que es imposible,
> sé que hay una valla eterna
> entre los dos, que ni tú
> ni yo podemos romperla.
> ¡Dios acaso un día!...

Tal parece la estrofa final de una rima; de una rima que no fue empezada.

En el coro final de la zarzuela se repiten ciertos rasgos apuntados y ejemplificados en otros casos: los versos agudos rimados cada cuatro versos, como en las rimas II y III; la disposición paralela de las estrofas hacia un final explicativo; el ritmo general logrado por la conjunción de estos dos recursos.

Veamos:

> Como en Oriente fúlgido
> tras de la noche oscura
> brilla del alba pura
> el nítido arrebol,
> de la calumnia pérfida
> pronta a rasgar el velo
> brilla en mitad del cielo
> de la inocencia el sol.

En conclusión, notas distintivamente becquerianas pueden hallarse en las tres zarzuelas, reveladas tanto en esquemas formales como en ciertos temas que veremos desarrollados después en las *Rimas*. La colaboración de Bécquer en dichas obras parece haberse concentrado principalmente en la parte cantable, aunque en algunos parlamentos del diálogo, de intenso lirismo, se descubre también su intervención.

LAS COMEDIAS Y EL HUMORISMO

> No existe un solo relato ni poema becqueriano que revele tendencia a la comicidad, limitándose al campo de lo sentimental, lo misterioso y lo trágico.

Dice Tamayo en las notas dedicadas a *La novia y el pantalón*[9] y atribuye a García Luna

> la idea del truco y los detalles de su realización... por la sencilla razón de que éste [Bécquer] carecía de vena cómica.

Si parece demostrado que Bécquer cuidó, especialmente, la parte de los cantables de las zarzuelas, labor más afín a su capacidad lírica, es inadmisible, por otra parte, que le niegue Tamayo talento para lo cómico. Y, más aún, que limite su participación al mínimo en esa comedia con el débil argumento de que resortes cómicos «de tan baja calidad» no pueden haber surgido «de la imaginación de tan alto poeta». Se refiere Tamayo al hecho de que los personajes masculinos, por no poseer más que un pantalón en común, han de salir a escena, alternadamente, en ropas menores. Conste que el mismo Tamayo se encarga de aclarar que «en la citada pieza no existe la más leve alusión que pueda ofender

[9] *Loc. cit.*, p. XXXVII.

el decoro, y los apuros de los protagonistas se resuelven en puro juego».

Como puede observarse, ni el recurso es «de tan baja calidad» ni con el apoyo de tan subjetivas apreciaciones es dado determinar que Bécquer sólo trabajó en el acabado formal de la pieza, o sea, elaborando los versos que integran sus diálogos. Además, el argumento de la obra, basado en la vida de jóvenes artistas que tratan de abrirse paso en Madrid, parece deber algo a la memoria (o experiencia) de Bécquer.

Por lo demás, la pieza no tiene pretensiones de originalidad. Sigue el tono común a la comedia costumbrista de moda por entonces y sólo en versos aislados se percibe alguna alusión a los primeros años del poeta en la corte:

> Y en ilusiones vagando
> y objetos reproduciendo
> logro estar siempre leyendo.

El humor amargo de ciertos versos, acerca de la oscuridad y penurias del artista joven defraudado en sus aspiraciones, parece también acorde con el estado de ánimo de Bécquer en aquellos tiempos:

> ...Lauros de la juventud
> que antes de tocar las frentes
> los marchitan inclementes
> la envidia o la ingratitud.

Pero, desde luego, ningún argumento sólido puede esgrimirse para determinar en qué medida participó Bécquer en la construcción de la comedia.

Desgraciadamente, las otras piezas cómicas que se conservan no son sino imitaciones o adaptaciones sin mayor mérito, con excepción de *Tal para cual*, de asunto, sin embargo, viejo y manido (los criados disfrazados de señores).

Examinemos ahora la afirmación de Tamayo de que el poeta carecía de vena cómica. Ejemplos de la prosa y la poesía de Bécquer bastarán para contradecir ese aserto.

Acerquémonos, por ejemplo, a las Cartas Literarias *Desde mi celda*. Tomemos la Carta I. Un profundo sentido del humor, del que se sirve la mejor literatura cómica, recorre toda la descripción del viaje a Veruela. ¿Y no es un personaje cómico trazado con singular habilidad aquel «señor de unos cuarenta años, saludable, mofletudo y rechoncho» que hace imposibles por molestar a sus compañeros de viaje? Véanse estas líneas:

> Nuestro hombre, sin embargo, prosiguió impertérrito practicando la misma peligrosa operación tantas veces cuantas paraba el tren, hasta que al cabo, no sé si cansado de este ejercicio o advertido de la escena muda de arropamiento general que se repetía tantas veces cuantas él abría la ventanilla, cerró con aire de visible mal humor los cristales, tornando a echarse en su rincón, donde a los pocos minutos roncaba como un bendito, amenazando aplastarme la nariz con la coronilla en uno de aquellos bruscos vaivenes que de cuando en cuando le hacían salir sobresaltado de su modorra, para restregarse los ojos, mirar el reloj y volverse a dormir de nuevo [10].

Y en la Carta VI, la conversación con la sirvienta, a propósito de la tía «Casca», constituye un diálogo donde se dan la mano comicidad y afable ironía de una manera ejemplar:

> —No es esto decir que yo le tenga miedo a la bruja, pues de los míos sólo a mi hermana la mayor, al «pequeñico» y a mi padre puede hacerles mal.

---

[10] Gustavo Adolfo Bécquer, *Obras Completas*, décimotercera edición (Madrid: Aguilar, 1969), pp. 505-506. Las citas de prosa que siguen se harán por esta edición, con la referencia *O. C.* y número de página a continuación, dentro del texto.

—¡Calle! ¿Y en qué consiste el privilegio?

—En que al echarnos el agua no se equivocó el cura ni dejó olvidada ninguna palabra del Credo.

—¿Y eso se lo has ido tú a preguntar al cura tal vez?

—¡Quiá! No, señor; el cura no se acordaría. Se lo hemos preguntado a un cedazo.

—Que es el que debe saberlo... No me parece mal.

¿Y cómo se entra en conversación con un cedazo? Porque eso debe de ser curioso *(O. C.*, p. 572).

En diversos artículos periodísticos aparece también ese Bécquer sonriente, que dice lo serio en broma, como en el fechado el 16 de agosto de 1864, *El calor*, donde hace burla y parodia de sí mismo y de su «literatura». Me limito a una breve muestra:

¡Ah! ¡Detestable estío! ¿Conque ésa me tenías guardada? ¿Así me pagas los innumerables versos de arte mayor y menor con que en mi adolescencia, y cuando yo hacía versos a porrillo a cuanto se me ponía por delante, he cantado tus engañosos placeres? Esta ingratitud me conmueve, voy a limpiarme de nuevo el sudor, ya que a pesar de todo, las lágrimas son tan rebeldes que se niegan a acudir a mis ojos, secos como el esparto *(O. C.*, p. 1076).

Un tesoro, publicado en el «Almanaque de *El Museo Universal*» en 1866, revela también su pericia para el diálogo de humor. Un quijotesco arqueólogo, en busca de reliquias en el pueblo de Cebollino, cree haber hallado el fragmento de un «vaso» antiguo. El mesonero que acompaña al arqueólogo y su ayudante, inicia con su lamentación este trozo de diálogo, donde las reticencias escatológicas consiguen el «efecto» cómico.

—¡Ah!, desdichado de mí, en qué menguada hora vine al mundo. ¡Pensar que he tenido la fortuna en mis manos y no he sabido conocerla!

—¿Qué dice usted, buen hombre? —exclamaron a un tiempo Don Restituto y su compañero de glorias y fatigas.

—Lo que ustedes oyen. Esa biota, o lagena, o berenjena, o como usted quiera llamarla, ese tesoro, en fin, lo he tenido yo por espacio de muchos años en mi casa, hasta que en la última enfermedad de mi padre se inutilizó, no sé por qué accidente, y arrojé los cascos en este estercolero. ¡Bestia de mí, que en tan bajas cosas lo empleaba y tan poco cuidado puse en su conservación!

—Y diga, buen amigo, le interpeló don Restituto, que comenzaba a escamarse, ¿dónde se hizo usted con este... vamos, llamémosle vaso?

—En la feria de un pueblo vecino se lo compré a un cacharrero.

—¿Y lo dedicaba usted a...?

—Sí, señor.

—Luego, en suma, no era ni más ni menos que un...

—Justamente *(O. C.,* p. 751).

La caracterización tópica de la poesía de Bécquer como circunscrita a «lo sentimental, lo misterioso y lo trágico» (en el juicio de Tamayo reproducido arriba) o a «lo evanescente», según presupone un artículo de los últimos años [11], es, por otra parte, a la vez resultado y sustento de una tenaz omisión. Es hora ya de tener en cuenta ese otro Bécquer de las rimas que «se destacan, por el contrario, por su apego a lo concreto, lo preciso y lo objetivo», como anota con acierto Geoffrey Ribbans en un interesante estudio [12]. Ribbans examina aquellas rimas donde el poeta analiza, en una gradación cada vez más «objetiva», el desengaño amoroso, las XLII, XLIII, XLVI, XXXI, LXXIX, LI, XLIX, XXXIII, XXX, L, XLI (en este orden). En ellas el sufrimiento se va, efectiva-

---

11 J. M. Aguirre, «Bécquer y 'lo evanescente'», *BHS,* 41, (1964).

12 «Objetividad del análisis del desengaño en las *Rimas*», *RFE,* 52, (1969), 67-81.

mente, distanciando mediante una ironía que pasa de cierto tono patético, autopiadoso, al comentario reflexivo. La nota prosaica, conversacional, de todos estos poemas, por lo demás, me parece de señalado carácter dramático, en el sentido literal o más llano. Son como cabos de un diálogo, según he apuntado en otra parte de este trabajo, donde el poeta aspira sobre todo a la exactitud al describir su estado presente o la emoción pasada, o al resumir las causas y consecuencias de la fracasada «historia» de amor. ¿No es acaso posible concebirlas como parlamentos en una «acción» dramática cuya situación está de algún modo sugerida?

Es oportuno destacar aquí también que Bécquer, en varias rimas, cae en ironías burlonas o zahirientes donde lo «cómico» no lo es menos por dejar entrever el fondo amargo (cualidad, a fin de cuentas, inherente a la comedia, según señalaba Bergson). En esas rimas vemos a Bécquer en el extremo opuesto a la «expansión» del tiempo pleno (el de la correspondencia amorosa) o la aún mayor de la aspiración al «infinito» (reunión con el principio, regreso al Amor, a Dios); el poeta se muestra «contraído», enfrentado a lo material en lo que tiene de más ramplón o limitador. Véase, como primer ejemplo, la Rima XXVI, donde se rebaja irónicamente el oficio de la poesía; la excepción genial de quien «la escribe» no parece aplicársela Bécquer inmodestamente, sino que más bien parece aludir a la circunstancia de haber prostituido su talento —por necesidad, ya lo sabemos, pero prostitución al fin—, como fue el caso, por desgracia, de su labor para el teatro:

Voy contra mi interés al confesarlo,
no obstante, amada mía,
pienso cual tú que una oda sólo es buena
de un billete del Banco al dorso escrita.

No faltará algún necio que al oírlo
se haga cruces y diga:
Mujer al fin del siglo diez y nueve
material y prosaica... Bobería!
Voces que hacen correr cuatro poetas
que en invierno se embozan con la lira!
Ladridos de los perros a la luna!
Tú sabes y yo sé que en esta vida
con genio es muy contado el que la *escribe*
y con oro cualquiera *hace* poesía.

La LXVII es muy significativa. La lectura de la rima sólo alcanza su verdadera dimensión irónica en el contexto de la última estrofa; de todos modos, el disfrute sensual de las cosas que nos traen, *naturalmente,* las distintas estaciones del año, nos revela el lado inescapablemente terrestre del poeta de los «trasmundos». Los versos finales, de una vulgaridad que busca la sonrisa o franca risa —lúcida, comprensiva, desde luego— del lector, componen un rasgo cómico que, por ser «resolución» del poema, se convierte en dominante. Es importante tomar en consideración, también, que en el penúltimo verso del manuscrito original se lee «*qué desgracia*» en vez de «*qué fortuna*», lo cual parece más en consonancia con el sentido total del poema:

¡Qué hermoso es ver el día,
coronado de fuego levantarse,
y a su beso de lumbre
brillar las olas y encenderse el aire!

¡Qué hermoso es tras la lluvia
del triste Otoño en la azulada tarde,
de las húmedas flores
el perfume aspirar hasta saciarse!

¡Qué hermoso es cuando en copos
la blanca nieve silenciosa cae,

de las inquietas llamas
ver las rojizas lenguas agitarse!

Qué hermoso es cuando hay sueño
dormir bien... y roncar como un sochantre...
y comer... y engordar... ¡y qué fortuna
que esto sólo no baste!

El recurso del final «discordante» o grotesco también está en la XXXIV y la XLV: ...«¿Que es estúpida? ¡Bah! Mientras, callando / guarde oscuro el enigma, / siempre valdrá, a mi ver, lo que ella calla / más que lo que cualquiera otra me diga» (XXXIV); ...«¡Ay!, es verdad lo que me dijo entonces: / verdad que el corazón / lo llevará en la mano..., en cualquier parte..., / pero en el pecho, no» (XLV).

Ribbans incluye en su estudio la Rima LXXIX, que me parece ofrecer semejanzas con el tipo de ironía desenfadada, donde la amargura apunta a cierto tono de comedia, que voy mostrando. Comentando la última estrofa dice Ribbans que el poeta «ha ido a parar en una especie de cínico relativismo» [13]. La transcribo para facilitar su cotejo con las que acabo de citar:

Una mujer me ha envenenado el alma,
otra mujer me ha envenenado el cuerpo;
ninguna de las dos vino a buscarme,
yo de ninguna de las dos me quejo.

Como el mundo es redondo, el mundo rueda.
Si mañana, rodando, este veneno
envenena a su vez ¿por qué acusarme?
¿Puedo dar más de lo que a mí me dieron?

---

[13] Concluye Ribbans: «Uno de los poemas más directos y concentrados, es el que por su contenido menos 'poético' mejor destruye la fácil imagen de un Bécquer irremediablemente sentimental e ingenuo propagada sobre todo por sus primeros apologistas», *loc. cit.*, p. 75.

Actitud parecida ofrece la brevísima LXXVII, donde más que simple despecho de enamorado creo ver una satírica alusión a la «manía» científica («material y prosaica» como la mujer de la Rima XXVI) predominante en aquella segunda mitad del siglo. El «tú» aquí me parece representar esa mentalidad positiva y «progresista»:

> Dices que tienes corazón, y sólo
> lo dices porque sientes sus latidos;
> eso no es corazón... es una máquina
> que al compás que se mueve hace ruido.

Cierto que aquí como en otras rimas se percibe la torcedura de lo sentimental hacia lo mordaz, a la manera de Heine, pero no podemos aislar a Bécquer de su realidad social sin cometer un grave error. Bécquer ve en el triunfante espíritu científico algo necesario y digno de su adhesión, pero al mismo tiempo el romántico que vive en él se rebela contra el «prosaico rasero de la civilización» —a sabiendas desesperada, inútilmente— en nombre de «las poéticas tradiciones» *(O. C.,* pp. 543 y 541)[14]. En *Desde mi celda,* la Carta IV, de donde proceden las citas anteriores, presenta de modo muy evidente este conflicto; por él se explican las contradicciones (sarcasmos y ansias místicas, fe y escepticismo) aparentes en las *Rimas.* (Esta dualidad la sufrirán también otros poetas de la época, tal vez agudizada, aunque a primera vista no lo parezca por acentuarse en ellos el aspecto «positivo» o «cínico». Es el caso de Campoamor, de Bartrina y José Asunción Silva; acerca de estos dos últimos especialmente se puede hablar de una verdadera «agonía».) Pero esta cuestión me llevaría por un camino algo alejado de mi presente propósito; quede, pues, para otra oportunidad.

---

[14] Para el estudio de este aspecto es hoy imprescindible la obra de Rubén Benítez *Bécquer, tradicionalista* (Madrid: Gredos, 1971).

La rima XXXI, o, mejor, su primera estrofa, podría citarse como ejemplo resumidor, casi arte poética, de los rasgos que he tratado de caracterizar; la síntesis híbrida a que apela es, en cierta medida, «fórmula» de las rimas que hemos venido examinando (los subrayados son míos):

> Nuestra pasión fue un *trágico sainete*
> en cuya *absurda fábula*
> lo *cómico* y lo *grave* confundidos
> *risas* y *llanto* arrancan.

Lirismo y humorismo. Poesía trágica y trazos de ironía que no rehuyen lo cómico. Si se relaciona lo visto en el anterior apartado *(Los dramas...)* con lo que aquí acabo de presentar, la especulación sobre Bécquer poeta dramático se vuelve tentadora; y más cuando se piensa que de tales ingredientes se compone el excepcional teatro de poetas extranjeros del siglo XIX afines a Bécquer como Musset, Kleist o Büchner. Por si fuera poco, nos quedan sus proyectos de obras dramáticas.

LOS PROYECTOS: ¿PERDIMOS EN BÉCQUER AL GRAN POETA DRAMÁTICO DEL XIX?

Las páginas que Bécquer dejó escritas con diversos proyectos literarios y que por primera vez publicó el poeta Vicente Huidobro en 1920 (pueden leerse en *O. C.*, pp. 1230-1233) incluyen hasta veinte títulos de teatro: comedias, dramas, tragedias, zarzuelas. Entre las comedias y dramas aparecen asuntos de intención filosófica, moral o social, de costumbres, alguno histórico. A dos de las piezas las llama Bécquer poemas: «*Marta* (poema dramático en verso y prosa alternados), *¡Humo!* (poema grande)». En fin, el propósito de escribir obras dramáticas y, sobre todo, de tantear diversos géneros, demuestra el sostenido interés de Bécquer por el teatro. La necesidad de ganarse la vida como periodista, traductor, adaptador, y su temprana muerte, no le dejaron tiempo para llevar a su realización tan vasto proyecto. Es verdad que de lo que pudo haber sido capaz poco podemos deducir de las zarzuelas y la comedia escritas, pero las consideraciones que he hecho arriba y las que propongo ahora deben ser tenidas en cuenta.

He destacado suficientemente esa veta humorística, que hubiera rendido buenos frutos en la comedia. Añádase que el trabajo del autor dramático se perfecciona con el ejercicio, y que tras los primeros ensayos una mejor comprensión de los recursos escénicos habría contribuido a hacer tan efectivos desde el punto de vista de la técnica como de la calidad literaria sus intentos teatrales.

Difiero nuevamente aquí de Tamayo, quien opina:

> ¿Se hubieran escrito todas estas obras, o siquiera algunas de ellas si en plena capacidad creadora no hubiera sido arrebatado el poeta por la muerte? Probablemente, no. Sentimos a Gustavo Adolfo como al gran lírico del siglo XIX. Su poesía es, de toda la de su época, la que conserva mejor su valor emocional. La más auténtica, sin duda. Pero tal vez no poseía el arte de combinar situaciones y personajes urdiendo intrigas complicadas y verosímiles [15].

Después de referirse a las leyendas y a su estructura, dice: «Éstos no son valores teatrales». Y en seguida: «En sus obras escritas en colaboración, hay escasa inventiva». Sin embargo, llega a afirmar Tamayo: «*En todas estas obras hay habilidad y soltura en los diálogos* [16], pero la inventiva es muy

---

[15] *Loc. cit.*, pp. LXXXVI-LXXXVII. Las citas que siguen son de la p. LXXXVII.

[16] El subrayado es mío.

escasa». Por otra parte, ha reconocido al hablar de las zarzuelas *La cruz del valle, El nuevo Fígaro,* y *Clara de Rosemberg,* que son libretos de óperas extranjeras y que *Las distracciones* y *Tal para cual* se relacionan con obras conocidas y poco originales; ¿es, pues, justo hablar de falta de inventiva en piezas que no la requerían, por ser sólo imitaciones y adaptaciones escritas con fines extraliterarios? El que presenten, según reconoce Tamayo, diálogos sueltos y hábiles, se convierte así en una gran virtud, considerando las limitaciones que supone una mera adaptación.

Por otra parte, el término «inventiva» parece identificarse en el texto de Tamayo con «ese arte menor y de puro oficio que ahora llaman la 'carpintería teatral' y que permite lograr éxitos de público a gentes que nada tienen que ver con el arte literario», según sus propias palabras. Si interpretásemos la palabra «inventiva» en otro sentido, estaríamos negando a Bécquer. Entonces surge la pregunta, ¿es que el arte dramático no se reduce más que a ese oficio de carpintería escénica? «Bécquer era, más que un paciente constructor de obras escénicas, un hombre de letras y un poeta», dice Tamayo. ¿Es que lo uno excluye lo otro? A la memoria acude de inmediato la figura de Federico García Lorca, «poeta y hombre de letras», pero también, quizás, la figura más significativa del teatro español en lo que va de siglo. Por último, Tamayo, como si no hubiera quedado conforme con aquellas observaciones, admite: ...«en cambio, era un auténtico escritor que dominaba el arte del diálogo y los secretos de la versificación dramática»... Una interrogación, con probabilidades de respuesta afirmativa, queda así abierta sobre la proyectada obra dramática de Gustavo Adolfo Bécquer.

MARIANO BRULL Y LOS CONFINES DE LA POESÍA PURA

Durante las dos décadas transcurridas desde la muerte de Mariano Brull (1891-1956), su poesía ha permanecido olvidada. Vuelvo a ella aquí y no sólo para llamar de nuevo la atención sobre el papel que tuvo Brull de transmisor de «ondas» de la poesía europea y animador de corrientes en la poesía hispanoamericana (la de Cuba, en especial)[1]. Me propongo ahora, también, analizar el caso de «pureza» que ofrece su obra; ello me servirá para compartir con el lector algunas observaciones sobre la llamada poesía pura —sus proezas y vicisitudes—, a partir de un ejemplo extremo.

---

1 Mi estudio «Mariano Brull y la poesía 'pura' en Cuba» *(Nueva Revista Cubana,* La Habana, 3, 1959, octubre-diciembre) ha sido, si no me equivoco, el único dedicado particularmente a la obra del poeta cubano hasta hace muy poco. Ahora puede leerse asimismo el de Marta Linares Pérez, capítulo de su libro *La poesía pura en Cuba,* Madrid: ed. Playor, 1975. Me hablaba hace algún tiempo, también, de un proyectado trabajo sobre el lenguaje de Brull, Martin C. Taylor. La reciente antología de Brull, *La casa del silencio* (Madrid: Ediciones Cultura Hispánica, 1976), cuenta con una valiosa introducción de Gastón Baquero, a cuyo cargo estuvo la selección y el ordenamiento de los materiales allí recogidos. Se observan, pues, en este momento, signos de un cambio favorable en la consideración de la obra de Brull.

AFINIDADES Y PREFERENCIAS TEMPRANAS: HACIA UNA ESTÉTICA DE «PUREZA». «LA CASA DEL SILENCIO» (1916)

En 1916 aparece *La casa del silencio*, el primer libro de Mariano Brull. Era una colección que respondía a los ideales del modernismo tardío, en lo que éste, continuando la línea mejor de la poesía de Rubén, había aportado de sereno, de íntimo. Pedro Henríquez Ureña, en la introducción del libro, decía al lector: «Verás que ama a dos poetas: Juan Ramón Jiménez y Enrique González Martínez».

La influencia de González Martínez es la más notable a lo largo del libro. El eco del poeta mexicano se percibe a veces en versos aislados, a veces en el ritmo o pensamiento de toda una estrofa o de todo un poema[2]. Pero *La casa del*

[2] Presento algunos casos. González Martínez: «Que te ames en ti mismo, de tal modo / compendiando tu ser cielo y abismo, / que sin desviar los ojos de ti mismo / puedan tus ojos contemplarlo todo» («Irás sobre la vida de las cosas», de *Silenter* 1907-1909). Brull: «No cegará a tus ojos el esplendor del mundo, / y pasarás, sonámbulo, absorto en tu universo, / mientras late tu alma en el ritmo profundo / que toma de la vida el alma de tu verso» («Aunque falte a tu vida»). González Martínez: «Busca en todas las cosas un alma y un sentido / oculto; no te ciñas a la apariencia vana; / husmea, sigue el rastro de la verdad arcana, / escudriñante el ojo y aguzado el oído» *(Los senderos ocultos* 1909-1911). Brull: «Nada sobre la tierra te será indiferente; / mirarás a las cosas con mirada insegura; / serás luna en la luna que baja hasta la fuente, / serás llama en la llama que sube hasta la altura» (poema citado arriba). G. M.: «Ser la pupila insomne, ser el ala / trémula siempre en lucha con el viento» («Ánima trémula», de *La muerte del cisne* 1911-1915). Brull: «Ser, en el ser distante de la vida, / con una eterna insinuación de aliento, / un ansia virginal, en la escondida / playa lejana del encantamiento» («Momento»). A tal punto son análogos ideario y ritmo del verso en los fragmentos citados de ambos poetas, que se haría difícil, a primera vista, la atribución segura a uno o a otro.

silencio, como toda obra de auténtico poeta, no era un mero receptor de poesía ajena; la nota personal es destacada por el prologuista:

> No negará su simpatía a las cosas; pero las cosas no serán sino imágenes que el espíritu transmuta en perfección ideal (tales las imágenes de otoño y de ocaso, los perfiles de mujeres delicadas).
>
> Nadie podrá arrancarle de esta voluntaria limitación, de este huerto cerrado, propicio a los largos y serenos deliquios. Así aunque el mundo de las apariencias exteriores se borra cada vez más y más, otro mundo de realidades esenciales, que el poeta buscó a través de sus caminos de perfección, parece cada vez más y más cercano...

Anunciaba Henríquez Ureña, con admirable acierto, una peculiaridad que, todavía allí en germen, distinguiría la obra madura del poeta: esa aprehensión, no del mundo, sino de sus contornos ideales, de la que termina por surgir un cosmos de abstracciones, de formas vírgenes, evanescente realidad «interior».

He aquí varios ejemplos.

De entre los cinco sonetos que forman la sección del libro titulada «Interior», recojo los siguientes:

> Y al fondo, en el espejo, su imagen se dualiza
> al tiempo que la Luna se asoma y se desliza
> nimbando su cabeza de halo de santidad.
>
> (Soneto II)

> Se ha quedado en acecho el sonido disperso
> y en sonoro silencio se ha convertido el verso.
>
> (Soneto III)

> Esquívase el miraje familiar, como en viejo
> retrato ya borroso que opacidad ausencia,
> hasta quedar la estancia secreta en el espejo,
> y en los ojos, no más, sombras de su apariencia.
>
> (Soneto V)

A su luz, de repente, despertar aparece
la estancia soñolienta. Una faz resplandece
y unos ojos me miran del fondo del cristal.

(Soneto IV)

Del poema «Él»:

No sé qué blando espíritu suave
derramó sobre él, sin dejar huella,
como un florecimiento de estaciones.

Y del «Soneto de Otoño»:

...la expresión rojiza, que en la fronda
remeda, persistente, la pasajera onda
de luz crepuscular en su melancolía.

Los objetos de estos versos, cosas o personas, se nos presentan como reflejos o en un esencial claroscuro. En los ejemplos extraídos de los sonetos de «Interior», el espejo es el símbolo central: lo que ve el poeta no es la realidad, sino su copia, «sombra de su apariencia» (esa «imagen que se dualiza» será motivo de un poema futuro: «Desnudo»). La predilección por imágenes en las cuales la luz o sus atributos conforman el mundo («nimbando su cabeza de halo de santidad», «una faz resplandece», «onda de luz crepuscular») es también evidente.

El poeta que habría de ofrecernos en *Solo de rosa,* su libro de 1941, un canto a la idealidad de la rosa, parece anunciarse en estos alejandrinos:

Las rosas que yo amo son rosas de amatista:
no tienen de frescura matinal ni una arista.

(«Ofrenda»)

Y el «Soneto de Primavera», que transcribo a continuación, contiene elementos temáticos y rítmicos que aparecerán desarrollados ya en su segundo libro, *Poemas en menguante:*

> Todo es color y luz. La Primavera
> volvió con nuevo afán, florecedora;
> creció en ardor la vieja enredadera,
> plena ya de ilusión renovadora.
>
> Hoy, todo lo que es también ya era
> antes que la inconsciente segadora
> llevase su verdor de la pradera
> maravillosamente turbadora.
>
> El alma que te vio vuelve a ti ansiosa,
> en sí mismo *(sic)* distinta. En cada cosa
> una inviolada devoción se inflama.
>
> Y en los renuevos de las viejas eras,
> ¡pasión de las pasadas primaveras
> en la llama de abril funde su llama!

«Todo es color y luz»: esa abstracción pictórica constituye lo fundamental del soneto. No hay en él perfumes, ni pájaros, ni siquiera el nombre de una flor; el paisaje primaveral se reduce a «la vieja enredadera» (se habla indirectamente de cierto verdor con referencia a la «inconsciente segadora» que lo había llevado) y a los «renuevos» de las eras. Una breve alusión al estado de ánimo del poeta («El alma que te vio vuelve a ti ansiosa / en sí mismo distinta») da un toque romántico al poema, pero lo predominante es ese cuadro de líneas fugaces, primavera inespacial, imprecisa, eterna. Si en estos rasgos se halla el punto de contacto de su obra con la de Juan Ramón Jiménez, ya desde aquel libro el propósito de «sublimación» de los objetos aparece en Brull con ese carácter de absoluto geométrico fuera del tiempo de la emoción personal y no como recuerdo transmutado o quintaesenciado poéticamente, según se observa en Juan Ramón. Pero sobre esto volveré más adelante.

La estructura del poema será la de muchos otros escritos después: fluyen los versos encabalgándose cada uno en el que sigue hasta desembocar en una exclamación resumidora. Compárese con el que inicia *Poemas en menguante:*

> Y se derramará como obra plena
> toda de mí —¡alma de un solo acento!—
> múltiple en voz que ordena y desordena
> trémula, al borde del huir del viento.
>
> ....
>
> Y el ímpetu que enfrena y desenfrena
> ya sin espera: todo en el momento:
> y aquí y allí, esclavo —sin cadena—,
> ¡y libre en la prisión del firmamento!

LA POESÍA PURA

Como miembro del Servicio Exterior de la República, Brull pasa fuera de Cuba la mayor parte del tiempo, a partir de 1917. En 1923 está en Bruselas, en 1925 en Madrid y de 1926 a 1929 en París. Entre fines de 1925 y principios del siguiente año, se desarrolla en París la polémica alrededor de la «poesía pura», que tuvo como figura central a Henri Brémond desde las *Nouvelles Littéraires;* considero este hecho de importancia decisiva para la orientación estética que adoptaba por entonces Brull. Lo imagino recorriendo ávidamente aquellos argumentos con los que Brémond refutaba los de ese «martyr de la poésie-raison», Paul Souday, a la vez que intentaba definir, utilizando múltiples ejemplos, lo que era poesía o, más bien, «poésie pure».

En 1926 se publican en Bruselas algunos poemas de Brull, que supongo entraran a formar parte de *Poemas en men-*

guante: estaban traducidos por Francis de Miomandre y Paul Werrie y precedidos por una introducción de este último [3]. A fines de 1928 aparece *Poemas en menguante.*

Hasta qué punto las ideas de Brémond llegaron a convertirse para Brull en personal credo estético, se aprecia en estas palabras suyas, muy posteriores, por cierto, a la famosa polémica: «No hay que olvidar que la poesía es un medio de conocimiento y es también un conocimiento en sí, pero a diferencia del conocimiento que nos llega por otras vías, el de la poesía es una realidad inmanente, independiente de toda materia, de toda dialéctica, porque poesía es lo que queda, cuando ya no queda nada» [4].

Véase este fragmento de los ensayos de Brémond sobre la poesía pura, que parece reflejarse en las palabras de Brull:

> ...ce qui rend un vers poétique, ce n'est pas le sens qu'il exprime. Je n'exile pas le sens, lequel, d'ailleurs, reviendrait au galop; je lui laisse tout son mérite propre, sa fonction normale, qui doit être —ne croyez vous pas?— de signifier; mais j'affirme et sans de gros efforts de subtilité, que banal ou splendide, peu importe, pris en soi, à l'état de sens, de matière intelligible, il ne présente absolument rien de poétique, puisqu'enfin ce caractère d'intelligibilité qui fait tout son être, il le conserve également, et, qui plus est, à l'état presque pur, dans la plus prosaïque des proses [5].

Para Brull, como para Brémond, la poesía es algo que, contenido en el poema, se halla desligado del sentido inteligible o lógico de los versos. El verso de *Phèdre* citado por Brémond en sus trabajos sobre la «poesía pura» como ilus-

---

[3] No he tenido a mano esta edición: *Quelques poèmes traduits par Francis de Miomandre et Paul Werrie,* Bruselas: L'Equerre, 1926.

[4] «Juan Clemente Zenea y Alfredo de Musset», *Revista de la Habana,* 1944, t. V, núm. 26, pp. 141-159.

[5] *La poésie pure,* Paris, 1926.

trador de ese concepto de lo poético, ha pasado a la categoría de clásico ejemplo:

La fille de Minos et de Pasifaë

Sostiene Brémond, como se recordará, que sin saber quién es la hija de Minos y de Pasifaë, sin saber cuál es el contexto de ese verso, «algo» que contiene y que es pura poesía, será recibido como tal por un lector sensible.

Naturalmente, Brémond va mucho más lejos al asociar la experiencia poética con la mística y al considerar la calidad que él llama «mágica» del verso como intermediaria, comunicadora de esa experiencia al lector. Pero, en suma, su idea de lo poético en estado de pureza, expresada con palabras como éstas: «La lecture poétique commence au point précis où s'achêverait la lecture prosaïque», fue el eje del debate que sus opiniones suscitaron; y a esa concepción, con ligeras variantes, se adherían muchos poetas y críticos europeos de aquel momento para definir la poesía.

Indaguemos cómo ha aplicado Brull a su obra esa visión que hacía suya por aquellos años (1925-1927).

El primer comentario que poseemos sobre su poesía hecho ya dentro de la estética «pura» lo debemos al poeta Eugenio Florit en su reseña de *Poemas en menguante*[6]. Florit hablaba allí de una lógica de las palabras bellas al referirse a los poemas de Brull. La expresión es feliz, y la podemos emplear para caracterizar dichos poemas.

No trataban, en efecto, aquellos versos, de romper con las reglas de la lógica gramatical, en busca de una sintaxis sorpresiva, alejada de la normal o usual. Véanse estos versos del poema «La palma real»:

6 *Revista de Avance*, La Habana, enero de 1929, núm. 30.

La planta esclava, el ritmo encadena
de nubes, vientos y lluvias
a la tierra —asonante de ritmos—
cuerda de muda resonancia.

Es sólo en el juego de imágenes y metáforas [7], perfectamente ordenadas, donde descansa la estructura de la estrofa. Pero si continuamos leyendo observaremos que existe una clarísima continuidad sintáctica del pensamiento a lo largo de todo el poema:

El penacho libre, música exhala
y recibe y cierne en luz alta:
halo melodioso alumbra
las rotundas múltiples alas.

Si el rayo de encendidas crines
la antena esmeralda abrasa:
el halo —quebrado de música—,
¡la resonante lumbre apaga!

O sea, que el poema presenta, en el orden que sigue:

1.º La figura de una palma (estrofa primera), imaginada como «cuerda de muda resonancia» que «encadena» el ritmo «de nubes, vientos y lluvias / a la tierra asonante de ritmos».

2.º La visión del penacho de esa palma (estrofa segunda), al que se atribuyen cualidades musicales (el proverbial «arrullo» de las hojas de palma) unidas a la luminosidad que pone el sol («halo melodioso alumbra / las rotundas múltiples alas»).

---

7 Entre las peculiaridades de *Poemas en menguante*, señala Roberto Fernández Retamar: «...un constante uso de metáforas, frecuentemente colocadas entre guiones, a modo de ampliación del concepto: 'Ceniza de cielo-luz'; 'Piedra-muñón de ala'; 'El polvo-ceniza etérea'; 'Las flores-invisibles serafines suspensos'». Ver *La poesía contemporánea en Cuba (1927-1953)*, La Habana, 1954, p. 33.

3.º La afirmación condicional (estrofa tercera) de que si un rayo «abrasa» la palma («la antena esmeralda»), «el halo» (el penacho en el carácter que se le ha otorgado de luz musical) —quebrado de música— «apaga» la lumbre resonante, es decir, se consume, desaparece con su doble calidad sonora y luminosa.

Pero tal ilación sintáctica de sus poemas, en la que pocas veces se hallan violencias, apela por lo regular a un lenguaje escogido entre palabras conceptual y sonoramente delicadas. Fernández Retamar señala algunas como: cielo, luz, flor, serafín, ceniza, polvo[8]. Otras muy frecuentemente usadas son: alba, ola, rosa, júbilo, albricia, agua, huir, nube, azar, alas, orillas, ciernes. A estos términos podrían sumarse bastantes más: muchos son cualidades de los mencionados o afines conceptualmente, como, por ejemplo, «claro» (adjetivo que califica a algunos de los sustantivos citados), «rocío» (forma particular del agua), «reflejo» (que asociamos con la luz y el agua), etc.

Representativas son también expresiones que se repiten hasta convertirse prácticamente en fórmulas, como «ausencia» —a menudo oposición o escamoteo de la «presencia»—, «ileso», «intacto», e imágenes que invocan, tras la apariencia perecedera del «ahora», del instante, una eternidad o perduración ideal (aspiración poética más que mística o de orden religioso). Doy algunos ejemplos:

> Apartada —ya toda amor de olvido—
> y en limpia ausencia recreada
>
> («A la rosa desconocida», *Canto redondo* y *Solo de rosa)*

> ...reverso de una mirada
> libre de toda presencia.

[8] *Op. cit.*, p. 33.

¡De qué ausencia consentida,
sin huella, mano presente
ilesa de consumirse!

(núm. 10, *Canto redondo*)

¿Dónde pies de caracol
lustran el retorno ileso?

....

¿Dónde su voz si me llega
doble ausente de la mía?

(núm. 12, *Canto redondo*)

...entre tu ausencia y tu acento

(núm. 14, *Canto redondo*)

Toda su ausencia estaba —en su presencia—
dilatada hasta el próximo asidero
del comienzo inminente de otra ausencia

(«Desnudo», núm. 15, *Canto redondo*)

Ilesa isla intacta

(«Isla de perfil», núm. 17, *Canto redondo*)

...a luz intacta unánime aguza

(«Blanca de nieve», núm. 19, *Canto redondo*)

Filo entre ausencia y presencia
rasgando la soledad...

(«La durmiente», *Tiempo en pena*)

...claro vivir de siempre
en el vivir de ahora no alcanzado.

(núm. 22, *Poemas en menguante*)

Ya estás rosa en tu rosa,
si firme, desasida,
sola, y otra —y a un tiempo—
viva junto a tu muerte!

(«A la rosa rosa», núm. 6, *Solo de rosa*)

...su filo corta planos precisos
de dura eternidad irremediable.

(«Silencio ante la rosa», núm. 12, *Solo de rosa*)

En resumen, en una concatenación sintáctica normal, solamente los conceptos metafóricos —a veces transparentes alusiones— condicionan la atmósfera de «belleza intelectiva» con que caracteriza Cintio Vitier la poesía de Brull [9]: lo peculiar del lenguaje utilizado es, por lo demás, la selección de los vocablos de acuerdo con ciertas cualidades formales y por su capacidad de despertar asociaciones con imágenes de vaga belleza [10].

Esas dos características (orden sintáctico normal, rigurosa elección de «palabras bellas») distinguen la suya, de entrada, de la poesía de Mallarmé, con la cual su nombre suele relacionarse. No existen en la poesía de Brull las ambigüedades sintácticas (que en cierto modo recuerdan a Góngora) frecuentes en Mallarmé, logradas muchas veces mediante la supresión de la puntuación

(À ne surprendre que naïvement d'accord
La lêvre sans y boire ou tarir son haleine
Un peu profond ruisseau calomnié la mort)

y que llega al extremo observable en *Un coup de dés*, donde toda posible sintaxis está subordinada a la disposición tipográfica de los versos. Tampoco rechaza Mallarmé el empleo

---

9 *Cincuenta años de poesía cubana* (1902-1952), La Habana, 1952, p. 188.

10 Esta cualidad de su lenguaje era la buscada por Rémy de Gourmont, cuyas ideas al respecto recoge Brémond (*op. cit.*, p. 109): «Ceux [las palabras] que j'adore sont ceux dont le sens m'est fermé, ou presque, les mots imprécis, les syllabes de rêves, les marjolaines ou les milloraines, fleurs jamais vues, fuyantes fées, qui ne hantent que les chansons de nourrices...».

de palabras «feas» como «boue», «museau», «pubis», «tétines», «fétide», «pourriture», «toux», con las que logra fuertes efectos sugestivos. Mientras que el «feísmo» queda excluido de la poesía de Brull. Ahora bien, todo esto es significativo para el replanteo de la cuestión «poesía pura» considerada en sus diferentes aspectos, entre ellos la manera como la entiende (y practica) Brull.

Mallarmé, perseguidor de trasmundos, vivirá en la perpetua angustia de quien desde *aquí*, se impone la tarea de alcanzar el *allá*, inapresable absoluto. «Ne s'agit-il pas en somme, pour lui —dice Marcel Raymond—, d'esquisser le passage du relatif à l'absolu, du fini à l'infini?» [11]. El retorcimiento de su lenguaje revela, ante todo, una crispadura espiritual, su obsesión por lograr la eficacia «mágica» del verbo [12]. Esta tensión es, en fin, lo esencial de la poesía de Mallarmé, lo que carga de doloroso sentido las arduas agrupaciones de su palabras, catapultas hacia contextos de significación difícilmente expresables (o, en el fondo, inexpresables).

Brull viene a caer, por el contrario, del lado «artista»: su búsqueda es de «palabras bellas», el mundo que construye mediante un limitado repertorio de imágenes tiene la graciosa levedad del «palacio de la rosa en ruinas» de su paradigmático «Epitafio a la rosa». Su poesía, como vamos viendo,

---

[11] *De Baudelaire au surréalisme,* ed. nouvelle revue et remaniée, Paris: Jose Corti, 1969, p. 36.

[12] Escribe Raymond: «Les poèmes de Mallarmé, les ébauches d'*Igitur* récemment publiées ('débris de quelque grand jeu', comme dit Valéry de Léonard), quelques lettres conservées, quelques paroles, nous permettent de deviner le sens du drame mallarméen, d'imaginer en quelle solitude glacée il se noua, et de concevoir à son propos l'image hyperbolique du poète pur, du mage, qui ne peut accepter ses limites et désire étendre toujours plus loin le champ de sa conscience». *Op. cit.,* p. 30.

manifiesta una invariable vocación de fragilidad. Su intención es la de rescatar en el poema ciertos ámbitos o cosas cuya belleza es percibida en función de su fugacidad, en vísperas o en el momento mismo de su inevitable «ruina». Por eso, en su lenguaje poético, Brull recorta voluntariamente las posibilidades de exploración, de aventura, resuelto a permanecer dentro de fronteras donde lo impreciso —a fuerza de organizarse de manera «lógica», como he mostrado arriba— acaba por volverse monótonamente preciso.

Por otra parte, en la selección de su lenguaje, Brull favorece aquellas palabras cuyo sonido provoca, unido a la gracia del concepto, impresiones asimilables, en cierto modo, a lo musical. Sobre esta característica de su obra ha hablado Valéry [13]:

> Il y a une musique du sens des mots, à laquelle se confie toute émotion poétique, cependant qu'elle invoque, d'autre part et mêmement, la resource moins subtile des timbres et du rythme.

Efectos de esa «música del sentido de las palabras» de que habla Valéry son abundantes en la poesía de Brull, pero a menudo aparecen confundidos con elementos sonoros independientes de todo sentido, calculados para lograr matices más francamente musicales. Veamos un ejemplo:

> Tu nombre sólo el Ruiseñor desgrana
> en *Ola* y *Sol* y en *Alba* de *albedrío*...
>
> («Rosa de aire», de *Solo de rosa)*

A la natural «melodía» de los endecasílabos, se une el juego sonoro, en el segundo verso, con las vocales y consonan-

---

[13] Prefacio a la edición de los *Poèmes* de Mariano Brull, traducidos por Mathilde Pomés y Edmond Vandercammen, Bruselas: Les Cahiers du Journal des Poètes, 1939.

tes de *sólo, ruiseñor* y *desgrana,* que aparecen en el primero, dando forma a nuevas palabras: *ola, sol, alba, albedrío* (existe, además la repetición de las letras «alb», a continuación, en el segundo verso, a manera de martilleo de las mismas «notas»). Obsérvese, por otra parte, que se trata de «desgranar» las letras de la palabra «rosa», que se integra enlazando las letras iniciales en mayúsculas (R-O-S-A).

Es el mismo intento de sugerir sensaciones mediante determinados efectos sonoros que puede observarse, por ejemplo, en Poe, Silva o Herrera y Reissig [14].

Semejante recurso que llamo, a falta de otra designación más precisa, «musical», se halla también en el poema «Rosa-Arminda», sobre el que Valéry atraía la atención del lector al hablar de la poesía de Brull (Valéry escribía sobre ese poema: «Celà chante...»). En la estrofa que reproduzco a continuación, puede notarse igual repetición de sonidos claves, como los «an», «am», del primero y segundo versos; la «u» de «luz» y «fluye» en el tercero y el cuarto; aparte de existir una rima interior asonante en «e-a» que responde a la palabra final del primer verso (cerca, ingenua, crespa) y que fortalece el ritmo logrado con la rima también asonante en «i-a» de los versos segundo, tercero y cuarto:

> El amaranto canta de cerca
> como ingenua flor campesina
> bajo la crespa luz cernida
> de la boca que fluye sonrisas.

El poema, inclusive, recuerda la «musicalidad» del verso modernista, especialmente en versos como éstos:

---

14 En *The Philosophy of Composition,* Poe analiza extensamente el procedimiento, tomando como base «The Raven». Herrera y Reissig nos ha dejado un «solo verde-amarillo para flauta. Llave de U», donde muestra el resultado extremo, no exento de humorismo, en la aplicación de procedimiento semejante (ver *Los maitines de la noche).*

...se ruboriza o palidece
la marquesa Rosa-Arminda

que evocan algunos de «El clavicordio de la abuela» de Darío o de *La marquesa Rosalinda* de Valle-Inclán.

Esa cualidad «cantable» de sus versos a menudo aproxima a Brull al cancionero, a la poesía tradicional hispánica, aunque, en verdad, no incide nunca en lo folklórico, como es el caso de muchos poetas coetáneos a ambos lados del Atlántico (García Lorca, Alberti, Nicolás Guillén, González Lanuza, etc.). Algunos de sus poemas tienen, sin embargo, la forma y aun cierto sabor de coplas o romances:

Por el ir, por el ir del río
espero el nuevo venir.
Río abajo de mi vida
¡tan turbio de tanto huir!

(«Por el ir del río...» en la edición de los *Cahiers du Journal des Poètes*)

María del Carmen vive
una casa frente al mar:
su padre le puso Carmen
cuando se fue a navegar.
María Rosa, Rosa María
y María del Pilar...
y todas son como el sol
sólo una es Soledad.

(«Las María», de *Canto redondo*)

...va en balsa de pluma
con remos de viento
con remos de viento
corre pluma en pluma
sobre el viento viento.

(«Rosa de los vientos», de *Solo de rosa*)

Esto debe relacionarse, por otro lado, con la inclinación de Brull al esquematismo del poema —generalmente muy breve y escrito en endecasílabos o versos de arte menor (con abundancia de octosílabos)—: dicha tendencia refleja un aspecto de su propósito de reducción de la poesía a lo que él entiende por «puro», como si así pusiera literalmente en práctica su idea de que «poesía es lo que queda, cuando ya no queda nada».

En el gusto por lo verbal «puro» se distingue su poesía de la de Valéry, la que mayor influjo ha ejercido, probablemente, en el propósito suyo de buscar la abstracción poética. Si se toma la poesía de Valéry como referencia para caracterizar, en general, la de Brull, habrá que acudir, no a los poemas mayores del primero («La jeune parque», «Le cimetière marin») sino a sus creaciones más ligeras, donde el juego verbal no comporta el más complejo del pensamiento, como el breve poema dedicado a Poulenc, «Colloque pour deux flûtes»:

> D'une Rose mourante
> l'ennui penche vers nous;
> tu n'es pas différente
> dans ton silence doux
> de cette fleur mourante.

Brull, en otras palabras, es atraído, entre los polos del péndulo poético de que ha hablado Valéry [15], más por el de la voz o sonido que por el del pensamiento o sentido. (Rompe, así, pues, el equilibrio o regularidad que prescribe Valéry para el acto de creación del poeta). No hay que olvidar tampoco que para Valéry el pensamiento vale por lo que tiene de «abstracto» o de «filosofía»; por algo inventó a Monsieur

---

[15] Ver «Poésie et Pensée Abstraite», de *Variété*, en *Oeuvres Complètes*, Paris: éd. NFR, Bibliothèque de la Pleïade, 1959, pp. 1314-1339.

Teste, ese Hipogrifo o Quimera «de la mitología intelectual» y por algo el «intelecto» se da la mano con la «sensibilidad», la «memoria» y el «poder de acción verbal» en la «exaltación simultánea» que asigna a la lectura poética.

Hay que tomar, por tanto, con cautela, alguna declaración de Brull que recuerda ostensiblemente a Mallarmé y Valéry, como la siguiente: «La poesía calla para que el edificio de su música, sorda para los oídos, pueda oírse por los ojos y viva así más tiempo la plenitud de su ruina en el sigilo de la imagen» [16].

JITANJÁFORAS

Cuando la tendencia al efecto sonoro domina absolutamente, Brull produce sus ocasionales jitanjáforas, como bautizó Alfonso Reyes, con palabra inventada por Brull, estos ejercicios o travesuras verbales, «puro» disparate. Alfonso Reyes ha dedicado un largo y documentado ensayo a esta especie lingüística y a él remito al lector interesado en sus orígenes «antropológicos» y sus formas en diversas culturas y literaturas [17]. El ejemplo típico de la jitanjáfora en Brull es el de «Verdehalago»:

Por el verde, verde
verdería de verde mar
Rr con Rr.

Viernes, vírgula, virgen
enano verde
verdularia cantárida
Rr con Rr.

---

[16] Prefacio a *Rien que...*, Paris: P. Seghers, 1954.

[17] «Las jitanjáforas», incluido en *La experiencia literaria*, Buenos Aires, 1942, pp. 193-235.

Verdor y verdín
verdumbre y verdura
verde, doble verde
de col y lechuga.

Rr con Rr
en mi verde limón
pájara verde.

Por el verde, verde
verdehalago húmedo
extiéndome. —Extiéndete.

Vengo de Mundodolido
y en Verdehalago me estoy.

La jitanjáfora, posición extrema dentro de lo «puro poético», prendió en otros poetas hispánicos de aquella época, a lo que contribuyeron seguramente las primeras versiones del ensayo de Reyes, publicadas en la revista *Libre* de Buenos Aires en 1929 («Las Jitanjáforas») y en la *Revista de Avance* en 1930 («Alcance a las Jitanjáforas»). El *Nuevo código del jitanjaforizar*, del argentino Ignacio B. Anzoátegui fue algo así como manifiesto o arte poética del «género». Por lo demás, aunque con intermitencias, éste ha perdurado tenazmente en la poesía hispánica.

La poesía afroantillana, cuando se apoya en el efecto fónico, el ritmo creado por la repetición de sonidos extraños (extraños al español, aunque se trate de voces africanas con significado preciso) debe más de lo que se supone al experimento de la jitanjáfora. No es casual que Emilio Ballagas, que cultiva en una época la poesía «negra», haya sido uno de los primeros poetas cubanos en seguir el ejemplo del Brull «jitanjafórico». (Pero de la relación Brull-Ballagas me ocuparé con más detalle en otro apartado de este estudio.)

Acude a la jitanjáfora Rafael Alberti en *Entre el clavel y la espada* (1939-1940), como lo había hecho en *El alba del alhelí* (1925-1926). (Ignoro si hacia 1926 Alberti conocía directamente el «Verdehalago», pero me inclino a creer que sí. La fecha probable de su composición es 1926 o tal vez algo anterior; en todo caso, circularía pronto entre los jóvenes poetas españoles ávidos entonces de «novedades»). Estos versos del «Bailecito de bodas», de *Entre el clavel y la espada,* son una buena muestra:

¿Quién vio al picofeo
tan pavo real
entre las totoras
por el Totoral?

Clavel ni alhelí
nunca al rondaflor
vieron tan señor
como al venteví.

Algunos juegos verbales en la poesía de las últimas décadas nacen también del mismo espíritu jitanjafórico y repiten consciente o inconscientemente la síntesis de *verdehalago.* Haría falta otro trabajo (otra investigación) para tratar este asunto adecuadamente; me limito, pues, a unos pocos casos, con la sola intención de «dar una idea». El «verdever» de Oliverio Girondo *(En la masmédula,* 1956), o este verso de *El gran zoo,* de Nicolás Guillén: «Los sonesombres y las coplasolas» (lo tomo de su *Antología mayor,* de 1964), me han parecido, en especial, dignos de nota. De «Solo de piano», fechado en 1967, de Virgilio Piñera —una jitanjáfora extrañamente triste por la correspondencia dominante *tarde gris – solo de piano*— cito, para terminar, algunos fragmentos:

El solo de piano
no es un solo de piano,
no es tampoco un solo
ni asimismo un piano.
No es ningún piasolo,
ni siquiera un sopiano
muchísimo menos
un sopia de loso
y tremendamente lejos
de un loso de piano.

En las tardes grises
el solo y el piano
se cogen las mapias
y se van de nopia.

En las tardes grises
el solo de piano
es un pianosolo
piasolo y sopiano [18].

---

[18] En *La vida entera,* antología personal de sus versos, La Habana: ed. UNEAC, 1969. Me parece necesario destacar que hay en este poema, por otra parte, como en el aludido de Girondo, intenciones que tienen poco que ver con el sustancial paladeo sonoro de «Verdehalago». Lo indico arriba en cuanto al de Piñera, al calificarlo de triste y adelantar una breve explicación de su tristeza. (El poema deja una impresión de monótona, agobiante soledad.) Los versos de Girondo que contienen su «verdever» no requieren otro comentario: ...«ah, el verdever / el todo ver quizás en libre aleo el ser / el puro ser sin hojas ya sin costas ni ondas...». Cabe señalar aquí también que, a diferencia de lo que ocurre en el caso de Brull, una gran parte de las que considera Reyes «jitanjáforas cultas» depende, en igual medida que del efecto fónico, de agudezas de concepto. Esto es evidente en las absurdidades cómicas de las rimas inglesas del *nonsense,* en las volteretas verbales de Léon-Paul Fargue o en *Finnegans Wake,* esa incesante jitanjáfora que pretende traducir nada menos que el destino histórico del hombre.

LO «IMPURO»

El aspecto emocional está atenuado casi siempre dentro de la poesía de Brull, que integra un «geométrico canto», según afirma Fernández Retamar, quien añade [19]:

> La unidad de esta obra, a lo largo de más de veinte años, ofrece la sorpresa de una labor casi sin evolución, como si la objetividad que toda poesía pura comporta, hubiera borrado la necesaria vida del poeta y sus necesarias alteraciones.

No falta, en ocasiones, un toque de ternura, aunque generalmente expresado en diminutivos, como si el poeta evitase su entrega directa al sentimiento, revistiéndolo de un aséptico aire infantil. He aquí varios ejemplos:

—No, no era así, no era así:
montoncito de deseos
disperso en tantos rocíos.

(«La bien aparecida», de *Temps en peine)*

Mañanita de vivos colores
—salamandra inquieta de rojo y añil—
ata tus hilitos, hilitos de luz,
al verde fragante del buen perejil!

(«Mañanita de vivos colores», de *Canto redondo)*

Por el aire viene, y viene
hechesita *(sic)* un mar de lágrimas.

(«Empapada de su carne», de *Poemas en menguante)*

---

19 *Op. cit.*, p. 34.

Las excepciones a esta regla se destacan justamente por su rareza. Esto les otorga, por contraste, un especial atractivo. El lector se asoma entonces, doblemente conmovido por la sorpresa, a la intimidad del poeta. Siente uno la tentación de decir, tal vez exageradamente, que estas excepciones valen por el resto de la obra, pues ellas dan su medida posible. Véanse, por ejemplo, el poema 12 («Pesadilla») y el 29 (dedicado a Andrés Segovia) de *Poemas en menguante;* la primera parte de la «epístola» a Mathilde Pomés (número 6) o el número 8, de *Canto redondo,* cuya cita íntegra se me hace irresistible:

> Por el plano de esta hora despeñada
> resbalo hasta el minuto último.
> Los marfiles del piano se encrespan
> y el instante se engarza en un grito:
> ¡se le abría a mi brazo una vena
> por la mordida de un duende!
> Del revés de mi cuerpo sube
> la luz que nunca ha brillado
> en mi sangre, que corre y corre
> al compás de mis pulsaciones.
> ¿Bailaría, detrás de lo visible
> el duende su pantomima?
> Era la música para él,
> yo sólo ponía el tormento,
> el canto de mi sangre muda,
> ¡y el brazo —el brazo impasible—
> manando para merecer!

En los versos que siguen, de uno de sus últimos poemas, la nota sombría, casi macabra, en oposición a las habituales rosas, produce la impresión de una ruina corporal inmediata, y no la de un mundo de belleza imaginaria:

> Este es el rosal creciendo en el esqueleto
> asomado por el hueco del oído
> al gran rumor del mundo pereciente...
>
> Esta es la rosa que abrió en el esqueleto
> y sale por los ojos, mirándose y mirando
> desde el hondón oscuro de pupilas de antes... [20].

Por último, deben apuntarse también, dentro de esta línea de la comunicación cordial de su poesía, los rasgos humoristas que se habrán observado en algunos ejemplos transcritos en distintos lugares de este trabajo.

Justo es reconocer, de todos modos, que, al comparar esta obra con las de otros importantes poetas de lengua española asociados al concepto de «poesía pura», en ninguna de ellas el despojo de contenido emocional iguala al ejecutado por Brull. Juan Ramón Jiménez, a quien con mayor exactitud podría acercársele, parte siempre de la experiencia personal, por más decantada que el poema la traduzca; el misticismo de sus últimos libros, en particular *Animal de fondo*, puede verse como la fase final (encuentro con el origen, con su «dios») de la creciente conciencia —del universo y su fundamento— del poeta. «La inteligencia no sirve para guiar al instinto, sino para comprenderlo», ha escrito Juan Ramón, quien se define, seguidamente, así: «Poeta puro, 'pero' total» [21]. Más lejos va todavía Jorge Guillén, cuya obra, por otra parte, se ha llenado, en los últimos tiempos, de muy precisas consideraciones éticas sobre el mundo actual. En la

---

20 «Así», que forma parte de *Rien que...*, libro donde aparecen también poemas antiguos (¿Tal vez el poeta, ya enfermo, agrietaba conscientemente la armonía «geométrica», al par que su vida se extinguía dolorosamente?).

21 En su «Ideología lírica». Tomo la cita de la antología *Literatura española contemporánea*, de Ricardo Gullón y George D. Schade, Nueva York: Charles Scribner's Sons, 1965, p. 395.

célebre antología de Gerardo Diego consignaba Guillén: «Como a lo *puro* lo llamo *simple,* me decido resueltamente por la poesía compuesta, compleja, por el poema con poesía y otras cosas humanas. En suma, una poesía bastante 'pura', *ma non troppo*»[22]... *Cántico* abunda, sin duda, en «poesía y otras cosas humanas».

En cuanto a otros poetas comparables, por ejemplo, Rafael Alberti, o, en América, Ricardo Molinari y Eduardo González Lanuza, unidos en el gusto por las formas clásicas (o barrocas) y las del cancionero, la situación es semejante. Los tres poetas mencionados, con excepción tal vez de los primeros libros de Alberti —los anteriores a *Sobre los ángeles,* especialmente *Cal y canto*— y algún que otro poema suyo posterior como el citado arriba, se refieren siempre a una emoción o percepción concreta, aun en composiciones que a primera vista parecen más libres de esta «impureza» (no cuento aquí, por obvia, la poesía «comprometida» de Alberti). Un reciente recorrido por la obra de estos poetas no ha hecho sino subrayar en mi ánimo las desemejanzas con Brull, bajo las generales analogías.

Si al tratar de establecer las diferencias entre Brull y otros poetas que suelen tenerse por más o menos «puros», he mostrado alguna dureza en mis juicios, no se vea en esto un signo de simple desestima. Porque, en definitiva, este asedio a los límites o limitaciones de su obra, supone, por paradójico que ello sea, un buen grado de admiración. Admiración por un poeta que, sabiéndose menor, y de esto no me cabe duda, acusa su «minoridad», escoge un espacio reducidísimo para su estrategia creadora —el del «canto por nacer», tenue conciliación entre lo fácil y lo difícil— y, en con-

---

[22] *Poesía española (contemporáneos),* Madrid: Signo, 1934, pp. 343-344.

secuencia, no presenta cambios notables en su visión o manera durante cuarenta años. Destinarse deliberadamente a esta forma de fracaso revela, a mi juicio, una insólita abnegación, una especie de heroísmo. La obra de Brull asume su fracaso con tan ascético temple, que es imposible no sentir respeto —algo piadoso, lo concedo— ante ella.

A MANERA DE HOMENAJE: MÁS HISTORIA LITERARIA

En Cuba, cuando publicaba Brull sus primeros «poemas en menguante», la *Revista de Avance* cumplía su segundo año de labor. En la revista se iban recogiendo producciones de los poetas más jóvenes junto a las de los consagrados (Regino Boti, Agustín Acosta)[23]. Eugenio Florit pronto tuvo a su cargo algunas reseñas críticas de poesía. En los primeros números, uno que otro poema de Florit reflejaba todavía una actitud vacilante, como una tentativa de «novedad» sin orientación definida; en un poema breve, «Misoneísmo», manifestaba su adhesión —compartida por muchos de los poetas hispanoamericanos que publicaban en la revista— a lo «nuevo», simbolizado, a la manera futurista, por el progreso mecánico:

Y los vientos misoneístas
batieron alas de revolución
y acribillaron con sus dardos
a los pájaros de metal.

....

[23] Especialmente Regino Boti, cuya obra se incorpora definitivamente a las corrientes nuevas, abandonando las formas postmodernistas que hasta ese momento la habían caracterizado. Su libro *Kodak-ensueño* fue publicado por la revista.

Vientos ignorantes:
ya gemiréis bajo el yugo
de los aeroplanos futuros [24].

La acogida por la revista de los primeros «poemas en menguante» en el número de 15 de mayo de 1927, se traduciría pronto en admiración por parte de los más valiosos entre los jóvenes: Florit y Ballagas.

Sin olvidar otras fuentes indispensables para el estudio de la poesía de Florit (clásicos españoles, en particular el Góngora que reivindicaba la generación de «los veinte» en España, Juan Ramón Jiménez), es innegable que la estética de Brull, primer ejemplo maduro, en la poesía cubana, de preocupaciones de orden «purista», hubo de dejar en él una fuerte impresión. Florit hallaría plasmadas en aquellos poemas de Brull algunas de sus todavía inseguras aspiraciones hacia «un lirismo lúcido, en el que tanto los poemas dominados como los de mayor aventura alcanzan el orden y la claridad de sus más bellos contornos», según la definición que de su poesía ha hecho Cintio Vitier [25] (¿acaso esa definición no podría, con muy ligeras variantes, aplicarse a la obra que Brull iniciaba con aquellos poemas?).

Las diferencias entre ambos poetas son tan notables como las afinidades y no sugiero una influencia en el sentido de simple imitación; trato sólo de subrayar lo que de revelador de nuevas perspectivas hallaría Florit en aquellas primeras muestras de la poesía de Brull. Florit mostraba su entusiasmo ante esta poesía en la mencionada reseña de *Poemas en menguante,* de la que transcribo aquí algunos párrafos:

---

24 Publicado en el número de 15 de febrero de 1928.
25 *Op. cit.,* p. 196.

> Puede decirse —debe decirse— ya lo han dicho —que el libro de Mariano Brull es el libro del año literario en Cuba— ay, fuera de nosotros.
>
> Lejos. También espiritualmente. Tan lejos de nuestra pobre burguesía intelectual...
>
> Libro feliz. Nos trae interiores para nuestra decoración espiritual. Picasso. Valéry. Y una fotografía de Europa...
>
> ¿A qué la lógica, si ella encarcela el alma? Lógica, la de las palabras bellas. La del sonar del mar arcano...

«Lógica, la de las palabras bellas». A esa estética, sin duda, responden *Trópico* (1930), de Florit, y *Júbilo y fuga* (1931), de Ballagas.

Véase una de las décimas de *Trópico* y compárese con algunos versos del libro de Brull: la analogía en la concepción de los poemas saltará a la vista de inmediato. Confróntese la décima que reproduzco a continuación, con los fragmentos del primero de los *Poemas en menguante* citados al comienzo de este estudio:

> Por el sueño hay tibias voces
> que, persistente llamada,
> fingen sonrisa dorada
> en los minutos veloces.
> Trinos de pechos precoces
> inquietos al despertar,
> ponen en alto el cantar
> dorado de sus auroras,
> en tanto que voladoras
> brisas le salen al mar.

O con estos otros del número 17 de los *Poemas en menguante:*

Por el cerco de la mañana
húmedo en la color de estreno
a cielo abierto —rizo y veladura—,
alegría chorreando luz!

....

Agualuz de ancho reboso limpio
agua bruñida en la mano del viento
—acariciada aquí— rubia de júbilo.

Júbilo y fuga recuerda más insistentemente a Brull. Versos como los que siguen, de ese libro:

Estarme aquí quieto, germen
de la canción venidera
—íntegro, virgen, futuro—

....

Y éxtasis —alimento—
nonnato de claridades
con la palabra inicial
y el dulce mañana intacto

han de haberse inspirado en algunos, como éstos, de *Poemas en menguante:*

En esta tierra del alma
leve y tenaz
—limo naciente de morires súbitos—
hueco —entre dos piedras de silencio—,
mi canto —eterno, recomienza.

¡Qué más
belleza verdadera
sabor a eterna cosa por decir!

Sin nueva espera. Ya
en tierra mía de alma —campo santo—
con la almendra del canto nacido por nacer.

(Nótese que el poema de Ballagas no sólo recoge el motivo del canto por nacer, sino el esquema formal del de Brull: el encabalgamiento de los versos y el procedimiento de explicar o ampliar conceptos mediante la colocación de palabras y frases entre guiones.)

Y el «Poema de la ele» es una graciosa variación del «Verdehalago»:

> Tierno glú-glú de la ele,
> ele espiral del glú-glú.
> En glorígloro aletear:
> palma, clarín, ola, abril... [26].

Con qué intensidad el libro de Brull resonó, abriendo nuevas perspectivas a la poesía en Cuba, se muestra en el hecho de haber influido muy directamente en Juan Marinello (poeta que había cultivado muy distinta cuerda, la del «intimismo» [27] post-modernista, en su libro *Liberación,* de 1927), uno de los animadores y críticos de la *Revista de Avance* y guía de los más respetados de su generación. Véase su poema «Flecha, metal» *(Revista de Avance,* enero de 1929):

> ...flecha y metal, camino
> —lejanía de mí—
> te pintaron tus vientos
> con órbitas de estrellas.
> Metal y flecha: —vuelo—
> son perdido en sí mismo
> y disparo hacia el vértice
> de oscuridades nuevas.

[26] Fernández Retamar *(op. cit.,* p. 40) señala: «Las variaciones de éste (Brull) en su 'Verdehalago', son aquí las de la 'l'».

[27] La expresión es de Cintio Vitier, y con ella caracteriza a varios poetas que han seguido una línea estética semejante a la de Marinello.

Publicados meses después de haber aparecido en libro los versos de Brull, estos de Marinello han de considerarse forzosamente como una réplica de los primeros. Es innecesario señalar las múltiples coincidencias (valgan las anotadas en el caso de Ballagas) entre este poema y los de Brull; ofrezco a continuación otro ejemplo extraído de *Poemas en menguante*, para ilustrar mejor lo afirmado:

> Rumbo de iniciaciones
> a eternidades nuevas:
> en tu reposo —alerta
> a cielo y otra espera—
> me miro en tus entrañas
> —espejo presuroso—
> fósil, de urgente cielo.

Ahora, con la perspectiva de quien contempla en conjunto un largo período de la poesía cubana, se aprecia con justeza lo que la obra de Brull significó como ejemplo impulsor, también, para las generaciones que siguieron. La presencia de Juan Ramón Jiménez en La Habana en 1936 —su actividad mentora y reguladora en aquel momento allí tan decisiva— encontraba ambiente propicio gracias en buena parte a la sacudida provocada años antes por intermedio de Brull. (Entre una y otra fecha ocurre, dato también importante, la visita de García Lorca a Cuba.) Por encima de los momentáneos menosprecios o antagonismos, lo habrán de reconocer así los miembros del grupo *Orígenes* [28], que a su vez han ejercido dominante influencia, en un aspecto o en otro, sobre las promociones de estos últimos años (sin excluir a poetas «revolucionarios», como Roberto Fernández Retamar, Fayad Jamis y Pablo Armando Fernández). Brull dio además una lec-

[28] Un buen ejemplo lo constituye la introducción de Gastón Baquero a la reciente antología de Brull, ya citada (véase nota 1).

ción —de «pureza», en otro sentido— a la poesía y, en general, al arte en la Cuba contemporánea, la de su disciplinada dedicación a la obra en un medio indiferente, cuando no hostil, al trabajo de sus artistas, acechados a cada paso por las trampas de lo mostrenco: periodismo, publicidad, radiodifusión comercial. Muchos de estos artistas —ahorro nombres por sobradamente sabidos— disfrutan hoy de amplio respeto internacional.

COLOFÓN

Desde que me acerqué a esta obra hace ya más de veinte años, me preocupa su raro eludir toda exaltación sensual o espiritual intensa, y tampoco cesan de rondarme a menudo algunos de sus versos, tal vez de los más triviales. Esta afirmación y ciertos argumentos que he expuesto en el presente ensayo, pueden inclinar a verlo como una vindicación. No niego que, de algún modo, lo sea. Confieso que si estas páginas logran despertar interés por la abandonada obra de Brull, su fin se habrá cumplido cabalmente.

GUILLERMO CABRERA INFANTE: AUTOBIOGRAFÍA Y NOVELA

Tres tristes tigres, de Guillermo Cabrera Infante, ha sido hasta ahora poco explorado. Los críticos que se han ocupado del libro —y escasean todavía los estudios serios y extensos— coinciden, por otra parte, en el señalado interés por el lenguaje (o procedimientos lingüísticos) del texto [1]. Concediendo la importante función que desempeñan en la obra la estructura y el medio expresivo, me propongo establecer aquí la relación o relaciones de ese orden o forma particular con niveles de sentido que me parecen no menos importantes. El desarrollo de este trabajo podría formularse aproximadamente así: consideración detallada de la estructura del libro, en la perspectiva de sus significados más amplios; el libro en cuanto aprehensión de un aspecto de la realidad

---

1 Aunque Emir Rodríguez Monegal ha escrito un excelente trabajo sobre la estructura de *TTT*, lleno de agudas observaciones en cuanto a sus temas, la mayor parte de su ensayo se dedica a caracterizar el lenguaje de la obra. La confrontación de este lenguaje con el de *Rayuela* es particularmente valiosa. Me refiero a «Estructura y significaciones de *Tres tristes tigres*» *(Sur*, núm. 320, septiembre-octubre de 1969). Un estudio pormenorizado de rasgos lingüísticos del libro es el de Nicolás Rosa, «Cabrera Infante: una patología del lenguaje», incluido en su *Crítica y significación*, Buenos Aires: Editorial Galerna, 1970.

cubana que remite, a su vez, a una visión total de esa realidad y a la visión del mundo que ofrece allí el autor; y, para concluir, la cosmovisión del autor me llevará de nuevo a la manera de composición de la obra, influido de algún modo por uno de sus *motivos* más notables, el del final que es principio o recomienzo. La recapitulación a la inversa me servirá, además, para volver con más precisiones sobre el problema de ubicación genérica que, de entrada, se le plantea al lector del libro y que he de abordar por ello desde el inicio de mi análisis.

Contra lo que pueda a primera vista parecer, *Tres tristes tigres* tiene una estructura (sería mejor llamarla disposición u organización) ejecutada de acuerdo con un riguroso plan. Tan minucioso es el orden de la obra, que si de algo peca es tal vez de la abundancia de «cifras» o «rompecabezas» —así se titula significativamente una parte del libro—, algunos de los cuales provocarán en el lector la inquietud del enigma insoluble. Este carácter del libro hizo pensar a Cabrera Infante, en un principio, que «no sería entendido más que por un número muy reducido de personas que vivían en determinado lugar de La Habana y alrededor mío» [2]. Pero no se interprete mal lo que trato de decir: *TTT* dista de ser una obra «hermética» en el sentido corriente que ha adquirido el vocablo, aunque sin duda lo es en el etimológico, por alusión a Hermes Trimegisto, padre de la magia y la alquimia y dios de las correspondencias. Cabrera Infante, en definitiva, da suficientes datos para descifrar los acertijos, para armar el rompecabeza, aunque alguna pieza no encuentre su lugar sino en el modelo originalmente concebido por el autor.

---

[2] Ver la entrevista con Rita Guibert, «Guillermo Cabrera Infante: conversación sobre *Tres tristes tigres*», en la *Revista Iberoamericana*, núms. 76-77, julio-diciembre de 1971, p. 546. Declaraciones parecidas se recogen en otras entrevistas.

Todo lo antedicho desemboca en la siguiente afirmación, punto de partida de este trabajo: *TTT* es la reproducción gráfica de una particular operación de la memoria que el autor sintetiza en la cita de Lewis Carroll puesta de epígrafe al libro —«Y trató de imaginar cómo se vería la luz de una vela cuando está apagada». (Esfuerzo de la memoria que provoca, en primer lugar, el condenatorio «*Tradittori*», así, con dos *tes*, en cruce cargado de sentido con *traduttori*, de las páginas finales.) Aclaro más mi postulado. Arriba empleo intencionadamente el calificativo *gráfica* para referirme a reproducción. Y es que, contrariamente a lo que ya se ha vuelto tópico sobre *TTT* —señalar la cualidad de lengua hablada del texto—, opino que la distribución de sus materiales, que explota lo visual hasta el efecto tipográfico y el diagrama, es un aspecto decisivo en la composición de la obra [3]. Esa distribución contribuye a coordinar en un todo armónico las voces que el texto pretende transmitir o «traducir». Sentada esta premisa, paso a describir, en su coherente integridad, la arquitectura de *TTT* [4].

En obra tan poco convencional, que ha sido situada, con mayor o menor justeza, dentro de la «anti-literatura» y la «anti-retórica» (el mismo Cabrera Infante juega en alguna entrevista con nociones semejantes aplicadas a su libro, las de «anti-novela» y «meta-novela») [5], llama la atención que su

---

[3] «Para mí la lectura está siempre en función de la impresión en cualquiera de sus formas: máquina de escribir, periódico, libro», dice Cabrera Infante en la mencionada entrevista con Rita Guibert, *loc. cit.*, p. 538.

[4] Utilizo la edición Seix Barral de 1968 (la paginación es la misma, no obstante el cambio de formato, en la de 1971). Doy el número de página, en paréntesis, al final de las citas.

[5] Julio Ortega la califica de «doble intento de anti-literatura», en *La contemplación y la fiesta*, Caracas: Monte Ávila, 1969, p. 173. Para la categoría de «anti-retórica» v. el trabajo cit. de Nicolás Rosa, pp. 189

texto esté delimitado por los tradicionales prólogo y epílogo. Claro que los contenidos de este prólogo y epílogo burlan la expectativa habitual del lector, pero de todos modos fijan un principio y un fin que el autor ha querido asociar a estos conceptos establecidos. Si el prólogo de una obra anticipa una cuestión que se trata en ella, el epílogo la resume continuando, o mejor, confirmando lo propuesto en el prólogo, enriquecido ya por la elaboración del cuerpo de la obra. El prólogo de *TTT* contiene la presentación del *show* de *Tropicana* por su maestro de ceremonias. El epílogo es un fragmento del discurso «sinfín» de la loca que suele (o solía) pronunciarlo en el Parque de los Enamorados, de la cual habla Silvestre en el capítulo II de «Bachata» (pp. 299-300). Prólogo y epílogo aparecen en *TTT*, según se verá, como dos miembros que se corresponden, dos emblemas grotescos de la misma enajenación, Escila y Caribdis de esta odisea nocturna.

Entre el prólogo y el epílogo se hallan siete secciones, tituladas, en este orden: «Los debutantes», «Seseribó», «La casa de los espejos», «Los visitantes», «Rompecabeza», «Algunas revelaciones» y «Bachata» (el índice que lleva la edición de 1971 facilita mucho la labor reconstructora del lector curioso y el crítico, ese lector «traicionero»).

«Los debutantes» está compuesta de «una galería de voces» [6], entre las que oímos aquellas que serán protagonistas de la obra: la de Silvestre, la de Silvio Sergio Ribot (Eribó) y la de Arsenio Cué. La voz de Códac introduce la primera parte del relato «Ella cantaba boleros» —que se desarrollará alternando con otros pasajes a lo largo del libro— y el se-

---

y sigs. Sobre «antinovela» y «meta-novela», véase la entrevista con Albert Bensoussan en *Ínsula*, núm. 286, septiembre de 1970, p. 4.

6 «El libro, lo he dicho muchas veces, es una galería de voces», expresa el autor (entrevista con Rita Guibert, *loc. cit.*, p. 543).

gundo capítulo de esta historia cierra la sección. Una de las voces menores reaparecerá más adelante (Magdalena Crús), pero no volverán a transcribirse la de Delia Doce —corresponsal de la madre de Cuba Venegas— y la de Beba Longoria, pues la función de ambas se agota aquí. Bajo los epígrafes de «Primera» y «Segunda» se nos presentan también confesiones de una mujer a su psiquiatra, que se intercalarán en el resto del libro hasta llegar a la «Oncena», situada de modo muy deliberado, según se verá en su oportunidad, al final, precediendo inmediatamente al epílogo. Las páginas con que se abre la sección de «Los debutantes» —relato de ciertos episodios de la niñez— en realidad constituyen la primera de esas sesiones psiquiátricas, de manera que la última u «Oncena», también recuerdo de infancia, vuelve al comienzo (de la vida y de la obra). No es imprescindible saber en este punto (ni en ningún otro, a decir verdad) que la mujer psicoanalizada es Laura Díaz, personaje cuya importancia no se advertirá hasta la última parte del libro.

«Seseribó» es la primera de las piezas fundamentales del ensamblaje que voy describiendo (pienso en un gran rompecabeza y en las partes que ayudan a componer mejor el diseño, por su posición decisiva en la reconstrucción del todo). La narración de Ribot o Eribó, el músico intérprete (bongosero) y dibujante con mucho de intelectual, es seguida por dos fragmentos de «Ella cantaba boleros», separados (mejor, vinculados) por la «Tercera» confesión psiquiátrica y seguidos, a su vez, por la «Cuarta», que pone fin a la sección. Es importante hacer notar aquí que en el fluir de la conciencia de Ribot se reflejan los otros dos «tigres», Cué y Silvestre, de manera muy especial. Esto, a primera vista, no sorprende: son amigos, los unen intereses semejantes. Pero cuando se cae en la cuenta de que el fenómeno se repite con la misma intensidad en los otros dos, empieza uno a inquirir sobre la significación de estas correspondencias especulares.

«La casa de los espejos» —y el subtítulo insinúa la respuesta a la cuestión que se acaba de plantear— es la segunda de estas piezas centrales. Es ahora el turno de Cué, actor, musicólogo aficionado y escritor de vocación que no ha querido o podido serlo. A propósito de un encuentro con dos coristas (en compañía, por cierto, de Silvestre), Cué revive su frustrada relación con Laura Díaz, una de las «claves maestras» del libro, sobre la que habré de extenderme más adelante. El tono de elegía amorosa subsiste aún bajo la grotesca comedia del vestirse y maquillarse de las dos muchachas, Livia y Mirtila, que forma el capítulo II de esta sección. Como interrumpir la continuidad de esta narración (y lo mismo ocurre en la anterior, «Seseribó», y en «Bachata»), habría dispersado de modo inútil la atención del lector sobre un proceso esencial a la conciencia de Cué (y Eribó y Silvestre), el autor reserva para el final las interpolaciones, que ya se van volviendo habituales o esperadas, de las confesiones psiquiátricas y «Ella cantaba boleros», en el orden siguiente: «Quinta», «Ella cantaba boleros» y la brevísima «Sexta».

Ahora tendremos que aguardar hasta la última sección, «Bachata», para hallar la tercera pieza determinante. Es la que corresponde a Silvestre, escritor, *amateur* de música y actor potencial que interpreta personajes, vicariamente, desde su butaca de cine. Prefiero dejar la caracterización detallada de este pasaje para el lugar correspondiente, ajustándome a la ordenación del libro. Señalo solamente que con estos tres personajes se compone la tríada de los tigres aludida en el título de la obra.

«Los visitantes» presenta una visión «extraña» del escenario de la obra, la de una pareja de turistas norteamericanos. La ironía de Cabrera Infante se multiplica aquí como en otra «casa de espejos». El turista, Mr. Campbell, es escritor y lo incorporado a *TTT* es un cuento suyo (más literatura) que «traduce» su breve experiencia de La Habana y alrededores, cuento a su vez mal «traducido» del inglés norteamericano por otro personaje de la obra, Rine Leal. El cuento aparece en la mala versión de Rine y en la corregida por Silvestre (según se aclara en la página 439). La circunstancia de que el cuento de Campbell, quien con arreglo a la noticia biográfica que se reproduce más adelante (p. 439) es soltero, incluye los «reparos» o «correcciones» de su esposa, añade otras perspectivas irónicas: la ofrecida por Campbell mismo, que fabrica dos versiones «ficticias» de sus aventuras, y sobre todo, la del omnipresente inventor del libro, que ha puesto a estos dos personajes, Mr. y Mrs. Campbell, entre los concurrentes de *Tropicana* mencionados por el *emsí* en el prólogo. Es necesario señalar ahora, para la mejor comprensión de observaciones posteriores, que las ambigüedades de este juego literario apuntan, a fin de cuentas, a lo extraliterario: a la confusa impresión que deja en un testigo extranjero el «espectáculo» de La Habana, lo cual él es el primero en reconocer irónicamente. Esta hipotética mirada extranjera a Cuba es, por otra parte, indispensable al plan de la obra. Ella permite que la realidad que sirve de base al libro sea percibida también desde fuera, con un aspecto grotesco no menos auténtico que el «traducido» por los lúcidos personajes-narradores nativos.

La «Séptima» de las sesiones psiquiátricas, con que termina la sección, se hace eco del *motivo* de las deformaciones, confusiones y correcciones que la recorre. «El viernes le dije una mentira, doctor», comienza diciendo la paciente y en seguida pasa a rectificarse. Es oportuno indicar aquí que estas confesiones psiquiátricas son como las irrupciones de una corriente soterrada que copia a su manera *motivos* de los otros textos de la obra. (Se podría decir también que ellas forman como una serie de notas ampliatorias dentro del conjunto.)

«Rompecabeza» y «Algunas revelaciones» presentan los hechos, o más bien, dichos, de Bustrófedon, con la circunstancia de su muerte. Se recoge aquí un repertorio de los juegos lingüísticos de Bustrófedon, remedados por los otros personajes principales, sus amigos. La sección «Rompecabeza», en su mayor parte, se compone de las parodias de varios escritores cubanos —Martí, Lezama Lima, Piñera, Lydia Cabrera, Novás Calvo, Carpentier, Guillén— que Bustrófedon ha grabado en cinta magnetofónica y que se transcriben bajo el subtítulo «La muerte de Trotsky referida por varios escritores cubanos, años después —o antes». Pero hay entre las dos secciones, a mi juicio, una diferencia significativa: en «Rompecabeza», el punto de vista es el de Códac, mientras que en la primera tirada de «Algunas revelaciones» la narración parece asumirse directamente por el autor, que no de otro modo pueden entenderse las páginas en blanco y los juegos tipográficos (como el de la página que se refleja en la de enfrente). Son particularidades que provienen obviamente del autor y de la manera como concibe el libro; el autor se denuncia de manera bien ostensible en esta declaración de la página 270: «Yo, este anónimo escriba de jeroglíficos actuales, podría decirles más...». No es accidental, en fin, que en el prólogo (visión de un escenario donde se reúnen personajes que aparecerán más adelante en la obra), aquí en el centro y hacia el final, por medio de una nota, Cabrera Infante nos haga sentir traviesamente su presencia, nos recuerde que es él quien maneja los hilos o, más adecuadamente, hace vivir a sus criaturas. Esta observación sirve de anticipo a ciertas ideas que expondré posteriormente. «Algunas revelaciones» incluye, tras la nueva evocación de Bustrófedon y sus aventuras lingüísticas, las sesiones psiquiátricas «Octava», «Novena» y «Décima», alternadas con dos fragmentos de «Ella cantaba boleros».

«Bachata», aunque apoyada en la visión de Silvestre, es en realidad un extenso diálogo, que parece más bien *match* de boxeo, entre éste y Cué. Los dos interlocutores (o contendientes) alcanzan igual relieve, y aun se inclinaría uno a conceder la primacía a Cué, si no fuera porque las palabras decisivas las tiene Silvestre al final. Al lector familiarizado con *TTT*, no le parecerá extemporánea la observación siguiente: este diálogo o cuerpo a cuerpo da a ratos la impresión de desarrollarse entre un hombre y su imagen, un individuo y su doble, o, más exactamente, dos hipóstasis de un mismo ser. Uno frente al otro, los dos personajes se reflejan mutuamente, confirmando de manera muy concreta la compleja armazón especular de la obra a que he aludido en otra parte. La salida de este laberinto de espejos y, a la larga, solución a todas las «charadas» anteriores del libro, es lo que se ofrece al lector al final de esta «bachata», cubanismo por fiesta desenfrenada, que alude también aquí, juego típico del libro, a Bach, a la forma musical de la fuga y, por asociaciones sucesivas, obvias o insinuadas, al movimiento constante en el auto de Cué Malecón arriba y abajo, a las consideraciones sobre tiempo y espacio y, en definitiva, a los tiempos y espacios de los personajes de la obra. La salida que encuentra Silvestre exige una pérdida, la de la amistad de Cué o, a tono con el carácter de conciencia dividida que veo en este pasaje, la ruptura con una parte de esa conciencia, necesario abandono de lastres para llegar a la «clave del alba» en las últimas líneas del monólogo de Silvestre. La identificación Cué-Silvestre queda, por otra parte, más que sugerida por el autor en estos «bocadillos» de los personajes:

—Lo cierto es que ni tú ni yo somos contradictorios. Somos idénticos, como dijo tu amiga Juanita.

—¿La misma persona? Una binidad. Dos personas y una sola contradicción verdadera (p. 419).

En este recorrido general por el texto de la obra, creo haber puesto de relieve relaciones entre sus partes no examinadas hasta hoy, que yo sepa, en otros estudios. Llevaré ahora más lejos este tratamiento. En primer lugar, se impone aquí explicar con más pormenores el grado de dependencia entre esas partes o piezas que he calificado de fundamentales: «Seseribó», «La casa de los espejos» y «Bachata». Sólo al comprender la íntima trabazón que existe entre estas secciones, se llegará a precisar el tipo genérico a que pertenece *TTT*, con antecedentes antiguos y prestigiosos (algunos señalados ya por la crítica y el mismo Cabrera Infante).

Indicaba, al referirme antes a los personajes centrales de estas secciones —Ribot, Cué y Silvestre, respectivamente—, cualidades que son comunes en ellos: la pasión por la música, el ejercicio de la inteligencia y la participación más o menos activa en alguna forma de espectáculo (Cué es actor, Ribot es músico en un conjunto de *niteclub*, Silvestre «revive» constantemente escenas de películas). ¿No son demasiado significativas estas coincidencias? Se puede argüir, tal vez, que estas cualidades comunes son el origen de la estrecha amistad de los personajes. ¿Pero no es, de todos modos, «sospechosa», tan absoluta identidad? Las grandes amistades, como el amor, suelen cimentarse sobre notables diferencias, a veces oposiciones de carácter. ¿No ha buscado el autor por este medio referir, en realidad, estas partes, estos «tigres» a una persona que los contiene y los justifica? O, dicho de otra manera, estos tres personajes vienen a ser avatares de la conciencia o de la memoria del autor. No se trata exactamente del tradicional *alter ego* de la novela con rasgos autobiográficos —aunque la comparación sea, en cierta medida, aceptable—, sino de algo más simple pero, de modo paradójico, menos evidente. El autor ha querido reconstruir con su obra un mundo, o el reflejo de ese mundo que sobrevive en su memoria: mundo-reflejo tan profundamente personal, que el autor no aspira a «objetivarlo», pues eso supondría en este caso juzgarlo y explicarlo (algo que, decididamente, evita el libro). La cita de Lewis Carroll, lema de la obra, encuentra así su más plena justificación. Para llevar a cabo su intención, Cabrera Infante ha fragmentado el espejo (conciencia-memoria) y es sólo juntando estos trozos como podemos obtener la visión unitaria. La diferenciación entre los tres protagonistas es en el fondo tan tenue, que, cuando no hay datos específicos, la distinción es difícil para el lector. En el diálogo de «Bachata», por ejemplo, el lector más atento, si quiere adscribir este o aquel parlamento a Silvestre o a Cué, tendrá en muchas ocasiones que volver atrás y retomarlo en un punto aclaratorio. Por otra parte, no caigo en la ingenuidad de considerar el libro autobiográfico en el sentido más literal, ni pretendo aquí identificar pormenores de la ficción con los de la vida real del autor y hace bien Cabrera Infante en prevenir al lector contra esa tentación[7]. No, lo que trato de expresar es otra cosa: el libro es autobiografía en cuanto transposición de la memoria o de una serie de memorias que el autor recompone, en última instancia, con la libertad del inventor de ficciones y con un propósito puramente estético[8].

---

[7] En la entrevista con Rita Guibert, cuando la entrevistadora le pregunta si el libro es autobiográfico, Cabrera Infante lo niega, pero esa negativa parece dirigirse a la actitud simplista de asociar la primera persona del narrador con el yo del autor, atribuyendo al autor todo lo que sucede al narrador *(loc. cit.*, p. 546).

[8] Ha dicho Cabrera Infante: «Mi visión del mundo es la misión del 'Monde' [se refiere al periódico francés]: una misma superstición hebraica nos impide ver otra cosa que la palabra escrita, negando el

Sobre la función que el minucioso recordar ha tenido en la creación de *TTT*, el texto nos ofrece suficientes claves, por medio, justamente, de Silvestre, el escritor o «recordador»:

> Lo opuesto a mí, porque me gusta acordarme de las cosas sabiendo que nunca se pierden porque puedo evocarlas *debe haber tiempo. Esta es la cosa que es en el presente lo más perturbador y si existe el tiempo que es en el presente lo más perturbador es la cosa que hace al presente lo más perturbador* puedo vivirlas de nuevo al recordarlas y sería bueno que el verbo grabar (un disco, una cinta) fuera el mismo que en inglés, recordar también porque eso es lo que es, que es lo opuesto de lo que es Arsenio Cué (p. 297).

> Me reí. Pero pensé mirando al puerto que hay alguna relación sin duda entre el mar y el recuerdo. No solamente que es vasto y profundo y eterno, sino que viene en olas sucesivas, idénticas y también incesantes. Ahora estaba sentado en la terraza tomando una cerveza y llegó un golpe de brisa, ese viento que viene del mar, cálido, que comienza a soplar al caer la tarde y en asaltos repetidos me llegó el recuerdo de este aire de la tarde, pero fue el recuerdo total porque en uno o dos segundos recordé todas las tardes de mi vida (por supuesto que no las voy a enumerar, lector) en que sentado en un parque leyendo levantaba la vista para sentir la tarde o en que me recostaba a una casa de madera y oía el viento entre los árboles o en la playa comiendo un mango que manchaba mis manos de jugo amarillo o sentado junto a una ventana oyendo una clase de inglés o visitando a mis tíos sentado en una mecedora con los pies sin llegar al suelo y los zapatos nuevos que me pesaban cada vez más, y donde siempre batía esta brisa suave y tibia y salobre. Pensé que yo era el Malecón del recuerdo (p. 304).

---

mundo de la imagen. Pero al periódico (como al escritor) lo inundarán las imágenes, lo están ahogando ya y dentro de muy poco ambos dejaremos de existir. ¿No será porque veo el espejo como la primera y por tanto más terrible imagen? Lo fantástico juega en *TTT* el mismo rol que la memoria juega en lo fantástico. No hay más que memoria, hasta la imaginación está hecha de memoria» (entrevista con Albert Bensoussan, *loc. cit.)*.

> Esta imagen me asalta ahora con violencia, casi sin provocación y pienso que mejor que la memoria involuntaria para atrapar el tiempo perdido, es la memoria violenta, incoercible, que no necesita ni madelenitas en el té ni fragancias del pasado ni un tropezón idéntico a sí mismo, sino que viene abrupta, alevosa y nocturna y nos fractura la ventana del presente con un recuerdo ladrón. No deja de ser singular que este recuerdo dé vértigo: esa sensación de caída inminente, ese viaje brusco, inseguro, esa aproximación de dos planos por la posible caída violenta (los planos reales por una caída física, vertical y el plano de la realidad y el del recuerdo por la horizontal caída imaginaria) permite saber que el tiempo, como el espacio, tiene también su ley de gravedad. Quiero casar a Proust con Isaac Newton (p. 306).

Aunque Silvestre habla de «recordar» como «lo opuesto de lo que es Arsenio Cué», añadiendo después que lo que hace Cué es «memorizar», se trata, al cabo, de opuestos complementarios, de dos funciones de la memoria difícilmente separables. La opinión de Silvestre, por otro lado, es injusta, ya que, como se verá en breve, Cué, en «La casa de los espejos», recuerda a Laura intensa y minuciosamente. Lo cual, a su vez, contradice esta declaración suya de «Bachata»: ... «porque si estuvieras, si hubieras estado enamorado no recordarías nada, no podrías recordar siquiera si los labios eran finos o gordos o largos» (p. 306). (Estas contradicciones innegablemente refuerzan el carácter de dualidad, o de *uno* dividido, que he señalado con referencia a «Bachata».)

Entre los recuerdos de que está compuesta la obra, los del amor constituyen el hilo argumental en las narraciones de los tres tigres, o son su común denominador. Se puede ir más lejos todavía y ver estos episodios como etapas de una sola historia de amores, fragmentada entre los tres personajes (Eribó, Cué, y Silvestre). La relación sensual con la ambigua Cuba Venegas, la atracción por Vivian (sin posible satisfacción) y el amor por Laura Díaz, frustrado primero y realizado más tarde, forman como momentos sucesivos de una misma experiencia sentimental. Claro que en el contexto individual de los personajes Cuba y Vivian aparecen como los fracasos de Eribó, y Laura como el gran amor perdido por Cué y ganado por Silvestre. Pero hasta qué punto el autor quiere abarcar unitariamente esos recuerdos, lo muestra un pormenor que en obra tan cuidadosamente planeada no puede obedecer a arbitrariedad o distracción. Es el hecho de que Silvestre sueñe, en la página 445, «con los leones marinos de la página ciento uno», cuando la página 101 pertenece a la sección «Seseribó» y lo que allí se presenta es algo que le sucede a Eribó y no a Silvestre (se trata de la visita de Eribó y Cué a Vivian, en la piscina del edificio donde ella vive). Los «leones marinos» son las niñas que rodean a Cué, junto a la piscina, cuando lo reconocen como su ídolo de la televisión. La palabra «Tradittori» puesta al final de la tirada, tiene, pues, a este respecto, un significado inmediato; el autor acaba de traicionarse, y así lo reconoce. Cuando relacionamos esta «traición» flagrante del autor con otras ya mencionadas, más o menos explícitas, se hace evidente su intención de que el lector abandone las trilladas psicologías y sociologías y acepte, comprenda la obra en su totalidad como elaboración de una memoria personal, ordenada «grabación» de su autor. El fenómeno se puede asociar con el observable en *Finnegans Wake* —libro con el cual *TTT* emparienta por algún costado— que, al pretender abarcar la historia de la humanidad en el sueño de H. C. E., traiciona la presencia de otro soñador, James Joyce, quien suple la visión histórica y erudición que faltan a su protagonista.

La historia de amor con Laura Díaz (nótese la resonancia petrarquesca del nombre) ilumina las secciones correspondientes a Cué y Silvestre («La casa de los espejos» y «Bachata»). Esta historia, como ya he anotado, es una de las más importantes «claves» temáticas de la obra: ella instaura, al final, un orden que podríamos llamar trascendente. Cué recuerda a Laura con la emoción de su belleza y el dolor de su pérdida:

> No tenía la menor idea de quién sería, tanto que iba a dar una excusa y meterme en la máquina, cuando vi una muchacha larga, pobremente vestida de negro, delgada, de pelo castaño claro, casi arena, que sonreía junto a la escalera: yo la había mirado al pasar por su lado, contento de ver aquel cuerpo esbelto y bien hecho y joven, y creo que miré sus ojos grises o castaños o verdes entonces (no, no los miré, porque los hubiera recordado: son sus ojos malva, oscuros, morados los que no puedo olvidar) (pp. 147-148).
>
> Además, ella era viuda —cosa que no vi, por supuesto, como no vi otras cosas que quizá por teléfono habría sabido más que ahora que la *tengo ahí fijada en el recuerdo:* hablando y riendo y el sol cayendo por detrás de su pelo revuelto y del mar, cinco horas más tarde cuando la traía del Mariel, de un almuerzo marinero y tardío, por el Malecón a su casa (p. 148)[9].
>
> No, no había amor entre Laura y yo aquella tarde, todavía. Lo hubo, lo hay, lo habrá, mientras yo viva, ahora. Livia lo sabía, mis amigos lo sabían, toda La Habana/que es como decir el mundo/lo sabía. Pero yo no lo sabía. No sé si Laura lo supo nunca (p. 150).

Una reminiscencia literaria que contribuye a fijar el carácter de esta relación sentimental, sirviendo a la vez como de su presagio, es la lectura asidua, por parte de Cué, de *Across the River and into the Trees*. Cué lleva el libro de Hemingway cuando conoce a Livia Roz, quien hace un comentario frívolo a su costa. Este incidente tiene mayor importancia de lo que parece, si se recuerda que precisamente por la tentación

---

[9] El subrayado es mío.

de «la carne de Livia» (p. 149), Cué pierde a Laura, por haberlo encontrado ella en un juego erótico con Livia. Cuando Cué habla por primera vez (por teléfono) con Laura, acaba de releer la novela de Hemingway: «La llamé un día cuando terminé de leer por tercera ocasión esta novela conmovedora y triste y alegre que es creo de los pocos libros de veras sobre el amor que se han escrito en el siglo»... (p. 147)[10].

En «Bachata», Laura es el oculto resorte del diálogo-duelo entre Cué y Silvestre. Véase este significativo fragmento que cito a partir de un comentario de Silvestre (conviene recordar que Laura, la antigua modelo, es ahora una conocida actriz):

> —Chico, tiene razón Códac, el Fotógrafo de las Estrellas. En cada actor hay escondido [*sic*] una actriz.
>
> Entendió la alusión, sabía que yo no lo acusaba de afeminado ni nada, sino que conocía en parte o todo su secreto y se calló la boca. Puso una cara tan seria que lo lamenté y maldije mi costumbre de decirle a la gente las cosas mejores en los peores momentos o las cosas peores en los mejores momentos. Mi arte de ser oportuno. Regresó a la bebida y ni siquiera me dijo, Coño contigo no se puede hablar, sino que se quedó callado mirando el líquido amarillo que hacía amarillo el vaso y que por el color y el olor y el sabor debía ser cerveza, cerveza caliente por el tiempo y la tarde y el recuerdo. Llamó al camarero.
>
> —Otras dos bien frías, maestro.
>
> Miré su cara y vi todavía el fulgor que debió tener Kalikrates o Leo cuando encontró a Aïsa y supo que ella era Ella. Es decir, She (p. 308).

---

[10] El pasaje tiene un señalado aire hemingwayano. Lo veo, en cierto modo, como un «homenaje» a Hemingway, entre los varios que rinde el autor a sus escritores favoritos, de Dante a Raymond Chandler. En este caso, el homenaje está teñido de nostalgia por una época de la juventud del autor, cuando Hemingway era dios tutelar de él y otros escritores de su generación, algunos grandes amigos suyos entonces. Dos de estos escritores, Lisandro Otero y Silvano Suárez, han publicado libros sobre Hemingway.

Laura, en fin, reaparece de manera dominante en el anuncio que hace Silvestre a Cué de su próximo casamiento con ella:

> ¿Cómo empezar? Era lo que quise decirle toda la noche, todo el día, desde hace días. Llegó el momento de la verdad. Conozco a Cué. Se sentó nada más que para jugar al ajedrez verbal conmigo.
>
> —Vamos. Te estoy esperando. Pitchea. No quiero bolas de saliva.
>
> ¿Qué dije? Un ajedrez popular, el beisbol.
>
> —Te voy a decir el nombre de la mujer del sueño. Se llama Laura.
>
> Esperé que saltara. Lo esperé desde hace semanas, lo esperé todo el día, por la tarde, por la noche temprano. Ya no lo esperaba.
>
> Tenía lo que no tienen ustedes para saberlo: su cara frente a la mía.
>
> —Fue ella quien soñó el sueño.
>
> —¿Y?
>
> Me sentí ridículo, más que nunca.
>
> —El sueño, es de ella.
>
> —Ya me lo dijiste. ¿Qué más?
>
> Me quedé callado. Traté de encontrar algo más que refranes y frases hechas, una frase por hacer, palabras, alguna oración regada por aquí y por allí. No era ni pelota ni ajedrez, era armar un rompecabezas. No, un juego de bloques de letras.
>
> —La conocí hace días. Un mes o dos, mejor dicho. Hemos salido, salimos juntos. Pienso, creo. No. *Me voy a casar con ella* (p. 434).

Laura es, en suma, el catalizador que propicia el cambio, el orden que se impone al final. Orden que incluye a la conciencia del creador y, en definitiva, a su creación. Laura está en ese amanecer que liquida la última orgía nocturna del libro; en ella encuentra origen esa figuración de orden que es la obra concebida, la que ahora en nuestra lectura está concluyendo: *Tres tristes tigres*. Así, el final de libro nos remite cíclicamente al comienzo, revelándonos a la vez la posición desde la cual se hace posible la obra y su punto de arranque: ... «y dije, entonces, fue entonces, una palabra, me parece, un nombre de niña (no lo entendí: clave del alba)»... (p. 445)[11]. Para hallar la clave hay que volver a las primeras páginas de la obra, al pasaje que inicia la sección «Los debutantes»: el relato que hace Laura Díaz de ciertas aventuras de su infancia en compañía de su amiga *Aurelita*.

La obra es, por lo demás, un accidentado tránsito por la sombra hacia la luz (el alba salvadora del final). Ese ambiente sombrío, que se presenta de modo más evidente bajo el aspecto de la noche, sintetiza simbólicamente su tema en distintos planos de significación. Porque si en el nivel más inmediato la obra intenta sumergir al lector en el fárrago de La Habana «nocturna» como era hace años, o como el autor lo conoció, la visión que allí se ofrece tiene mayor alcance. En realidad, el lector, guiado por el autor, efectúa el descenso a otro infierno, el de Cuba en su fondo de enajenación, violencia, lascivia y tristeza animal (género de tristeza al que apunta el trabalenguas escogido como título del libro). Si este aspecto de Cuba tiene puntos de contacto con el resto de la América Latina (en el más amplio sentido de la expresión), en Cuba, sin embargo —tal vez lo que afirmo deba extenderse a toda la región del Caribe— se acusan los mencionados rasgos caricaturescamente, como consecuencia de su condición de isla estratégica, que la convirtió en centro de

---

[11] Las alusiones aquí apuntan a otras cosas también, a los libros de *Alicia,* a Lewis Carroll y a su afición a las niñas; «Las claves del alba» es el título de un libro de Roberto Branly y puede verse como una broma esotérica. Pero como sucede a menudo con Joyce, los significados de ciertas alusiones se amplían y multiplican de modo sorpresivo dentro del todo. Las alusiones o bromas privadas que abundan en *TTT* se deben considerar, por otra parte, como autobiográficas, según la definición de *autobiográfico* que intento en este ensayo.

trasiego marinero, escala obligada de expediciones al continente, factoría de la potencia vecina e importante base naval. El prólogo y el epílogo son, en este sentido, como dos polos, el colectivo y el individual, respectivamente, de este mundo. El cabaret *Tropicana* del prólogo es como una cápsula (la comba de cristal que lo cubre subraya la impresión) donde se exhiben las ridículas pretensiones y ostentaciones de los que allí se encuentran, o los que allí han llegado, pues *Tropicana* es la imagen de una aspiración general: la de vivir despreocupada, indiferentemente, en un clima artificial de frío. Por eso se reúnen allí el magnate y senador Solaún (el «tiburón» que explota a Eribó), el Coronel Suárez Dámera con su esposa (la Beba Longoria de «Los debutantes»), la poetisa y recitadora Minerva Eros, amante del torturador oficial Ventura y la joven aristócrata Vivian Smith Corona Álvarez del Real, de quien se enamorará Eribó. Políticos, militares, advenedizos, aristócratas, cortesanas, derroche y vulgaridad. Y en medio de todo esto, Códac, el hombre-cámara, de quien me ocuparé en breve. «¡Arriba el telón!... *Curtains up!*» dice el maestro de ceremonias al final de su introducción o de la introducción al libro: hechas las presentaciones, comienza la función, el *show* —pequeño teatro del mundo— donde reaparecerán estos personajes, sus émulos y sus víctimas. El epílogo es la voz de una conciencia «enajenada» donde resalta ese «ya no se puede más», última frase del libro, aunque no su solución, como creo haber mostrado. Porque «ya no se puede más», Silvestre decide cambiar su vida, rebelarse. Emblemáticos, dentro de este cuadro, son otros personajes y situaciones, como las coristas Mirtila y Livia y, especialmente, la desequilibrada Magdalena Crús, el *show* de Supermán y las escenas de violencia que narra Silvestre al principio y al final de la obra, dos experiencias de su infancia (pp. 41-42, 437). En ese contexto adquieren su valor exacto imágenes como la de esa personificación del lado oscuro de la isla que es Cuba Venegas, de quien se nos dice que «es mejor, mucho mejor ver a Cuba que oírla y es mejor porque quien la ve la ama, pero quien la oye y la escucha y la conoce ya no puede amarla, nunca» (p. 278) o aquella del coctel llamado «mojito» («agua, vegetación, azúcar [prieta], ron y frío artificial»), visto como una «metáfora de Cuba» (p. 321). Conviene añadir que Cabrera Infante no pronuncia más juicio moral que el implícito en su comprensión de esta realidad —fuerza de su arte— y que la «nostalgia» mencionada en la tapa del libro y una buena dosis de compasión constituyen ingredientes esenciales de su visión.

Pero la obra no se detiene en esta visión local. En ese caso, representaría sólo un curioso documento sociológico, y nada más lejos de su razón de ser. Con método admirable, en el que se destacan las interpolaciones regulares de «Ella cantaba boleros» y las sesiones psiquiátricas, la visión del autor salta todas las fronteras y acaba por enfrentar al lector, sencillamente, con los ancestrales terrores y esperanzas de la especie (lo que, a mi modo de ver, explica la universalidad de su éxito). Porque el libro es, por encima o por debajo de todo lo demás, un rito exorcístico con que el autor ha querido purgarse —catarsis en la que pretende hacer partícipe al lector— de los «demonios» o fuerzas oscuras que habitan en nosotros junto a los «ángeles» de la luz, oposición que la obra recoge como dialéctica de la noche y el día (de modo más notable en su parte final). Los pasajes de «Ella cantaba boleros» sirven, sobre todo, este propósito, con su insistente evocación de monstruos de la noche (criaturas abismales, amenazas de las pesadillas), que preside «La Estrella», la Ballena Negra —grotesca versión del tradicional *leviatán*—, quien, como las sirenas míticas, encanta con su voz en las profundidades lóbregas de los bares. La circunstancia de que estos pasajes sean contados por Códac aparece como una exigencia de la obra inmejorablemente satisfecha por Cabrera Infante. Se requería aquí el registro objetivo de ese mundo y esos seres y Códac, el fotógrafo, desasido, impasible —él mismo un cruce entre cámara y grabadora— es el medio idóneo para lograrlo sin abandonar la técnica de los testimonios directos, procedimiento que da unidad, a pesar de lo diverso de los materiales, a la «factura» total de la obra.

En cuanto a las sesiones psiquiátricas, como se anticipaba arriba, reflejan y subrayan *motivos* básicos de la obra. El de la muerte, vista por sus lados más repulsivos, el del cadáver —disecciones de la Escuela de Medicina (p. 144), Bustrófedon sometido a la autopsia— y el del asesinato o la tortura, se evidencia en las sesiones siguientes: «Segunda», con el sueño sobre la carroña del perro quemado, «Quinta», con el hallazgo del esqueleto «que tenía todavía pedazos de carne» y la «Décima», con la anécdota sobre la vaca que matan en la calle y que ha originado en la paciente repugnancia a comer carne. El *motivo* del rechazo con matices raciales (Vivian y Eribó) se repite en el sueño de las lombrices, de la sesión «Octava». El de los actores (Cué, sus «juegos» y los de los otros) queda sintetizado en la «Tercera» («¿Doctor, usted cree que yo debo volver al teatro?»...). El de los vagos deseos e infortunios de la infancia y adolescencia femeninas, de la mayor importancia en obra donde figuran tantas mujeres desajustadas, se revela en la «Cuarta» —sueño infantil de la paciente—, «Novena» —donde la paciente relata su primera experiencia matrimonial, terminando con el recuerdo de su hija, que le es arrebatada por la familia del marido— y «Oncena», que describe la pérdida de la inocencia de una «amiguita» de la paciente (tal vez la paciente misma o un producto de su imaginación, como sugiere ella al final). La figura orbicular de la obra se refuerza por el hecho de que la sesión

«Oncena» sigue inmediatamente al monólogo final de «Bachata», cerrando esta sección. El «nombre de niña» del monólogo nos remite a las niñas de «Los debutantes», pero la sesión «Oncena» sirve de enlace, o, mejor, de trampolín que nos ayuda a dar el salto al comienzo.

En mitad del libro se introducen los juegos lingüísticos, las parodias, la filosofía y la muerte de Bustrófedon. Estos pasajes pueden tomarse como entremés (descanso o divertimiento), pero también forman un centro en sentido más profundo que el de su posición en la obra. Bustrófedon es la oculta divinidad que los demás veneran o de la cual son otros tantos reflejos, imágenes de esa imagen del «relajo» total. Bustrófedon es el tradicional «choteo» cubano elevado a categoría trágica. Al margen de los grandes movimientos de la cultura, la vida intelectual de una isla del Caribe se debate entre la hinchada pompa y el juego irrespetuoso. Pero el juego irrespetuoso, parece decir Cabrera Infante, expresa mejor, y no sólo allí, el interés apasionado en las ideas y el arte que han dado perfil a eso que llamamos civilización occidental: «¿Una broma? ¿Y qué otra cosa fue si no la vida de B? ¿Una broma? ¿Una broma dentro de una broma? Entonces, caballeros, la cosa es seria» (p. 264). Desde este ángulo apreciamos debidamente la función de las parodias de escritores cubanos. Lo que se parodia, en el fondo, es lo que hacen Proust, Huxley o Mann con sus consideraciones estéticas sobre la obra de algún personaje de ficción que representa a cierto o ciertos artistas de la época en que escriben. Las tiradas que «traducen», por ejemplo, en Proust, el arte de Bergotte, de Elstir, o de Vinteuil, son aquí «traducciones» en broma de escritores cubanos conocidos. La broma, por otra parte, no supone siempre desprecio; en algunos casos implica admiración y creo que ocurre así en estas parodias (principalmente las de Lydia Cabrera, Novás Calvo y

Virgilio Piñera). El origen de estas bromas es, a fin de cuentas, algo más radical: la desproporción entre lo que algunos llaman (o llamamos) «literatura cubana» y la vieja, original y prestigiosa literatura europea.

Desde luego que esta bufonada de Bustrófedon y sus ramificaciones por el libro tiene también otros alcances —a la postre, de «cosa seria»—, como la corriente de literatura humorista en la cual se inserta, señalada ya por la crítica (Rabelais, Quevedo, Swift, Sterne, Mark Twain, Lewis Carroll, Jarry). Y ya en el plano de los antecedentes y las tradiciones, regresemos a mi noción de que el libro constituye un curioso ejemplar cruzado de novela y autobiografía, de suerte que es a la vez esas dos cosas y algo muy distinto de las dos. Para comprender mejor este cruce genérico, basta invocar algunas obras que, cada una a su modo, lo han realizado. En primer lugar, piensa uno en algunas obras de la picaresca tardía donde las aventuras se presentan como «documentales», tal el *Estebanillo González* o la fabulosa *Vida* de Diego de Torres Villarroel. Con carácter especial se debe considerar a *Tristram Shandy,* que suele citarse a propósito de *TTT.* La obra de Sterne es, en suma, como ve justamente John Stedmond, un *tour de force* sobre el acto mismo de la creación del libro y las operaciones mentales puestas en juego para su escritura, en relación con el lector [12]. La obra, dicho de otra forma, se propone, mediante la «autobiografía» de su protagonista, como ostensible manipulación por el autor de

---

[12] «His purpose —dice Stedmond— was, not to tell a story, but to examine the drama inherent in the very act of writing a book — the give and take between author and reader, the eager efforts of the one to overcome the stolid indifference of the other. Thus Sterne was extremely conscious not only of the workings of his own mind during the act of creation but also of the possible actions and reactions in the minds of his readers» *(The Comic Art of Laurence Sterne,* University of Toronto Press, 1967, p. 28).

su experiencia creadora y, por ello, de una compleja experiencia personal. (Lo autobiográfico es, en este libro, de índole muy particular, abstracta quizás; ejemplifica bien, por ello, el amplio sentido que doy al concepto.) Cabrera Infante, de manera semejante, utiliza los datos de su memoria —transformándolos según las necesidades de su obra— para mostrar algo así como el proceso de su reconstrucción artística. Infundiendo esta memoria en diferentes personajes, presentando ciertos monólogos narrativos en forma interrumpida, disponiendo, en fin, estos materiales a su conveniencia, como el jugador su manojo de naipes, el autor instaura un «orden desordenado» que refleja también las dificultades del esfuerzo de «recordar». El procedimiento tiene gran parecido con el del montaje cinematográfico —el autor es por pasión y oficio un hombre de cine— a causa de los peculiares efectos que logra la asociación por proximidad de diferentes contenidos («tomas») en una sucesión («secuencia»).

Por último, y aún más estrechamente, como consecuencia de lo que vengo sosteniendo, hay que poner a *TTT* en relación con *Portrait of the Artist as a Young Man* y *À la recherche du temps perdu,* esos dos pilares contemporáneos de la memoria-ficción. W. Y. Tindall, que ha expuesto con rigor ejemplar la relación arte-pensamiento en Joyce, afirma a propósito de Stephen Dedalus: «A ciertos críticos les ha parecido raro que alguien que recomienda impersonalidad escriba sobre sí mismo. Pero, como hemos visto, no hay aquí paradoja. Por medio de la distancia estética, lo personal, al convertirse en simbólico y formal, se vuelve dramático»[13]. Im-

13 «It has seemed odd to some critics that one who commends impersonality should write about himself. But, as we have seen, there is no paradox here. By aesthetic distance, the personal, becoming symbolic and formal, becomes dramatic». *James Joyce, His Way of Interpreting the Modern World,* New York: Scribner, 1950, p. 19.

porta subrayar que al hablar de «distancia estética», Tindall establece de modo implícito la diferencia de *A Portrait...* respecto a la tradición más directamente autobiográfica de las novelas de «formación del carácter». En cuanto a la obra de Proust, Leo Bersani se refiere a ella en términos semejantes a los que he aplicado arriba a *TTT:* «Tal obra sería novelesca y directamente autobiográfica sin ser en realidad ni lo uno ni lo otro» [14].

Estas coordenadas no sólo ayudan a situar genéricamente a *TTT,* sino además a fijar mejor sus rasgos distintivos. Y es que el libro, como toda obra de creación genuina, una vez establecidas sus filiaciones, evidencia más que nunca su originalidad.

---

[14] «Such a work would be novelistic and directly autobiographic without really being either one». *Marcel Proust, The Fictions of Life and of Art,* New York: Oxford University Press. 1965, p. 4. Son también importantes en relación con esto otras palabras suyas sobre *À la recherche...*: «To substitute a history of the author's sensibility for the invented situations and characters of traditional fiction: it is this impatience with the very materials of story-telling, the wish to bypass imaginary plots and write a work of self-expression, that perhaps most sharply distinguishes Proust from earlier practitioners of the novel» *(op. cit.,* p. 3).

GABRIEL MIRÓ Y SU NOVELA DE LA SENSIBILIDAD POÉTICA

Las novelas de Gabriel Miró tienen todas el mismo tema, afirmación que podría extenderse a sus narraciones breves. Y no se vea en esto que digo una salida de tono (o, lo que es peor, sentencia perogrullesca), sino el enunciado más simple de un complejo fenómeno literario, el del escritor que intenta presentar una visión «novelada» del mundo, pero desde el ángulo de la sensibilidad «poética» (de algún modo he de nombrarla). Que así Miró, el «poeta-novelista», como le llama Jorge Guillén [1], creaba —en virtud del verbo, de la expresión original— universos líricos «suficientes» [2], es verdad admitida que sustancia cumplidamente el estudio de Guillén a que me refiero.

Guillén señala allí, no obstante, la necesidad de leer las novelas de Miró en cuanto tales, para no caer en el error de considerarlas meros ensamblajes de trozos líricos, error que llevó a Ortega y Gasset a negar a Miró talento de nove-

---

1 En *Lenguaje y poesía; algunos casos españoles,* Madrid: Revista de Occidente, 1962.

2 Empleo libremente el adjetivo con que caracteriza Guillén el medio expresivo de Miró en el subtítulo de su estudio: «Lenguaje suficiente».

lista en su célebre artículo sobre *El obispo leproso*[3]. Esa lectura «comprensiva» de las novelas de Miró se advierte en trabajos de las últimas décadas, destacadamente los de L. J. Woodward, Joaquín Casalduero y Gloria Videla, donde se estudia la relación tema-composición en obras particulares[4]. Y es que solamente tomando en cuenta, de manera más o menos explícita, la referida encrucijada genérica, se puede apreciar cabalmente el arte de Miró.

Pero regresemos a mi aserto primero, porque a la luz de las anteriores observaciones se entenderá por fin su intención. Con él he querido aludir justamente a esa condición híbrida entre lo novelesco y la poesía que es inherente a la obra narrativa de Miró. Miró, como todo auténtico poeta, busca más allá de cuanto le rodea un absoluto o ideal, mezcla de belleza y de bien (entre los cuales apenas cabe distinguir en su obra, pues terminan por identificarse). El drama de Miró, de todo poeta, surge de su enfrentamiento con la «prosaica» realidad, la cual lo fuerza, una y otra vez, a «caer de sus alturas» y verse, como el albatros, torpe y ridículo entre los hombres, o como el recluso de un fétido hospital,

---

3 Esta perspectiva falsa lleva también a la autora de un libro sobre Miró a emitir respecto a *Las cerezas del cementerio*, novela de la cual me ocupo en especial aquí, opinión tan injusta como la siguiente: «Certes le romancier, en tant qu'artisan des lettres, s'y montre souvent puéril et maladroit, mais d'autre part, il s'y affirme subtil psychologue et son lirisme rayonne à travers de nombreuses pages de toute sa lumineuse beauté» (Jacqueline van Praag-Chantraine, *Gabriel Miró ou le visage du Levant, terre d'Espagne*, Paris: Nizet, 1959, p. 212).

4 L. J. Woodward, «Les images et leur fonction dans 'Nuestro Padre San Daniel'», *Bulletin Hispanique*, LVI, núms. 1-2 (1954), pp. 110-132; Joaquín Casalduero, «Gabriel Miró y el cubismo» (sobre *La novela de mi amigo)*, en *Estudios de literatura española*, Madrid: Gredos, 1962; Gloria Videla, «Captación artística del mundo moral en 'Nuestro Padre San Daniel' y 'El obispo leproso'», *Cuadernos de Filología*, núm. 2 (1968), pp. 91-111.

para aludir tan sólo a los manidos ejemplos de Baudelaire y Mallarmé. De ahí que el tema único de Miró, repetido con levísimas variantes a lo largo de su obra, sea precisamente el de este choque de la noble sensibilidad —no necesariamente de un personaje, suele estar representada en varios—, de un modo u otro «artística», con la grosería circundante. O, dicho con otras palabras, mediante las criaturas «sensibles» que pueblan sus obras, expuestas siempre a la mezquindad o rudeza del mundo, se viste con diferentes disfraces el temperamento lírico de Miró.

Tal vez se pueda aducir que este conflicto básico es menos obvio en sus últimas obras, las novelas de madurez, *Nuestro Padre San Daniel* y *El obispo leproso,* por el enriquecimiento del material novelesco allí observable, principalmente por el número y diversidad de los personajes. Pero si la complejidad de la narración es ciertamente mayor, no por eso deja de notarse allí también la escisión entre los «sensibles» y los «insensibles», que en el plano de la bastardía patética se habrían convertido en los «buenos» y los «malos». Desde el punto de vista adoptado por Miró, la oposición entre las aspiraciones «ideales» de los unos y las limitaciones «materiales» de los otros, se salva, en efecto, de todo simple maniqueísmo y, desde luego, de toda prédica moralizante. El interés de la obra de Miró reside, por lo demás, precisamente en la manera como se desenvuelve esa lucha, trágica porque se la percibe de antemano fallida, de lo egregio contra lo adocenado, de lo bello contra lo feo, de la imaginación contra la implacable realidad. En sus novelas, podría decirse, predomina en estado «puro» —«poético» desvarío de Don Quijote— el quijotismo o lo quijotesco (no sin una buena dosis de ironía cervantina). Debe tenerse presente, sin embargo, que el «héroe» de Cervantes es en verdad Alonso Quijano y que en él escarnecen los otros, ante todo, la patente estampa de su locura. Los protagonistas de Miró, por otra parte, suelen sufrir de una constante lucidez (a diferencia de los «lúcidos intervalos» de Don Quijote), bien en forma de autoanálisis —causante del suicidio de Federico Urios en *La novela de mi amigo*—, bien en forma de una amplia conciencia dolorosa, que acompaña a veces un padecimiento físico, en el fondo pesar emblemático (Félix Valdivia y su mal del corazón en *Las cerezas del cementerio,* el obispo y su lepra). Con lo cual damos de nuevo en la cuestión de la «sensibilidad», centro temático esencial de sus novelas.

Para un examen de los distintos aspectos del arte de novelar en Miró, me ha parecido conveniente detenerme en su primera novela extensa de importancia, *Las cerezas del cementerio* (1910), resultado de un ambicioso proyecto en el que trabajó largo tiempo [5]. La considero la obra que, por decirlo así, fija su visión madura del género novelesco que por aquellos años se iba afirmando en narraciones más breves: *La novela de mi amigo, Nómada* (ambas de 1908), *La palma rota, El hijo santo* y *Amores de Antón Hernando* [6] (las tres de 1909).

En *Las cerezas del cementerio,* la sensibilidad de que vengo hablando es reflejada fundamentalmente por su protagonista, Félix Valdivia, quien tiene, aunque en sentido algo distinto, la función de un *lucid reflector* según la concepción narrativa de Henry James (la diferencia estriba en que este *lucid reflector* lo es de su propia agonía). En segundo término-

---

[5] Sobre la gestación de *Las cerezas del cementerio,* véase Vicente Ramos, *Vida y obra de Gabriel Miró,* Madrid: Colección El Grifón, 1955, pp. 153-154. Utilizo para el presente estudio las *Obras Completas,* segunda edición, Madrid: Biblioteca Nueva, 1953. Doy las referencias entre paréntesis dentro del texto mediante la abreviatura *O. C.* y a continuación el número de página.

[6] *Amores de Antón Hernando* sería, en la versión definitiva, *Niño y Grande* (1922).

no, son ejemplo de dicha sensibilidad las mujeres que ama Félix, Beatriz, Julia e Isabel y, en menor grado, la señora de Giner. (Es característica destacada de la obra novelesca de Miró la presencia de estas figuras femeninas de espíritu delicado, víctimas de un marido vulgar o de una ingrata soledad o soltería: Luisa, Enriqueta, doña Rosa, Paulina, doña Corazón, Purita.) Al fondo, general punto de referencia, fantasma evocado a cada paso, se percibe la sensibilidad de Guillermo, el tío muerto. Por último, matices más difusos de sensibilidad —abundancia cordial sería mejor llamarla en esta ocasión— aparecen en ciertos personajes secundarios, como el tío Eduardo o la tía Lutgarda, mosén Leonardo y el bobo del lugar, almas bondadosas y timoratas, objeto de crueles burlas, por cierto, en el caso del sacerdote y el idiota.

Fiel a su evidente plan de hacer de Félix la conciencia que traduce o proyecta la «realidad» de la novela, esto es, la suya, la de Félix, en relación con la de los otros, Miró elabora cuidadosamente cuantos pormenores puedan «aclarar» su modo de ser en nuestra mente, ya mediante la descripción del personaje, ya mediante la presentación de ambientes cargados de simbolismo en los que aquél «actúa». En las primeras páginas se nos traza, así, un retrato de Félix cuyos rasgos fisonómicos y detalles de indumentaria sintetizan lo esencial de su naturaleza. Más que retrato, se diría amable caricatura: «Félix era alto, pálido y más rubio que ellas; llevaba una azulada boina, y por corbata un pañuelo de seda blanca, ceñido con graciosa lazada de artista o de niño» *(O. C.,* p. 321). Llamo la atención de momento sobre esa «lazada de artista o de niño» que define a Félix interiormente del modo más breve posible. Pero ya volveré sobre esto con el detenimiento que exige.

El párrafo inicial de la novela nos introduce a Félix (este primer capítulo se titula, de modo muy llano, «Preséntanse algunas figuras de esta fábula») abismado en la contemplación de la luna llena que asciende:

> Desde el primer puente del buque contemplaba Félix la lenta ascensión de la luna, luna enorme, ancha y encendida como el llameante ruedo de un horno. Y miraba con tan devoto recogimiento, que todo lo sentía en un santo remanso de silencio, todo quietecito y maravillado mientras emergía y se alzaba la roja luna. Y cuando ya estuvo alta, dorada, sola en el azul, y en las aguas temblaba gozosamente limpio, nuevo, el oro de su lumbre, aspiró Félix fragancia de mujer en la inmensidad; y luego le distrajo un fino rebullicio de risas. Volvióse, y sus ojos recibieron la mirada de dos gentiles viajeras, cuyos tules, blancos, levísimos, aleteaban sobre el pálido cielo *(O. C.*, p. 319).

La relación entre Félix, la luna y las «gentiles viajeras, cuyos tules, blancos, levísimos, aleteaban sobre el pálido cielo», queda establecida así desde el comienzo de la obra con poca o ninguna sutileza. Y es que no hay aquí lugar para sutilezas. Miró necesita crear, de entrada, un conjunto de referencias equivalentes o entrecruzadas, que el lector pueda en adelante percibir en contextos menos explícitos a base del recuerdo de esta primera situación. O, expresado en otra forma, Miró se sirve del recurso de la reaparición de estas imágenes u otras afines —a manera de *motivos* dominantes—, para que el sentido total de la obra se vaya afirmando a cada paso. En las páginas que siguen de ese primer capítulo, Miró comienza a «descomponer» la imagen inicial de Félix en varias otras, de las que me ocuparé en seguida, por medio de las cuales se precisan aspectos diversos del personaje (carácter, pasado y aun presagios de su porvenir). Allí, por otra parte, se anticipa también sucintamente el conflicto de Félix, o de sus ideales anhelos, con la crudeza de «lo real», que le sorprende en esta ocasión, literalmente, por la espalda, bajo la forma de la befa:

> ...Y la señora, sonriéndole como a un hijo, murmuró: —¡Cuán impresionable es usted!... ¿Félix? ¿Se llama usted Félix, verdad? ¡Deben emocionarle mucho los viajes!
>
> —¡Oh, sí! Soy muy nervioso. Siempre creo que va a sucederme algo grande y... no me sucede nada; siempre estoy contento, y contento y todo... yo no sé qué tengo que siento el latido de mi corazón en toda mi carne y... lloraría.
>
> —¡Pero, hombre! —dijo a su espalda una voz muy recia, seguida de un trueno de risas.
>
> Y otra delgada voz añadió:
>
> —Estará enfermo, porque si no, ni yo ni nadie entendería eso del latido que dice.
>
> Eran esas palabras del capitán del barco y de un pasajero ancho, que traía la gorra torcida, un gabán muy ceñido y en la diestra los guantes y un cañón de periódicos *(O. C.*, p. 320).

Veamos ahora esas otras imágenes relacionadas con la primera que tenemos de Félix, en cuya sucesión se repiten, con variaciones, los mismos elementos, reforzando la impresión original, a la vez que añadiendo nuevos matices de significado. Las presento, con cierta flexibilidad, en su orden sucesivo, aunque en ocasiones vuelva atrás para poner alguna nota anterior en el debido contexto. Félix, Beatriz y Julia «se asomaron a la noche para verse caminar sobre las aguas de luna. La noche era inmensa, clara, de paz santísima, de inocencia de creación reciente» *(O. C.*, p. 320). La luna pone aquí, con su *claridad,* una nota de *paz santísima,* de *inocencia,* pureza de lo *recién creado,* de lo virgen, soñado paraíso al cual se accede precariamente en estados contemplativos como el que se nos describe. Empieza así a cobrar fuerza la visión de Félix como un «contemplativo», que se anunciaba en las ya citadas frases iniciales de la obra: «Desde el primer puente del buque contemplaba Félix la lenta ascensión de la luna»... Félix propone a las viajeras no retirarse a dormir «y su voz, temblando de gozo, parecía empañada de tristeza». Y a continuación: «Ellas le vieron inmóvil, escultórico, lleno de luna» *(O. C.*, p. 320).

Tenemos hasta aquí, pues, un Félix inocente, contemplativo, triste, lleno de luna (y es imposible no relacionar este baño transitorio de luna con la permanente palidez de su rostro, en la descripción del personaje que se da después, reproducida arriba).

Otra noche de la travesía: «Félix y doña Beatriz contemplaban la noche... Lejos, las aguas se iban llenando de *luna de color vieja y muy triste*» *(O. C.*, p. 322)[7]. Félix tiene un estremecimiento y Beatriz le abriga con su chal. Cuando Beatriz, pese a la protesta de él, insiste en que se trataba de un temblor de frío, Félix le responde:

> —De frío, no. Temblé porque sin apurarme con tristezas o melancolías de poeta, que no soy, se me mezclan muy raros pensamientos. En cada faceta de luz de las aguas miraba o se me aparecía un rostro, una cabeza de mujer ahogada... ¿No habrá sucedido aquí algún naufragio? ¿Verdad? ¡Se imagina, ve usted los náufragos tendidos entre el mar, mirándonos con ojos devorados, mirándonos! *(O. C.*, p. 322).

Más tarde, esa noche, Félix, en su litera: «No lograba dormirse. Se puso la mano encima del corazón. ¿Estaría de veras muy enfermo, como había temido en Barcelona y le contaban que lo estuvo siendo muchacho?... ¡Señor! ¿se moriría, y lo echarían al mar, y *sus ojos huecos, llenos de luna, en estas noches de tristeza romántica* seguirían el espectro de los barcos felices, donde viajan beldades como doña Beatriz y Julia?...» *(O. C.*, p. 323)[8].

Félix aparece, ahora, como se ve, angustiado por el presentimiento de la muerte, también bajo el influjo de la noche

---

7 El subrayado es mío.

8 Subrayado mío.

de luna. Se imponen, en este lugar, otras observaciones sobre la relación de Félix y la luna. Félix es un temperamento «poético» (aunque niegue ser poeta) y de ahí sus «tristezas» y «melancolías», sus «raros pensamientos», sus románticas «ansias de quimeras y aventuras» *(O. C.,* p. 324). Un *lunático* es, en suma, Félix, según vamos viendo, con exaltaciones y depresiones de «maníaco» o «artista». De «lunáticas» podrían tildarse sus ansias nunca satisfechas —su querer siempre lo otro, lo que no se posee, aun a sabiendas de que el obtenerlo ha de causar desilusión—, deseos de niño que «pide la luna». Sin ambages, muy lúcido, habla sobre ello el mismo Félix en estos comienzos de la novela: «—¡Yo siempre codicio estar donde no estoy! ¡Verdaderamente es dichoso el Señor estando en todas partes!... Pero cuando llego al sitio apetecido, no hallo toda la hermosura deseada, y es que lo que antes miraba lo dejo, lo pierdo acercándome»... *(O. C.,* p. 321). «¡Es usted lo mismo que cuando era pequeño!», le dice Beatriz, significativamente, un poco más adelante *(O. C.,* p. 323). El asociar en su imaginación la fría blancura de los rayos de luna sobre el agua con la muerte y los muertos es, por otra parte, tópico que no requiere otro comentario sino señalar su función premonitoria en este punto. A Félix lo envuelve un «aura lunar» que es como anticipo de sudario, representación de su destino. Da la impresión de ser un muerto en vida, incapacitado de gozar sencillamente de la realidad de lo corpóreo, de afincarse en nada: tal parece que lo que anhela, dolorosamente, es su forma definitiva, la de la muerte, la de los muertos.

A este último respecto conviene añadir aquí que aun la figura de la mujer se nos presenta en las páginas iniciales dotada de cierta cualidad misteriosa, un si es no es «fatídica», de nuevo «en conjunción» con la luna. Dice Félix a Beatriz y Julia: ...«Y esta noche por serme ustedes desconocidas, y viéndolas entre ese bello misterio de velos y de luna, me traen la ilusión de la distancia, de lo remoto; se me figura que vamos muy lejos, muy lejos»... *(O. C.,* p. 320)[9].

Félix existe, además, según se evidencia en el curso de la novela, como astro «sin luz propia» en relación con su tío Guillermo, de quien es, a los ojos de todos, «reflejo» físico y espiritual. Esto se insinúa también al comienzo, cuando Félix trata de evocar la presencia de Beatriz en su infancia: «Tío Guillermo destacaba, resplandecía sobre todas sus memorias» *(O. C.,* p. 323). El tío Guillermo proyecta aquí su luz sobre el «oscuro» Félix así como su carácter, sus amores y su temprana muerte súbita «iluminan» de modo agorero las circunstancias de la vida de Félix, según se verá en breve. No podría faltar, pues, la alusión a este personaje en el primer capítulo, donde, de acuerdo con la que juzgo necesidad de la particular composición de la obra, se nos ofrece el conjunto de las claves a las que se apelará de forma constante en su desarrollo.

Al poner de manifiesto una y otra vez el carácter ingenuo o pueril de ciertas impresiones y actitudes de Félix, Miró parece insistir, por otro lado, en un importante aspecto del personaje. O, mejor, de Félix en cuanto personaje de novela. Porque no podemos concebir a Félix, criatura novelesca, sin que sus arrobos poéticos estén complementados por la noción de su cómico despropósito (a esto me refería cuando hablaba arriba de «ironía cervantina» en la obra narrativa de Miró). Félix compone, en fin, una cierta estampa de *Pierrot lunaire,* risible y patética al unísono. Hemos visto una de estas caídas en ridículo de Félix; veamos esta otra —y recuerdo al lector

[9] En este sentido abunda el pasaje citado donde Félix expone a Beatriz su visión de los «náufragos». Al ponerse el chal de ella, exclama Félix: «¡Qué impresión tuve al recibir la caricia de sus sedas! ¡Creí que era usted misma, transfigurada en niebla de la noche!» *(O. C.,* p. 322).

que no hemos salido todavía del primer capítulo—, que termina con la aceptación «maravillada» de su desatino por parte de Félix (Miró prodiga aquí ironía sobre ironía, la de Félix sobre el mundo y sobre sí mismo y, envolviéndolo todo, la suya de autor):

> De pronto un pedazo de mar centelleó como cuajado de infinitos puñales de sol, como una malla de oro trémula y ondulante. Y cerca, pareció que resplandecían unos alfanjes enormes y siniestros. Explicó el capitán que aquella red magnífica, dorada y viva, la hacían las «agujas», espesadas y huyendo de los atunes, que eran esos peces que asomaban sus corvas espaldas.
>
> Félix, indignado, le dijo a doña Beatriz:
>
> —¿No odia usted esos animalitos tan gordos, tan voraces, tan feroces?
>
> Le repuso el marino que más feroces eran los hombres, pues aprovechándose de la ciega hambre del atún lo matan clavándole garfios cuando está para engullirse aquellos finísimos peces, y más voraces todos nosotros, que luego nos comemos los atunes siendo tan crasos, y los comemos descansadamente.
>
> Y todavía añadió el señor Ripoll que sin la furia de los pobres atunes, tan aborrecidos de Félix, no habrían saltado las agujas sobre el mar.
>
> Más que de los atunes, maravillóse Félix de la clara lógica del diputado. ¡Ya casi ingeniero, y confesó que no había atinado a decirse esas verdades! *(O. C.,* p. 322).

* * *

En el curso de la obra se desarrollarán estos *motivos* iniciales como en acabada construcción poemática [10]. El de la

[10] L. J. Woodward, que examina *Nuestro Padre San Daniel* con criterio semejante al que aplico aquí, comenta, por cierto, sobre el capítulo VI («Prometidos»), de esa obra: ...«s'ouvre sur une scène magnifiquement étudiée, aussi artistement montée qu'un sonnet, laquelle révèle clairement le sens profond de ces fiançailles» *(loc. cit.,* p. 115).

predestinación trágica, representada por la figura del tío Guillermo, aparecerá una y otra vez. Beatriz, la antigua amada de Guillermo, se convertirá en la amante de Félix. Es, «fatalmente», Beatriz quien insiste con más pasión en la semejanza entre tío y sobrino:

> —Era Guillermo alto y delgado como tú, pero más rubio, y sus ojos más verdes que los tuyos. Brotaba en su alma una fuente de alegría siempre renovada, bulliciosa, limpia. Pero cuando se reclinaba en una butaca y quedaba silencioso, inmóvil, soñando, parecía como tú, entristecido, desgraciado, y su palidez de alabastro transparentaba enajenaciones de místico y de aventurero. Lo mismo que estás, lo mismo que te veo, lo he tenido y visto muchas veces... ¿Qué sois? ¿Qué tenéis de funesto, de glorioso, de trágico, de misterioso en vuestras frentes de hostia? *(O. C.,* p. 331).

> ...A ti, Félix, nada más te he visto en esta vida de ciudad humilde, tan recogido y sencillo; y te imagino en vida aventurera, y, sin transfigurarte, eres como Guillermo. ¡De todos los hombres, de todos mis recuerdos de todos los hombres, os ofrecéis vosotros como figuras milagrosas de hombres arcángeles!... ¡En vuestras frentes, en vuestros ojos, en vuestros labios, en el andar y erguir la cabeza ladeándola, yo no sé qué tenéis de excelsitud y de tristezas divinas!... *(O. C.,* p. 333).

> ...Muchas tardes os tuve a Julita y a ti juntos, en mi regazo, mientras él me contaba sus andanzas, su nomadismo genial, sus juegos con la muerte... Hablaba mucho de la muerte, siendo él llama de amor y de vida. Como tú, la veía en el reflejo de la luna, dentro de los estanques y del mar, en las nubes de los ocasos, en las siluetas de las montañas y de los árboles... ¡Oh Félix, no hables, no la veas más como una amada, que se me figura que sois predestinados y tengo miedo de ser yo quien llegue a pensar en tu muerte lo mismo que imagino la de Guillermo...! *(O. C.,* p. 334).

Félix llega, así, a sentir la vida espectral del tío Guillermo abrazada a la suya, o tocándola con su evocada presencia, como en los fragmentos que cito a continuación:

> ...Y Félix creyóse una estatua, y llegó a sentir el frío hondo y fino de su mármol. ¿Sería el desventurado tío Guillermo que se le abrazaba por debajo de la piel y de la carne a sus huesos, a sus entrañas? *(O. C.*, p. 331).

> Entonces, Félix sintió un apresuramiento helado de su sangre y escuchó los pasos de otra vida, llegada del misterio, caminando encima de su alma. ¡Señor, él también padecía la visión de la muerte en los vivos... Niños, viejos, mujeres placenteras, Julia, doña Beatriz, a todos se los representaba muertos, con las manos cruzadas sobre el vientre! A su mismo padre lo había visto y se le torcía el corazón de angustia por librarse de este mal de espectros. Era un instante de intenso padecer. Y ahora las palabras de Beatriz le removían esa ilusión fatídica; y parecíale que tío Guillermo se abrazaba a él, dejándole el alma señalada de frío... *(O. C.*, p. 334).

> Toda esa hora del crepúsculo, tan suave, de tanta pureza y resignación, en que nuestra vida se sosiega en un santo remanso de sencillez, la recogió Félix puerilizándose su alma hasta imaginarse chiquito, como muchas veces le ocurría, y sentir su frente acariciada por la mano buena de su padre, de tío Eduardo, y repentinamente la mano hacíase de luz y de frío, y era de tío Guillermo *(O. C.*, p. 360).

En estas imágenes de frialdad y blancura —que compendia en la primera cita la impresión de Félix de ser una estatua de mármol[11]— se precisa más la visión del personaje

[11] Ya Beatriz y Julia lo habían visto antes «inmóvil, escultórico, lleno de luna». Esa blancura estatuaria de Félix se inserta, por lo demás, con gran naturalidad, en el ambiente todo blanco de la estancia de la casa de Beatriz donde tiene lugar la escena. La blancura del escenario prepara, en otras palabras, aquella imagen marmórea de Félix (que la de la «palidez de alabastro» de Guillermo viene a refor-

como un «muerto», a la cual todo cuanto se relaciona con él ha venido contribuyendo.

(Así, cuando, en la parte final de la obra, el guía que acompaña a Félix en su ascensión a La Cumbrera, le dice: ...«a mí me arde la cara de la fatiga, y usted está blanco como un muerto» [*O. C.*, p. 409], la frase, aparentemente trivial en aquel contexto, cobrará para el lector, por los antecedentes que señalo, un especial énfasis significativo.)

La continua comparación con Guillermo contribuye, por otra parte, a la sensación de inanidad y fracaso de Félix, por faltarle a él la realidad aventurera del tío, como se desprende de este otro pasaje:

> Tristeza y orgullo retorcieron el corazón de Félix. Cuando escuchó de Beatriz su semejanza con aquel hombre hermoso y desdichado, llegó a creerse de rara y halagadora estirpe. Cuando entre los advertimientos que recibía en su hogar se le comparaba temerosamente con su padrino, que él recordaba y se fingía a través de nieblas de leyendas, resignábase, por anticipado, a toda predestinación de desventura, apoyándose en la romántica memoria... Pero ya todos veían en él a Guillermo por andanzas, imaginaciones y hasta gustos humildes y poquedades. ¡Guillermo sin la vida aventurera de amores y de riesgos difíciles y heroicos! ¡Guillermo, pero atado a vida sumisa, perdiendo el color de sus alas entre los dedos gordos de no sabía qué rigoroso señor! ... ¡Le amaría Beatriz por evocación nada más! *(O. C.*, pp. 374-375).

El ataque cardíaco de Félix resulta, en fin, remedo de la muerte de Guillermo. Guillermo, se recordará, había muerto a manos del holandés Koeveld, suerte de antihéroe que sintetiza toda humana bajeza. Félix sufre el colapso en un cuer-

---

zar): «Todo el ornato de ésta [la estancia] era de blancura: los doseles, la alfombra, los sillones y espejos. La luz, tamizada por los bordados tules de los vanos, hacía más pálidos los brazos, el cuello y las mejillas de doña Beatriz...» *(O. C.*, p. 330).

po a cuerpo semejante con Giner, a menudo llamado Koeveld en la narración por su parecido físico (a la postre también moral) con el holandés. Al ser derribado por Giner, a quien Félix ha acudido a ayudar al verlo caído en su gallinero, siente la punzada de la angina. «¡¡Koeveld!!» exclama el narrador como si éste hubiera sido el «grito inmenso y angustioso» que da Félix. El dolor de Félix se iguala a continuación al de la mordida en el cuello con que el «oso» Koeveld mató a Guillermo: ...«y la boca de un oso le mordió apretadamente en la garganta»... *(O. C.,* p. 421). La palidez lunar de Félix es ahora de tinte de cadáver; su figura, la de Guillermo en su agonía. No falta el contraste de la grotesca situación de Félix, tumbado en el estiércol bajo las rodillas de un provinciano celoso, con la lucha feroz entre el héroe y el malvado en el caso del tío. Miró sugiere todo esto en sólo tres oraciones que cierran con aguda concisión —de economía «poética»— el pasaje y el correspondiente capítulo: «Quedó tendido bajo las rodillas de Giner. Estaba muy blanco, siniestro, con livores en la nariz y en los labios. El sudor y el estiércol le pegaban los dorados cabellos a las sienes» *(O. C.,* p. 421).

En cuanto al *motivo* de la luna (y asociaciones metafóricas con aquella imagen y sus atributos), se repite asimismo dentro del contexto amor-muerte que hemos visto al comienzo de la novela. En alguna de las citas precedentes a propósito de Guillermo, la atracción de los dos personajes, tío y sobrino, por la muerte, se presenta en función, otra vez, de la luna, y ello en boca de Beatriz. Como obligado complemento, Félix se apasiona eróticamente por Beatriz bajo el signo de la luna y su «estrado de amor» está bañado de luz lunar. Beatriz misma es sentida por Félix, al abrazarla, como un «alma hecha de luna y de jazmines». Cito varios fragmentos de este pasaje:

Al pasar por la contigua sala, que estaba apagada, recibió Félix la visión del mar, quemado de luna grande, redonda. Ardía en las aguas un óvalo de luz rizada, muy pálida. Por el ancho cielo viajaba un humo tenue que cerca del astro vislumbraba como el nácar. La noche llevó muy remota la mirada de Félix, y le quitó de su alma la ruidosa alegría, dejándole un goce recogido del silencio y belleza...

... ...

Atraído por la inmensidad abandonó las ventanas, tomó su sombrero y salió. En el ambiente parecían derretirse los perfumes de hierbas y flores de renovadas juncieras; olía, también, la noche a mujer hermosa, a doña Beatriz, que Félix se imaginaba más desventurada, más entristecida y pálida que nunca *(O. C.*, p. 339).

¡Toda la gran noche olvidada! La contempló, y creyó que la noche se hacía muy alta, muy solitaria, y que tenía la palidez de doña Beatriz!... ¡Las pobres gentes, que no alcanzaron la felicidad de una «madrina» como la suya, que lo arrebataba a una alta cumbre desde la cual veía siempre su vida dentro de una noche magna y sagrada de plenilunio! *(O. C.*, p. 340).

Desde las abiertas ventanas estuvo Félix contemplando el jardín, dormido bajo cendales de luna.

Vino doña Beatriz, que había dejado la cena para cuidar del atavío de Julia y mirarla desde los balcones.

—¿Me perdona, «madrina», esta visita? La luna me ha sacado de casa, y me ha guiado hasta aquí como a un niñito de cuento que se pierde en medio de un bosque *(O. C.*, pp. 340-341).

Volvióse a doña Beatriz, y la vio bañada de los colores de la luna derramada en los divanes.

Abrió las vidrieras, y apareció religiosamente la azulada palidez del espacio. Los fastuosos colores que vestían a la mujer se deshicieron, y quedó vestida de luz y blancura nupcial.

Entonces los brazos de Félix la ciñeron. Parecióle que estaban en el templo solitario de un astro, alumbrado suavemente para ellos. Y tuvo la divina sensación de que abrazaba un alma

> desnuda, alma hecha de luna y de jazmines. Y exclamaba: «¡Mirar el cielo y tenerla abrazada, Dios mío!».
>
> Extenuados y delirantes, se reclinaron sobre los amplios asientos de seda. Un rayo lunar los envolvía... *(O. C.*, p. 342).

Un paseo de Félix bajo las acacias de la plaza de Almudeles da pie a Miró para volver sobre una imagen semejante (mujer-misterio-blancura lunar), ahora en forma exclusiva de flor (nótese que la asociación luna-jazmín había quedado establecida de modo intenso, hacia el final del «estrado de amor» con Beatriz). Félix mira dos abejas que «rasaban los copos de flores» y que luego «iban recogiéndose en el casto y fragante misterio»: «Las envidió Félix; imaginóse gustando miel dentro de una flor grandísima y blanca que olía a mujer. Doña Beatriz, Julia, la triste esposa de Koeveld, la casta figura de su prima, se le aparecieron envolviéndole» *(O. C.*, p. 355).

Cuando, mucho más adelante, en una escena apasionada entre Félix y su prima Isabel, reaparece como superimpuesta esa imagen con relación a Beatriz, se nos da en forma de una pregunta en la que parece desatarse toda la «carga lírica» hasta allí acumulada: «Los dos se secaron en la fina batista del delantal; Félix lo aspiró como si fuera un pomo de rosas, y con su aliento entibió el frío de la húmeda tela... ¿Por qué entonces se entristeció su alma y le desbordó el recuerdo de doña Beatriz llena de luna, blanca, llorando?» *(O. C.*, p. 384). La pregunta revela la astucia de ejecución del creador de la obra, el novelista y el poeta Miró. El lector, condicionado por la memoria emocional que el autor ha venido alimentándole, percibe, o, mejor dicho, siente la densidad de la pregunta de manera singular, con todo lo que supone de dolorosa iluminación sobre la «deficiencia» vital del personaje y de aviso de su próximo fin. Sobraría, en verdad, cualquier otro comentario del narrador. En efecto, el párrafo siguiente salta al final del paseo de Félix e Isabel y a la llegada de Silvio y doña Constanza de regreso de Valencia, transición brusca que da otro sesgo a la acción —Félix decide entonces volver a «La Olmeda», la heredad de la tía Lutgarda—, pero que sirve, además, de adecuado alivio a la tensión introducida por la pregunta, esto es, por la evocación de aquella imagen «lunar» de Beatriz.

De la imagen de la blancura de la luna a la de la hostia y la comunión de los enamorados, con sus resonancias de *pathos* litúrgico, se puede pasar ahora sin mayor esfuerzo. Se nos ha venido preparando hábilmente para ello. Primero, «comulga» Félix con la amada-blanca divinidad (Beatriz, inseparable ya de su «nimbo» de luz de luna); después, será Félix la figuración del adorado hombre-dios que, muerto, simbólicamente se reparte.

Félix, al separarse de Beatriz para marchar a la finca familiar de «La Olmeda», lleva como «fetiche» un pedazo de pan que arrebata de la boca de ella. Cuando se reúnen, Félix se empeña en compartir con Beatriz el resto de aquel «viático de amor» en una parodia de la eucaristía que sirve de incentivo para el renuevo de su pasión. (La imagen de la hostia con referencia a las frentes de Félix y Guillermo [*v. supra*] me parece que enlaza en la intención de Miró con lo que voy señalando, aunque el enlace no sea tan evidente para el lector.) La comunión, en el último capítulo, de Beatriz e Isabel con Félix bajo la «especie» de las cerezas es como la imagen resultante de los numerosos antecedentes que sugerían la unión de amor y muerte con respecto a la figura de Félix: amor y muerte identificados al fin en forma de trágica voluptuosidad. Dicha imagen provee el lema del capítulo y el título y «solución» de la obra. Cito los párrafos que la cierran:

> Pendía una rama cuajada de las primeras cerezas. Alzóse la señora y las entibió con el fragante aliento de toda su vida; y después, ella tomó del olor y dulzura del árbol. ¡Pero no desfallecía de la emoción ansiada! Sólo era fruta, con el mismo sabor que antes de morir Félix.
>
> Crujió otra rama doblándose bajo otras manos. Y apareció Isabel.
>
> Y vio Beatriz que los ojos de la doncella lloraban y que sus labios sonreían celestialmente.
>
> Isabel nunca había comido de esos árboles; y ahora sorbía y comulgaba la esencia del amado con las cerezas del cementerio *(O. C.*, pp. 428-429).

La figura de Félix alcanza, por lo demás, todo su relieve en la resistencia que le opone «el mundo». Desde el principio de la obra, como hemos visto, sus ideas o inclinaciones chocan con las de aquellos que le tratan (aun de aquellos que le quieren), con pocas excepciones. Pero todavía más, Miró se vale de un repertorio de antagonistas que representan cualidades contrarias a las sustanciales de Félix. Frente a su amor (o sus amores) de índole reverente, mezcla de atracción espiritual, delicada sensualidad y aun compasión, están los maridos ruines: Lambeth (el esposo de Beatriz), Giner y, hacia el final, Silvio, que tiraniza a Julia con sus celos de patán y acaba por repudiarla. Frente a su natural puro y generoso, la lascivia y la codicia encuentran su paradigma, por encima de Lambeth, que también las representa, en Koeveld, significativamente el asesino de Guillermo. Y frente a sus ingenuas efusiones y su piedad por cuanto sufre a su alrededor, están la aridez de espíritu y falsa devoción de doña Constanza y la crueldad de Alonso, el rústico de «La Olmeda». El quijotesco encuentro con los pastores en las alturas de «La Cumbrera», en la última parte de la novela, es expresiva recapitulación de esta oposición entre Félix y lo que le circunda. Félix, que cree hallarse en «una bienaventurada Arcadia», concluye sus impresiones del «yantar» de los pastores con estas frases entusiastas:

> ...¡Oh hermanos pastores, sanos, empapados de alegría, de inocencia, pujantes, bruscos, ásperos como los roquedales; pero, lo mismo que la peña, tendrán sus vetas, que dan jugo a las plantas y dulzura al arroyo que destila!... *(O. C.*, pp. 413-414).

Pero lo que sucede a continuación es, tal vez más que ningún otro suyo, brutal desengaño. La mezquina realidad se vuelve contra Félix aun en las vírgenes alturas y entre arcádicos pastores:

> Pues los hermanos pastores, después que saciaron su vientre con toda aquella blancura tan alabada de Félix, ya avezados a su presencia, comenzaron a menudear chanzas y malicias. Hasta sus visajes más eran de plazuela y figón que de cumbre. Destacaba un mozo ancho, macizo, cuyas venas, que tenían reciedumbre de sarmientos, parecían delgadas para contener la enorme sangre que debía rodarle. Mirábale Félix, y lo veía por dentro inundado todo de sangre espesa y gorda, inflado, rojo, como un odre de sangre. Se reía de las zumbas que le daban, y sus mandíbulas hacían pavor. Había pasado la noche en Posuna, y allí estaba la mujer. Contó todos los lances y momentos de saciar su lujuria. Ahora se lo decían a Félix, que veía desnuda a la pobre mujer delante de la voracidad de esos hombres. Las risas se hicieron tabernarias; las voces, rugidos *(O. C.*, p. 414).

Félix, ya próximo a morir, agotado por una lucha en la que estaba destinado a ser perdedor, contempla su vida con mirada irónica, comprensión clara de su radical insuficiencia. No falta, sin embargo, una ironía final, de la que no participa el personaje: esa aspiración de Félix (para la que reconoce carecer ya de «calor») de llenar «de águilas ideálicas y *suyas*» los nidos de antaño. Se trata de otra posible manera de ser *él* que supone, a la postre, la misma actitud de sublime desafío a la bajeza del mundo, actitud en la cual se ceba normalmente la «desgracia». Veamos:

> Félix postróse en la butaca y sonrió. Había florecido dentro de su alma ese aroma que pincha y deja perfume de resignación, y se llama Ironía.
>
> ... ...
>
> Solo y señero de su ánima hallábase Félix; los nidos de quimeras quedaban vacíos de los engañosos pájaros de antaño; ¡y ya no tenía calor para llenarlos de águilas ideálicas y *suyas*!... ¡Rastro y apagamiento de desgracia fue dejando en todos los corazones, y el suyo, ardiente y luminoso, sentíalo, también, frío y oscuro! *(O. C.*, p. 424).

En conclusión, el objetivo de Miró es dual. Primero, se propone presentar la realidad de Félix, su visión de las cosas —o expresión de su intimidad—, nutrida por la visión de sí mismo (sobre todo en relación con Guillermo) que le dan los demás. Para lograrlo del modo más intenso, esta visión integra un consistente tejido poemático: la experiencia —experiencia emocional— de Félix compone un conjunto de imágenes que se superpone a la exigua acción de la obra, imprimiéndole su fundamental sentido. La sensibilidad poética a que me refería al comienzo de este trabajo queda, pues, individualizada centralmente en la «pasión lírica» de esta vida de poeta (de poeta por disposición espiritual) que es la vida de Félix. Ahora bien, el segundo objetivo de Miró es situar esta vida en una particular circunstancia, apresarla también en función de las otras vidas que la rodean, con o contra las cuales alienta desesperada. Así la obra toma, por necesidad, el camino de la novela, cuyas leyes básicas sigue, cuya forma tradicional adopta de modo más estricto de lo que se ha venido, por regla general, juzgando [11]. La lectura

---

[11] Aunque he relacionado a menudo a Miró con Cervantes, añado que, al hablar de la «forma tradicional» de la novela, pienso exacta-

de esta obra, de la obra novelesca de Miró, en fin, ha de tener en cuenta estos propósitos, comprenderlos como inseparablemente unidos en la creación de esta especie cruzada de poesía y novela —poesía novelada, novela poemática [12]— que la constituye.

---

mente en ese modelo de novelas o novela original que es el *Quijote*. Félix es, como he observado, un claro ejemplo de esa «caída» del héroe víctima de la realidad, la «pura materialidad», según la acertada visión que de la esencia del género novelesco ofrece Ortega en sus *Meditaciones del Quijote*. La categoría de «poema descriptivo-narrativo», dentro de la cual sitúa Eugenio G. de Nora *Las cerezas del cementerio*, implica, contrariamente a lo que sostengo, una exclusión de lo novelesco. Escribe el crítico: «La primera novela extensa de Miró se nos revela así, más inequívocamente que los anteriores relatos cortos, orientada no hacia la verdadera novela, sino hacia el 'poema descriptivo-narrativo', hacia la égloga idílica y campestre impregnada de romanticismo quintaesenciado, sensual y decadente» *(La novela española contemporánea*, Madrid: Gredos, 1958, t. I, p. 455). Algo semejante viene a decir acerca de *Nuestro Padre San Daniel* y *El obispo leproso*, considerados por él «forma poemático-narrativa más bien que propiamente novelesca» *(ibid.*, p. 458).

12 Caso muy diferente al de las «novelas poemáticas» de su coetáneo Ramón Pérez de Ayala. Ayala, poeta de obra considerable, alterna sistemáticamente prosa y verso en esas novelas cortas. Miró acude a una solución más difícil. Siendo, como bien apunta Guillén, un poeta que se niega a la obra puramente lírica, se propone evitar toda obviedad poética, supeditar su condición de poeta al orden narrativo que elige como medio de su arte. *(Paradiso*, de José Lezama Lima, es destacado ejemplo, en nuestros días, de una síntesis semejante.)

ÍNDICE GENERAL

BIBLIOTECA ROMÁNICA HISPÁNICA

Dirigida por: DÁMASO ALONSO

I. TRATADOS Y MONOGRAFÍAS

1. Walter von Wartburg: *La fragmentación lingüística de la Romania.* Segunda edición aumentada. 208 págs. 17 mapas.
2. René Wellek y Austin Warren: *Teoría literaria.* Con un prólogo de Dámaso Alonso. Cuarta edición. Reimpresión. 432 págs.
3. Wolfgang Kayser: *Interpretación y análisis de la obra literaria.* Cuarta edición revisada. Reimpresión. 594 págs.
4. E. Allison Peers: *Historia del movimiento romántico español.* Segunda edición. Reimpresión. 2 vols.
5. Amado Alonso: *De la pronunciación medieval a la moderna en español.* 2 vols.
9. René Wellek: *Historia de la crítica moderna (1750-1950).* 3 vols.
10. Kurt Baldinger: *La formación de los dominios lingüísticos en la Península Ibérica.* Segunda edición corregida y muy aumentada. 496 págs. 23 mapas.
11. S. Griswold Morley y Courtney Bruerton: *Cronología de las comedias de Lope de Vega.* 694 págs.
12. Antonio Martí: *La preceptiva retórica española en el Siglo de Oro.* Premio Nacional de Literatura. 346 págs.
13. Vítor Manuel de Aguiar e Silva: *Teoría de la literatura.* Reimpresión. 550 págs.
14. Hans Hörmann: *Psicología del lenguaje.* 496 págs.
15. Francisco R. Adrados: *Lingüística indoeuropea.* 2 vols.

II. ESTUDIOS Y ENSAYOS

1. Dámaso Alonso: *Poesía española (Ensayo de métodos y límites estilísticos).* Quinta edición. Reimpresión. 672 págs. 2 láminas.
2. Amado Alonso: *Estudios lingüísticos (Temas españoles).* Tercera edición. Reimpresión. 286 págs.
3. Dámaso Alonso y Carlos Bousoño: *Seis calas en la expresión literaria española (Prosa - Poesía - Teatro).* Cuarta edición. 446 págs.
4. Vicente García de Diego: *Lecciones de lingüística española (Conferencias pronunciadas en el Ateneo de Madrid).* Tercera edición. Reimpresión. 234 págs.
5. Joaquín Casalduero: *Vida y obra de Galdós (1843-1920).* Cuarta edición ampliada. 312 págs.

6. Dámaso Alonso: *Poetas españoles contemporáneos.* Tercera edición aumentada. Reimpresión. 424 págs.
7. Carlos Bousoño: *Teoría de la expresión poética.* Premio «Fastenrath». Sexta edición aumentada. Versión definitiva. 2 vols.
9. Ramón Menéndez Pidal: *Toponimia prerrománica hispana.* Reimpresión. 314 págs. 3 mapas.
10. Carlos Clavería: *Temas de Unamuno.* Segunda edición. 168 págs.
11. Luis Alberto Sánchez: *Proceso y contenido de la novela hispanoamericana.* Tercera edición. 630 págs.
12. Amado Alonso: *Estudios lingüísticos (Temas hispanoamericanos).* Tercera edición. Reimpresión. 360 págs.
16. Helmut Hatzfeld: *Estudios literarios sobre mística española.* Tercera edición corregida y aumentada. 424 págs.
17. Amado Alonso: *Materia y forma en poesía.* Tercera edición. Reimpresión. 402 págs.
18. Dámaso Alonso: *Estudios y ensayos gongorinos.* Tercera edición. 602 págs. 15 láminas.
19. Leo Spitzer: *Lingüística e historia literaria.* Segunda edición. Reimpresión. 308 págs.
20. Alonso Zamora Vicente: *Las sonatas de Valle Inclán.* Segunda edición. Reimpresión. 190 págs.
21. Ramón de Zubiría: *La poesía de Antonio Machado.* Tercera edición. Reimpresión. 268 págs.
24. Vicente Gaos: *La poética de Campoamor.* Segunda edición corregida y aumentada, con un apéndice sobre la poesía de Campoamor. 234 págs.
27. Carlos Bousoño: *La poesía de Vicente Aleixandre.* Tercera edición aumentada. 558 págs.
28. Gonzalo Sobejano: *El epíteto en la lírica española.* Segunda edición revisada. 452 págs.
31. Graciela Palau de Nemes: *Vida y obra de Juan Ramón Jiménez (La poesía desnuda).* Segunda edición completamente renovada. 2 vols.
39. José Pedro Díaz: *Gustavo Adolfo Bécquer (Vida y poesía).* Tercera edición corregida y aumentada. 514 págs.
40. Emilio Carilla: *El Romanticismo en la América hispánica.* Tercera edición revisada y ampliada. 2 vols.
41. Eugenio G. de Nora: *La novela española contemporánea (1898-1967).* Premio de la Crítica. Segunda edición. 3 vols.
42. Christoph Eich: *Federico García Lorca, poeta de la intensidad.* Segunda edición revisada. Reimpresión. 206 págs.
43. Oreste Macrí: *Fernando de Herrera.* Segunda edición corregida y aumentada. 696 págs.
44. Marcial José Bayo: *Virgilio y la pastoral española del Renacimiento (1480-1550).* Segunda edición. 290 págs.

45. Dámaso Alonso: *Dos españoles del Siglo de Oro.* Reimpresión. 258 págs.

46. Manuel Criado de Val: *Teoría de Castilla la Nueva (La dualidad castellana en la lengua, la literatura y la historia).* Segunda edición ampliada. 400 págs. 8 mapas.

47. Ivan A. Schulman: *Símbolo y color en la obra de José Martí.* Segunda edición. 498 págs.

49. Joaquín Casalduero: *Espronceda.* Segunda edición. 280 págs.

51. Frank Pierce: *La poesía épica del Siglo de Oro.* Segunda edición revisada y aumentada. 396 págs.

52. E. Correa Calderón: *Baltasar Gracián (Su vida y su obra).* Segunda edición aumentada. 426 págs.

54. Joaquín Casalduero: *Estudios sobre el teatro español.* Tercera edición aumentada. 324 págs.

57. Joaquín Casalduero: *Sentido y forma de las «Novelas ejemplares».* Segunda edición corregida. Reimpresión. 272 págs.

58. Sanford Shepard: *El Pinciano y las teorías literarias del Siglo de Oro.* Segunda edición aumentada. 210 págs.

60. Joaquín Casalduero: *Estudios de literatura española.* Tercera edición aumentada. 478 págs.

61. Eugenio Coseriu: *Teoría del lenguaje y lingüística general (Cinco estudios).* Tercera edición revisada y corregida. Reimpresión. 330 págs.

63. Gustavo Correa: *El simbolismo religioso en las novelas de Pérez Galdós.* Reimpresión. 278 págs.

64. Rafael de Balbín: *Sistema de rítmica castellana.* Premio «Francisco Franco» del CSIC. Tercera edición aumentada. 402 págs.

65. Paul Ilie: *La novelística de Camilo José Cela.* Con un prólogo de Julián Marías. Tercera edición aumentada. 330 págs.

67. Juan Cano Ballesta: *La poesía de Miguel Hernández.* Segunda edición aumentada. Reimpresión. 356 págs.

69. Gloria Videla: *El ultraísmo.* Segunda edición. 246 págs.

70. Hans Hinterhäuser: *Los «Episodios Nacionales» de Benito Pérez Galdós.* 398 págs.

71. J. Herrero: *Fernán Caballero: un nuevo planteamiento.* 346 págs.

72. Werner Beinhauer: *El español coloquial.* Con un prólogo de Dámaso Alonso. Tercera edición, aumentada y actualizada. 556 págs.

73. Helmut Hatzfeld: *Estudios sobre el barroco.* Tercera edición aumentada. 562 págs.

74. Vicente Ramos: *El mundo de Gabriel Miró.* Segunda edición corregida y aumentada. 526 págs.

76. Ricardo Gullón: *Autobiografías de Unamuno.* Reimpresión. 390 páginas.

80. J. Antonio Maravall: *El mundo social de «La Celestina»*. Premio de los Escritores Europeos. Tercera edición revisada. Reimpresión. 188 págs.
82. Eugenio Asensio: *Itinerario del entremés desde Lope de Rueda a Quiñones de Benavente (Con cinco entremeses inéditos de Don Francisco de Quevedo)*. Segunda edición revisada. 374 págs.
83. Carlos Feal Deibe: *La poesía de Pedro Salinas*. Segunda edición. 270 págs.
84. Carmelo Gariano: *Análisis estilístico de los «Milagros de Nuestra Señora» de Berceo*. Segunda edición corregida. 236 págs.
85. Guillermo Díaz-Plaja: *Las estéticas de Valle-Inclán*. Reimpresión. 298 págs.
86. Walter T. Pattison: *El naturalismo español (Historia externa de un movimiento literario)*. Reimpresión. 192 págs.
89. Emilio Lorenzo: *El español de hoy, lengua en ebullición*. Con un prólogo de Dámaso Alonso. Segunda edición. 240 págs.
90. Emilia de Zuleta: *Historia de la crítica española contemporánea*. Segunda edición notablemente aumentada. 482 págs.
91. Michael P. Predmore: *La obra en prosa de Juan Ramón Jiménez*. Segunda edición ampliada. 322 págs.
92. Bruno Snell: *La estructura del lenguaje*. Reimpresión. 218 págs.
93. Antonio Serrano de Haro: *Personalidad y destino de Jorge Manrique*. Segunda edición revisada. 450 págs.
94. Ricardo Gullón: *Galdós, novelista moderno*. Tercera edición revisada y aumentada. 374 págs.
95. Joaquín Casalduero: *Sentido y forma del teatro de Cervantes*. Reimpresión. 288 págs.
96. Antonio Risco: *La estética de Valle-Inclán en los esperpentos y en «El Ruedo Ibérico»*. Segunda edición. 278 págs.
97. Joseph Szertics: *Tiempo y verbo en el romancero viejo*. Segunda edición. 208 págs.
100. Miguel Jaroslaw Flys: *La poesía existencial de Dámaso Alonso*. 344 págs.
101. Edmund de Chasca: *El arte juglaresco en el «Cantar de Mío Cid»*. Segunda edición aumentada. 418 págs.
102. Gonzalo Sobejano: *Nietzsche en España*. 688 págs.
104. Rafael Lapesa: *De la Edad Media a nuestros días (Estudios de historia literaria)*. Reimpresión. 310 págs.
106. Aurora de Albornoz: *La presencia de Miguel de Unamuno en Antonio Machado*. 374 págs.
107. Carmelo Gariano: *El mundo poético de Juan Ruiz*. Segunda edición corregida y ampliada. 272 págs.
110. Bernard Pottier: *Lingüística moderna y filología hispánica*. Reimpresión. 246 págs.
111. Josse de Kock: *Introducción al Cancionero de Miguel de Unamuno*. 198 págs.

112. Jaime Alazraki: *La prosa narrativa de Jorge Luis Borges (Temas-Estilo).* Segunda edición aumentada. 438 págs.
114. Concha Zardoya: *Poesía española del siglo XX (Estudios temáticos y estilísticos).* Segunda edición muy aumentada. 4 vols.
115. Harald Weinrich: *Estructura y función de los tiempos en el lenguaje.* Reimpresión. 430 págs.
116. Antonio Regalado García: *El siervo y el señor (La dialéctica agónica de Miguel de Unamuno).* 220 págs.
117. Sergio Beser: *Leopoldo Alas, crítico literario.* 372 págs.
118. Manuel Bermejo Marcos: *Don Juan Valera, crítico literario.* 256 págs.
119. Solita Salinas de Marichal: *El mundo poético de Rafael Alberti.* Reimpresión. 272 págs.
120. Oscar Tacca: *La historia literaria.* 204 págs.
121. *Estudios críticos sobre el modernismo.* Introducción, selección y bibliografía general por Homero Castillo. Reimpresión. 416 páginas.
122. Oreste Macrí: *Ensayo de métrica sintagmática (Ejemplos del «Libro de Buen Amor» y del «Laberinto» de Juan de Mena).* 296 págs.
123. Alonso Zamora Vicente: *La realidad esperpéntica (Aproximación a «Luces de bohemia»).* Premio Nacional de Literatura. Segunda edición ampliada. 220 págs.
126. Otis H. Green: *España y la tradición occidental (El espíritu castellano en la literatura desde «El Cid» hasta Calderón).* 4 vols.
127. Ivan A. Schulman y Manuel Pedro González: *Martí, Darío y el modernismo.* Reimpresión. 268 págs.
128. Alma de Zubizarreta: *Pedro Salinas: el diálogo creador.* Con un prólogo de Jorge Guillén. 424 págs.
130. Eduardo Camacho Guizado: *La elegía funeral en la poesía española.* 424 págs.
131. Antonio Sánchez Romeralo: *El villancico (Estudios sobre la lírica popular en los siglos XV y XVI).* 624 págs.
132. Luis Rosales: *Pasión y muerte del Conde de Villamediana.* 252 págs.
133. Othón Arróniz: *La influencia italiana en el nacimiento de la comedia española.* 340 págs.
134. Diego Catalán: *Siete siglos de romancero (Historia y poesía).* 224 páginas.
135. Noam Chomsky: *Lingüística cartesiana (Un capítulo de la historia del pensamiento racionalista).* Reimpresión. 160 págs.
136. Charles E. Kany: *Sintaxis hispanoamericana.* Reimpresión. 552 págs.
137. Manuel Alvar: *Estructuralismo, geografía lingüística y dialectología actual.* Segunda edición ampliada. 266 págs.
138. Erich von Richthofen: *Nuevos estudios épicos medievales.* 294 páginas.
139. Ricardo Gullón: *Una poética para Antonio Machado.* 270 págs.

140. Jean Cohen: *Estructura del lenguaje poético*. Reimpresión. 228 páginas.
141. Leon Livingstone: *Tema y forma en las novelas de Azorín*. 242 páginas.
142. Diego Catalán: *Por campos del romancero (Estudios sobre la tradición oral moderna)*. 310 págs.
143. María Luisa López: *Problemas y métodos en el análisis de preposiciones*. Reimpresión. 224 págs.
144. Gustavo Correa: *La poesía mítica de Federico García Lorca*. Segunda edición. 250 págs.
145. Robert B. Tate: *Ensayos sobre la historiografía peninsular del siglo XV*. 360 págs.
147. Emilio Alarcos Llorach: *Estudios de gramática funcional del español*. Segunda edición aumentada. 354 págs.
148. Rubén Benítez: *Bécquer tradicionalista*. 354 págs.
149. Guillermo Araya: *Claves filológicas para la comprensión de Ortega*. 250 págs.
150. André Martinet: *El lenguaje desde el punto de vista funcional*. Reimpresión. 218 págs.
151. Estelle Irizarry: *Teoría y creación literaria en Francisco Ayala*. 274 págs.
152. G. Mounin: *Los problemas teóricos de la traducción*. Segunda edición revisada. 338 págs.
153. Marcelino C. Peñuelas: *La obra narrativa de Ramón J. Sender*. 294 págs.
154. Manuel Alvar: *Estudios y ensayos de literatura contemporánea*. 410 págs.
155. Louis Hjelmslev: *Prolegómenos a una teoría del lenguaje*. Segunda edición. 198 págs.
156. Emilia de Zuleta: *Cinco poetas españoles (Salinas, Guillén, Lorca, Alberti, Cernuda)*. 484 págs.
157. María del Rosario Fernández Alonso: *Una visión de la muerte en la lírica española*. Premio Rivadeneira. Premio nacional uruguayo de ensayo. 450 págs. 5 láminas.
158. Ángel Rosenblat: *La lengua del «Quijote»*. Reimpresión. 380 págs.
159. Leo Pollmann: *La «Nueva Novela» en Francia y en Iberoamérica*. 380 págs.
160. José María Capote Benot: *El período sevillano de Luis Cernuda*. Con un prólogo de F. López Estrada. 172 págs.
161. Julio García Morejón: *Unamuno y Portugal*. Prólogo de Dámaso Alonso. Segunda edición corregida y aumentada. 580 págs.
162. Geoffrey Ribbans: *Niebla y soledad (Aspectos de Unamuno y Machado)*. 332 págs.
163. Kenneth R. Scholberg: *Sátira e invectiva en la España medieval*. 376 págs.

164. Alexander A. Parker: *Los pícaros en la literatura (La novela picaresca en España y Europa. 1599-1753)*. Segunda edición. 220 páginas. 11 láminas.
166. Ángel San Miguel: *Sentido y estructura del «Guzmán de Alfarache» de Mateo Alemán*. Con un prólogo de Franz Rauhut. 312 págs.
167. Francisco Marcos Marín: *Poesía narrativa árabe y épica hispánica*. 388 págs.
168. Juan Cano Ballesta: *La poesía española entre pureza y revolución (1930-1936)*. 284 págs.
169. Joan Corominas: *Tópica hespérica (Estudios sobre los antiguos dialectos, el substrato y la toponimia romances)*. 2 vols.
170. Andrés Amorós: *La novela intelectual de Ramón Pérez de Ayala*. 500 págs.
171. Alberto Porqueras Mayo: *Temas y formas de la literatura española*. 196 págs.
172. Benito Brancaforte: *Benedetto Croce y su crítica de la literatura española*. 152 págs.
173. Carlos Martín: *América en Rubén Darío (Aproximación al concepto de la literatura hispanoamericana)*. 276 págs.
174. José Manuel García de la Torre: *Análisis temático de «El Ruedo Ibérico»*. 362 págs.
175. Julio Rodríguez-Puértolas: *De la Edad Media a la edad conflictiva (Estudios de literatura española)*. 406 págs.
176. Francisco López Estrada: *Poética para un poeta (Las «Cartas literarias a una mujer» de Bécquer)*. 246 págs.
177. Louis Hjelmslev: *Ensayos lingüísticos*. 362 págs.
178. Dámaso Alonso: *En torno a Lope (Marino, Cervantes, Benavente, Góngora, los Cardenios)*. 212 págs.
179. Walter Pabst: *La novela corta en la teoría y en la creación literaria (Notas para la historia de su antinomia en las literaturas románicas)*. 510 págs.
182. Gemma Roberts: *Temas existenciales en la novela española de postguerra*. 286 págs.
183. Gustav Siebenmann: *Los estilos poéticos en España desde 1900*.
184. Armando Durán: *Estructura y técnicas de la novela sentimental y caballeresca*. 182 págs.
185. Werner Beinhauer: *El humorismo en el español hablado (Improvisadas creaciones espontáneas)*. Prólogo de Rafael Lapesa. 270 págs.
186. Michael P. Predmore: *La poesía hermética de Juan Ramón Jiménez (El «Diario» como centro de su mundo poético)*. 234 págs.
187. Albert Manent: *Tres escritores catalanes: Carner, Riba, Pla*. 338 págs.
188. Nicolás A. S. Bratosevich: *El estilo de Horacio Quiroga en sus cuentos*. 204 págs.

189. Ignacio Soldevila Durante: *La obra narrativa de Max Aub (1929-1969)*. 472 págs.
190. Leo Pollmann: *Sartre y Camus (Literatura de la existencia)*. 286 páginas.
191. María del Carmen Bobes Naves: *La semiótica como teoría lingüística*. 238 págs.
192. Emilio Carilla: *La creación del «Martín Fierro»*. 308 págs.
193. E. Coseriu: *Sincronía, diacronía e historia (El problema del cambio lingüístico)*. Segunda edición revisada y corregida. 290 págs.
194. Oscar Tacca: *Las voces de la novela*. Segunda edición, 206 págs.
195. J. L. Fortea: *La obra de Andrés Carranque de Ríos*. 240 págs.
196. Emilio Náñez Fernández: *El diminutivo (Historia y funciones en el español clásico y moderno)*. 458 págs.
197. Andrew P. Debicki: *La poesía de Jorge Guillén*. 362 págs.
198. Ricardo Doménech: *El teatro de Buero Vallejo (Una meditación española)*. 372 págs.
199. Francisco Márquez Villanueva: *Fuentes literarias cervantinas*. 374 págs.
200. Emilio Orozco Díaz: *Lope y Góngora frente a frente*. 410 págs.
201. Charles Muller: *Estadística lingüística*. 416 págs.
202. Josse de Kock: *Introducción a la lingüística automática en las lenguas románicas*. 246 págs.
203. Juan Bautista Avalle-Arce: *Temas hispánicos medievales (Literatura e historia)*. 390 págs.
204. Andrés R. Quintián: *Cultura y literatura españolas en Rubén Darío*. 302 págs.
205. E. Caracciolo Trejo: *La poesía de Vicente Huidobro y la vanguardia*. 140 págs.
206. José Luis Martín: *La narrativa de Vargas Llosa (Acercamiento estilístico)*. 282 págs.
207. Ilse Nolting-Hauff: *Visión, sátira y agudeza en los «Sueños» de Quevedo*. 318 págs.
208. Allen W. Phillips: *Temas del modernismo hispánico y otros estudios*. 360 págs.
209. Marina Mayoral: *La poesía de Rosalía de Castro*. Con un prólogo de Rafael Lapesa. 596 págs.
210. Joaquín Casalduero: *«Cántico» de Jorge Guillén y «Aire nuestro»*. 268 págs.
211. Diego Catalán: *La tradición manuscrita en la «Crónica de Alfonso XI»*. 416 págs.
212. Daniel Devoto: *Textos y contextos (Estudios sobre la tradición)*. 610 págs.
213. Francisco López Estrada: *Los libros de pastores en la literatura española (La órbita previa)*. 576 págs. 16 láminas.
214. André Martinet: *Economía de los cambios fonéticos (Tratados de fonología diacrónica)*. 564 págs.

215. Russell P. Sebold: *Cadalso: el primer romántico «europeo» de España.* 296 págs.
216. Rosario Cambria: *Los toros: tema polémico en el ensayo español del siglo XX.* 386 págs.
217. Helena Percas de Ponseti: *Cervantes y su concepto del arte (Estudio crítico de algunos aspectos y episodios del «Quijote»)* 2 vols.
218. Göran Hammarström: *Las unidades lingüísticas en el marco de la lingüística moderna.* 190 págs.
219. H. Salvador Martínez: *El «Poema de Almería» y la épica románica.* 478 págs.
220. Joaquín Casalduero: *Sentido y forma de «Los trabajos de Persiles y Sigismunda».* 236 págs.
221. Cesáreo Bandera: *Mimesis conflictiva (Ficción literaria y violen cia en Cervantes y Calderón).* Prólogo de René Girard. 262 págs.
222. Vicente Cabrera: *Tres poetas a la luz de la metáfora: Salinas, Aleixandre y Guillén.* 228 págs.
223. Rafael Ferreres: *Verlaine y los modernistas españoles.* 272 págs.
224. Ludwig Schrader: *Sensación y sinestesia.* 528 págs.
225. Evelyn Picon Garfield: *¿Es Julio Cortázar un surrealista?* 266 págs.
226. Aniano Peña: *Américo Castro y su visión de España y de Cervantes.* 318 págs.
227. Leonard R. Palmer: *Introducción crítica a la lingüística descriptiva y comparada.* 586 págs.
228. Edgar Pauk: *Miguel Delibes: Desarrollo de un escritor (1947-1974).* 330 págs.
229. Mauricio Molho: *Sistemática del verbo español (Aspectos, modos, tiempos).* 2 vols.
230. José Luis Gómez-Martínez: *Américo Castro y el origen de los españoles: Historia de una polémica.* 242 págs.
231. Francisco García Sarriá: *Clarín y la herejía amorosa.* 302 págs.
232. Ceferino Santos-Escudero: *Símbolos y Dios en el último Juan Ramón Jiménez (El influjo oriental en «Dios deseado y deseante»).* 566 págs.
233. Martín C. Taylor: *Sensibilidad religiosa de Gabriela Mistral.* Preliminar de Juan Loveluck. 332 págs.
234. *De la teoría lingüística a la enseñanza de la lengua.* Publicada bajo la dirección de Jeanne Martinet. 262 págs.
235. Jürgen Trabant: *Semiología de la obra literaria (Glosemática y teoría de la literatura).* 370 págs.
236. Hugo Montes: *Ensayos estilísticos.* 186 págs.
237. P. Cerezo Galán: *Palabra en el tiempo (Poesía y filosofía en Antonio Machado).* 614 págs.
238. M. Durán y R. González Echevarría: *Calderón y la crítica: Historia y antología.* 2 vols.

239. Joaquín Artiles: *El «Libro de Apolonio», poema español del siglo XIII*. 222 págs.
240. Ciriaco Morón Arroyo: *Nuevas meditaciones del «Quijote»*. 366 páginas.
241. Horst Geckeler: *Semántica estructural y teoría del campo léxico*. 390 págs.
242. José Luis L. Aranguren: *Estudios literarios*. 350 págs.
243. Mauricio Molho: *Cervantes: raíces folklóricas*. 358 págs.
244. Miguel Ángel Baamonde: *La vocación teatral de Antonio Machado*. 306 págs.
245. Germán Colón: *El léxico catalán en la Romania*. 542 págs.
246. Bernard Pottier: *Lingüística general (Teoría y descripción)*. 426 páginas.
247. Emilio Carilla: *El libro de los «Misterios» («El lazarillo de ciegos caminantes»)*. 190 págs.
248. José Almeida: *La crítica literaria de Fernando de Herrera*. 142 págs.
249. Louis Hjelmslev: *Sistema lingüístico y cambio lingüístico*. 262 págs.
250. Antonio Blanch: *La poesía pura española (Conexiones con la cultura francesa)*. 354 págs.
251. Louis Hjelmslev: *Principios de gramática general*. 380 págs.
252. Rainer Hess: *El drama religioso románico como comedia religiosa y profunda (Siglos XV y XVI)*. 334 págs.
253. Mario Wandruszka: *Nuestros idiomas: comparables e incomparables*. 2 vols.
254. Andrew P. Debicki: *Poetas hispanoamericanos contemporáneos (Punto de vista, perspectiva, experiencia)*. 266 págs.
255. José Luis Tejada: *Rafael Alberti, entre la tradición y la vanguardia (Poesía primera: 1920-1926)*. 650 págs.
256. Gudula List: *Introducción a la psicolingüística*. 198 págs.
257. Esperanza Gurza: *Lectura existencialista de «La Celestina»*. 352 págs.
258. Gustavo Correa: *Realidad, ficción y símbolo en las novelas de Pérez Galdós (Ensayo de estética realista)*. 308 págs.
259. Eugenio Coseriu: *Principios de semántica estructural*. 248 págs.
260. Othón Arróniz: *Teatros y escenarios del Siglo de Oro*. 272 págs.
261. Antonio Risco: *El Demiurgo y su mundo: Hacia un nuevo enfoque de la obra de Valle-Inclán*. 310 págs.
262. Brigitte Schlieben-Lange: *Iniciación a la sociolingüística*. 200 págs.
263. Rafael Lapesa: *Poetas y prosistas de ayer y de hoy (Veinte estudios de historia y crítica literarias)*. 424 págs.
264. George Camamis: *Estudios sobre el cautiverio en el Siglo de Oro*. 262 págs.
265. Eugenio Coseriu: *Tradición y novedad en la ciencia del lenguaje (Estudios de historia de la lingüística)*. 374 págs.
266. Robert P. Stockwell y Ronald K. S. Macaulay (eds.): *Cambio lingüístico. y teoría generativa*. 398 págs.

267. Emilia de Zuleta: *Arte y vida en la obra de Benjamín Jarnés.* 278 págs.
268. Susan Kirkpatrick: *Larra: el laberinto inextricable de un romántico liberal.* 298 págs.
269. Eugenio Coseriu: *Estudios de lingüística románica.* 314 págs.
270. James M. Anderson: *Aspectos estructurales del cambio lingüístico.* 374 págs.
271. Carlos Bousoño: *El irracionalismo poético (El símbolo).* 458 págs.
272. Eugenio Coseriu: *El hombre y su lenguaje (Estudios de teoría y metodología lingüística).* 270 págs.
273. Christian Rohrer: *Lingüística funcional y gramática transformativa (La transformación en francés de oraciones en miembros de oración).* 324 págs.
274. Alán Francis: *Picaresca, decadencia, historia (Aproximación a una realidad histórico-literaria).* 230 págs.
275. Jean-Louis Picoche: *Un romántico español: Enrique Gil y Carrasco (1815-1846).* 398 págs.
276. Pedro Ramírez Molas: *Tiempo y narración (Enfoques de la temporalidad en Borges, Carpentier, Cortázar y García Márquez).* 218 págs.
277. Michel Pêcheux: *Hacia el análisis automático del discurso.* 374 págs.
278. Dámaso Alonso: *La «Epístola Moral a Fabio», de Andrés Fernández de Andrada (Edición y estudio).* 4 láminas. 286 págs.
279. Louis Hjelmslev: *La categoría de los casos (Estudio de gramática general).* 346 págs.
280. Eugenio Coseriu: *Gramática, semántica, universales (Estudios de lingüística funcional).* 270 págs.
281. André Martinet: *Estudios de sintaxis funcional.* 342 págs.
282. Germán de Granda: *Estudios lingüísticos hispánicos, afrohispánicos y criollos.* 522 págs.
283. Francisco Marcos Marín: *Estudios sobre el pronombre.* 332 págs.
284. John P. Kimball: *La teoría formal de la gramática.* 222 págs.
285. Antonio Carreño: *El Romancero lírico de Lope de Vega.* Premio «Ramón Menéndez Pidal». de la Real Academia Española. 302 págs.
286. Jean Baptiste Marcellesi y Bernard Gardin: *Introducción a la sociolingüística (La lingüística social).* 442 págs.
287. M.ª Antonia Martín Zorraquino: *Las construcciones pronominales en español (Paradigma y desviaciones).* 414 págs.
288. Carlos Bousoño: *Superrealismo poético y simbolización.* 542 págs.
289. Bernd Spillner: *Lingüística y literatura.* 252 págs.
290. Franz von Kutschera: *Filosofía del lenguaje.* 410 págs.
291. Georges Mounin: *Lingüística y filosofía.* 269 págs.
292. Jean-Pierre Corneille: *La lingüística estructural.* (*Su proyección, sus límites*). 436 págs.

293. Wolfram Krömer: *Formas de la narración breve en las literaturas románicas hasta 1700.* 316 págs.

294. Gerhard Rohlfs: *Estudios sobre el léxico románico.* 444 págs.

295. Julio Matas: *La cuestión del género literario (Casos de las letras hispánicas).* 256 págs.

III. MANUALES

1. Emilio Alarcos Llorach: *Fonología española.* Cuarta edición aumentada y revisada. Reimpresión. 290 págs.

2. Samuel Gili Gaya: *Elementos de fonética general.* Quinta edición corregida y ampliada. Reimpresión. 200 págs. 5 láminas.

3. Emilio Alarcos Llorach: *Gramática estructural (Según la escuela de Copenhague y con especial atención a la lengua española).* Segunda edición. Reimpresión. 132 págs.

4. Francisco López Estrada: *Introducción a la literatura medieval española.* Cuarta edición renovada. 606 págs.

6. Fernando Lázaro Carreter: *Diccionario de términos filológicos.* Tercera edición corregida. Reimpresión. 444 págs.

8. Alonso Zamora Vicente: *Dialectología española.* Segunda edición muy aumentada. Reimpresión. 588 págs. 22 mapas.

9. Pilar Vázquez Cuesta y Maria Albertina Mendes da Luz: *Gramática portuguesa.* Tercera edición corregida y aumentada. 2 vols.

10. Antonio M. Badia Margarit: *Gramática catalana.* Reimpresión. 2 vols.

11. Walter Porzig: *El mundo maravilloso del lenguaje. (Problemas, métodos y resultados de la lingüística moderna.)* Segunda edición corregida y aumentada. Reimpresión. 486 págs.

12. Heinrich Lausberg: *Lingüística románica.* Reimpresión. 2 vols.

13. André Martinet: *Elementos de lingüística general.* Segunda edición revisada. Reimpresión. 274 págs.

14. Walther von Wartburg: *Evolución y estructura de la lengua francesa.* 350 págs.

15. Heinrich Lausberg: *Manual de retórica literaria (Fundamentos de una ciencia de la literatura).* 3 vols.

16. Georges Mounin: *Historia de la lingüística (Desde los orígenes al siglo XX).* Reimpresión. 236 págs.

17. André Martinet: *La lingüística sincrónica (Estudios e investigaciones).* Reimpresión. 228 págs.

18. Bruno Migliorini: *Historia de la lengua italiana.* 2 vols. 36 láminas.

19. Louis Hjelmslev: *El lenguaje.* Segunda edición aumentada. Reimpresión. 196 págs. 1 lámina.

20. Bertil Malmberg: *Lingüística estructural y comunicación humana.* Reimpresión. 328 págs. 9 láminas.

22. Francisco Rodríguez Adrados: *Lingüística estructural.* Segunda edición revisada y aumentada. 2 vols.

23. Claude Pichois y André-M. Rousseau: *La literatura comparada.* 246 págs.
24. Francisco López Estrada: *Métrica española del siglo XX.* Reimpresión. 226 págs.
25. Rudolf Baehr: *Manual de versificación española.* Reimpresión. 444 págs.
26. H. A. Gleason, Jr.: *Introducción a la lingüística descriptiva.* Reimpresión. 770 págs.
27. A. J. Greimas: *Semántica estructural (Investigación metodológica).* Reimpresión. 398 págs.
28. R. H. Robins: *Lingüística general (Estudio introductorio).* Reimpresión. 488 págs.
29. Iorgu Iordan y Maria Manoliu: *Manual de lingüística románica.* Revisión, reelaboración parcial y notas por Manuel Alvar. 2 vols.
30. Roger L. Hadlich: *Gramática transformativa del español.* Reimpresión. 464 págs.
31. Nicolas Ruwet: *Introducción a la gramática generativa.* Segunda edición corregida. 514 págs.
32. Jesús-Antonio Collado: *Fundamentos de lingüística general.* Reimpresión. 308 págs.
33. Helmut Lüdtke: *Historia del léxico románico.* 336 págs.
34. Diego Catalán: *Lingüística íbero-románica (Crítica retrospectiva).* 366 págs.
35. Claus Heeschen: *Cuestiones fundamentales de lingüística.* Con un capítulo de Volker Heeschen. 204 págs.
36. Heinrich Lausberg: *Elementos de retórica literaria (Introducción al estudio de la filología clásica, románica, inglesa y alemana).* 278 págs.
37. Hans Arens: *La lingüística (Sus textos y su evolución desde la antigüedad hasta nuestros días).* 2 vols.
38. Jeanne Martinet: *Claves para la semiología.* 238 págs.
39. Manuel Alvar: *El dialecto riojano.* 180 págs.
40. Georges Mounin: *La lingüística del siglo XX.* 264 págs.
41. Maurice Gross: *Modelos matemáticos en lingüística.* 246 págs.
42. Suzette Haden Elgin: *¿Qué es la lingüística?* 206 págs.
43. Oswald Szemerényi: *Introducción a la lingüística comparativa.* 432 págs.
44. Oswald Szemerényi: *Direcciones de la lingüística moderna. I. De Saussure a Bloomfield (1916-1950).* 204 págs.

IV. TEXTOS

1. Manuel C. Díaz y Díaz: *Antología del latín vulgar.* Segunda edición aumentada y revisada. Reimpresión. 240 págs.

2. M.ª Josefa Canellada: *Antología de textos fonéticos*. Con un prólogo de Tomás Navarro. Segunda edición ampliada. 266 págs.
3. F. Sánchez Escribano y A. Porqueras Mayo: *Preceptiva dramática española del Renacimiento y el Barroco*. Segunda edición muy ampliada. 408 págs.
4. Juan Ruiz: *Libro de Buen Amor*. Edición crítica de Joan Corominas. Reimpresión. 670 págs.
6. *Todo Ben Quzmān*. Editado, interpretado, medido y explicado por Emilio García Gómez. 3 vols.
7. *Garcilaso de la Vega y sus comentaristas (Obras completas del poeta y textos íntegros de El Brocense, Herrera, Tamayo y Azara)*. Edición de Antonio Gallego Morell. Segunda edición revisada y adicionada. 700 págs. 10 láminas.
8. *Poética de Aristóteles*. Edición trilingüe. Introducción, traducción castellana, notas, apéndices e índice analítico por Valentín García Yebra. 542 págs.
9. Maxime Chevalier: *Cuentecillos tradicionales en la España del Siglo de Oro*. 426 págs.
10. Stephen Reckert: *Gil Vicente: Espíritu y letra (Estudio)*. 484 págs.
11. Ralph de Gorog y Lisa S. de Gorog: *Concordancias del «Arcipreste de Talavera»*. 430 págs.
12. Pero López de Ayala: *«Libro de poemas» o «Rimado de Palacio»*. Edición crítica, introducción y notas de Michel Garcia. 2 vols.
13. Gonzalo de Berceo: *El libro de Alixandre*. Reconstrucción crítica de Dana Arthur Nelson. 794 págs.

V. DICCIONARIOS

1. Joan Corominas: *Diccionario crítico etimológico de la lengua castellana*. Reimpresión. 4 vols.
2. Joan Corominas: *Breve diccionario etimológico de la lengua castellana*. Tercera edición muy revisada y mejorada. Reimpresión. 628 págs.
3. *Diccionario de Autoridades*. Edición facsímil. 3 vols.
4. Ricardo J. Alfaro: *Diccionario de anglicismos*. Recomendado por el «Primer Congreso de Academias de la Lengua Española».
5. María Moliner: *Diccionario de uso del español*. Premio «Lorenzo Nieto López» de la Real Academia Española, otorgado por vez primera a la autora de esta obra. Reimpresión. 2 vols.
6. P. P. Rogers y F. A. Lapuente: *Diccionario de seudónimos literarios españoles, con algunas iniciales*. 610 págs.

VI. ANTOLOGÍA HISPÁNICA

2. Julio Camba: *Mis páginas mejores.* Reimpresión. 254 págs.
3. Dámaso Alonso y José M. Blecua: *Antología de la poesía española. Lírica de tipo tradicional.* Segunda edición. Reimpresión. LXXXVI + 266 págs.
6. Vicente Aleixandre: *Mis poemas mejores.* Quinta edición. 406 páginas.
9. José M. Blecua: *Floresta de lírica española.* Tercera edición aumentada. 2 vols.
12. José Luis Cano: *Antología de la nueva poesía española.* Cuarta edición. 438 págs.
13. Juan Ramón Jiménez: *Pájinas escojidas (Prosa).* Reimpresión. 246 págs.
14. Juan Ramón Jiménez: *Pájinas escojidas (Verso).* Reimpresión. 238 págs.
15. Juan Antonio Zunzunegui: *Mis páginas preferidas.* 354 págs.
16. Francisco García Pavón: *Antología de cuentistas españoles contemporáneos.* Tercera edición. 478 págs.
17. Dámaso Alonso: *Góngora y el «Polifemo».* Sexta edición ampliada. 3 vols.
21. Juan Bautista Avalle-Arce: *El inca Garcilaso en sus «Comentarios» (Antología vivida).* Reimpresión. 282 págs.
23. Jorge Guillén: *Selección de poemas.* Tercera edición aumentada. 482 páginas.
28. Dámaso Alonso: *Poemas escogidos.* 212 págs.
29. Gerardo Diego: *Versos escogidos.* 394 págs.
30. Ricardo Arias y Arias: *La poesía de los goliardos.* 316 págs.
31. Ramón J. Sender: *Páginas escogidas.* Selección y notas introductorias por Marcelino C. Peñuelas. 344 págs.
32. Manuel Mantero: *Los derechos del hombre en la poesía hispánica contemporánea.* 536 págs.
33. Germán Arciniegas: *Páginas escogidas (1932-1973).* 318 págs.
34. Paul Verdevoye: *Antología de la narrativa hispanoamericana (1940-1970).* 2 vols.

VII. CAMPO ABIERTO

1. Alonso Zamora Vicente: *Lope de Vega (Su vida y su obra).* Segunda edición. 288 págs.
2. Enrique Moreno Báez: *Nosotros y nuestros clásicos.* Segunda edición corregida. 180 págs.
3. Dámaso Alonso: *Cuatro poetas españoles (Garcilaso - Góngora - Maragall - Antonio Machado).* 190 págs.

6. Dámaso Alonso: *Del Siglo de Oro a este siglo de siglas (Notas y artículos a través de 350 años de letras españolas)*. Segunda edición. 294 págs. 3 láminas.
10. Mariano Baquero Goyanes: *Perspectivismo y contraste (De Cadalso a Pérez de Ayala)*. 246 págs.
11. Luis Alberto Sánchez: *Escritores representativos de América*. Primera serie. Tercera edición. 3 vols.
12. Ricardo Gullón: *Direcciones del modernismo*. Segunda edición aumentada. 274 págs.
13. Luis Alberto Sánchez: *Escritores representativos de América*. Segunda serie. Reimpresión. 3 vols.
14. Dámaso Alonso: *De los siglos oscuros al de Oro (Notas y artículos a través de 700 años de letras españolas)*. Segunda edición. Reimpresión. 294 págs.
18. Ángel del Río: *Estudios sobre literatura contemporánea española*. Reimpresión. 324 págs.
19. Gonzalo Sobejano: *Forma literaria y sensibilidad social (Mateo Alemán, Galdós, Clarín, el 98 y Valle-Inclán)*. 250 págs.
20. Arturo Serrano Plaja: *Realismo «mágico» en Cervantes («Don Quijote» visto desde «Tom Sawyer» y «El Idiota»)*. 240 págs.
22. Guillermo de Torre: *Del 98 al Barroco*. 452 págs.
23. Ricardo Gullón: *La invención del 98 y otros ensayos*. 200 págs.
24. Francisco Ynduráin: *Clásicos modernos (Estudios de crítica literaria)*. 224 págs.
26. José Manuel Blecua: *Sobre poesía de la Edad de Oro (Ensayos y notas eruditas)*. 310 págs.
28. Federico Sopeña Ibáñez: *Arte y sociedad en Galdós*. 182 págs.
29. Manuel García-Viñó: *Mundo y trasmundo de las leyendas de Bécquer*. 300 págs.
30. José Agustín Balseiro: *Expresión de Hispanoamérica*. Prólogo de Francisco Monterde. Segunda edición revisada. 2 vols.
31. José Juan Arrom: *Certidumbre de América (Estudios de letras, folklore y cultura)*. Segunda edición ampliada. 230 págs.
32. Vicente Ramos: *Miguel Hernández*. 378 págs.
33. Hugo Rodríguez-Alcalá: *Narrativa hispanoamericana. Güiraldes - Carpentier - Roa Bastos - Rulfo (Estudios sobre invención y sentido)*. 218 págs.
34. Luis Alberto Sánchez: *Escritores representativos de América*. Tercera serie. 3 vols.
35. Manuel Alvar: *Visión en claridad (Estudios sobre «Cántico»)*. 238 págs.
36. Jaime Alazraki: *Versiones. Inversiones. Reversiones (El espejo como modelo estructural del relato en los cuentos de Borges)*. 156 págs.

VIII. DOCUMENTOS

2. José Martí: *Epistolario (Antología)*. Introducción, selección, comentarios y notas por Manuel Pedro González. 648 págs.

IX. FACSÍMILES

1. Bartolomé José Gallardo: *Ensayo de una biblioteca española de libros raros y curiosos.* 4 vols.
2. Cayetano Alberto de la Barrera y Leirado: *Catálogo bibliográfico y biográfico del teatro antiguo español, desde sus orígenes hasta mediados del siglo XVIII.* XIII + 728 págs.
3. Juan Sempere y Guarinos: *Ensayo de una biblioteca española de los mejores escritores del reynado de Carlos III.* 3 vols.
4. José Amador de los Ríos: *Historia crítica de la literatura española.* 7 vols.
5. Julio Cejador y Frauca: *Historia de la lengua y literatura castellana (Comprendidos los autores hispanoamericanos).* 7 vols.

OBRAS DE OTRAS COLECCIONES

Dámaso Alonso: *Obras completas.*
- Tomo I: *Estudios lingüísticos peninsulares.* 706 págs.
- Tomo II: *Estudios y ensayos sobre literatura.* Primera parte: *Desde los orígenes románicos hasta finales del siglo XVI.* 1.090 págs.
- Tomo III: *Estudios y ensayos sobre literatura.* Segunda parte: *Finales del siglo XVI, y siglo XVII.* 1.008 págs.
- Tomo IV: *Estudios y ensayos sobre literatura.* Tercera parte: *Ensayos sobre literatura contemporánea.* 1.010 págs.
- Tomo V: *Góngora y el gongorismo.* 792 págs.

Homenaje Universitario a Dámaso Alonso. Reunido por los estudiantes de Filología Románica. 358 págs.

Homenaje a Casalduero. 510 págs.

Homenaje a Antonio Tovar. 470 págs.

Studia Hispanica in Honoren R. Lapesa. Vol. I: 622 págs. Vol II: 634 págs. Vol III: 542 págs. 16 láminas.

Juan Luis Alborg: *Historia de la literatura española.*
- Tomo I: *Edad Media y Renacimiento.* 2.ª edición. Reimpresión. 1.082 págs.
- Tomo II: *Época Barroca.* 2.ª edición. Reimpresión. 996 págs.
- Tomo III: *El siglo XVIII.* Reimpresión. 980 págs.

José Luis Martín: *Crítica estilística.* 410 págs.

Vicente García de Diego: *Gramática histórica española.* 3.ª edición revisada y aumentada con un índice completo de palabras. 624 págs.

Marina Mayoral: *Análisis de textos (Poesía y prosa españolas).* Segunda edición ampliada. 294 págs.

Wilhelm Grenzmann: *Problemas y figuras de la literatura contemporánea.* 388 págs.

Veikko Väänänen: *Introducción al latín vulgar.* Reimpresión. 414 págs.

Luis Díez del Corral: *La función del mito clásico en la literatura contemporánea.* 2.ª edición. 268 págs.

Étienne M. Gilson: *Lingüística y filosofía (Ensayos sobre las constantes filosóficas del lenguaje).* 334 págs.